令和7年版

司法書士 合格ゾーン

択一式 過去問題集

10 供託法・司法書士法

JN060329

はしがき

急増するニーズ・拡がる活躍フィールド

司法書士の業務分野は、高齢化社会や不況を反映し、従来の登記業務に加えて格段に幅が拡がりました。例えば、①高齢者・知的障害者等の意思を補完するための後見人となる業務（成年後見制度）、②クレジット会社・サラ金等へ借金を返済できなくなってしまった方への相談業務（クレサラ問題）、③調停・仲裁など訴訟手続以外の紛争処理手続（ADR）での業務があります。

更に、2003年4月には改正司法書士法が施行され、これまで弁護士にだけ認められていた訴訟代理権が付与（簡易裁判所に限る。）されました。法務大臣の認定を受けた司法書士は紛争性のある事件について法律相談を受け、本人の代理人として法廷に出廷したり、弁論や証拠調べを行うなど様々な法廷活動を行ったり、相手方との和解に応じたりすることも可能となり、そのビジネスフィールドはますます大きくなります。

日本のホームロイヤーとして

司法書士は、司法サービスの規制緩和により弁護士と並ぶ法律家としての地位を築きつつあり、今後最も身近な法律家として国民に認識される日も近いことでしょう。確かに、法律家としての業務は重い責任を背負うことになります。しかし、自らの考え・判断で報酬を得られる喜びを考えますと、一生の仕事とするにふさわしい職業といえるでしょう。

弊社では、30年以上にわたり、司法試験をはじめとした法律系資格を目指される方を支援して参りました。これは知識社会といわれる21世紀の日本を支える人材育成のためです。中でも司法書士は活躍の場が広範で、最も魅力的な資格の一つといえます。

私どもは、皆さまが早期に合格を果たされご活躍されることを心より祈念致します。

過去問分析の意義

試験合格の勉強方法が、学問研究と根本において異なるのは、クリアすべき目標が明確になっていることです。学問の真理発見への途は永遠ですが、合格への途は出口のはっきりした、期限つきの道程にすぎません。そして、その出口＝ゴールは、過去問に示されているのです。過去問攻略が試験合格のための最も有効な手段であることは言うまでもありません。

本書の特長

本書は、司法書士試験における過去問分析の重要性に着目し、その徹底的な分析のうえに作成されました。以下を特長とします。

☆　昭和57年（司法書士法は平成15年）以降令和６年までの過去問を掲載しました。

☆　令和７年４月１日時点で施行が確実な法令に合わせて解説の改訂を行い、最新の解説となっています。

☆　個々の問題肢の内容にとどまらず、関連事項を含め合理的に学習ができるよう、随所に図表を掲載するなど、解説を充実させています。

☆　学習の便宜を考え、本試験問題を体系別に編集しました。

☆　体系番号だけではなく、出題番号も明記することで出題年度順に問題を解くことができるようにしました。

☆　切り離して使用できるよう問題と解説を表裏一体とし、解説も可能な限りコンパクトにまとめました。

本書利用の効果

☆　本書で出題の範囲、出題の深さの程度が判明するので、効率的な学習が可能となり、短期で合格を勝ち取ることができます。

☆　本書の利用とともに、実践的な演習講座として、「精撰答練」を併用すれば、より一層の効果が期待できます。

司法書士試験合格を目指す多くの方が本書を有効活用することにより、短期合格を果たされることを期待します。

2024年10月吉日

株式会社東京リーガルマインド
LEC総合研究所　司法書士試験部

本書で学習するにあたって

☆　法務省の登記情報連携システムと供託事務処理システムとの連携による確認ができる場合には、情報通信技術を活用した行政の推進等に関する法律第11条の規定に基づき、登記事項証明書等の添付又は提示を省略することができるものとされていますが、本書では、当該連携ができる場合を考慮しないものとして解答してください。

目　次

※過去出題のない項目についても、目次には体系として掲載しています。

☆本書の効果的活用法☆

6C－1(24－1)　　**財産権の保障**

財産権に関する次の(ア)から(オ)までの記述のうち，判例の趣旨に照らし正しいものの組合せは，後記(1…

(ア)　憲法第…
済的活動…
保障した…

(イ)　財産権…
的な目的…
不合理で…

(ウ)　憲法第29条第3項の「正当な補償」とは，完全な補償を意味するものであって，…れる価格に基づき合理的に算…はできない。

(エ)　憲…特定の人に対し，特別に財産上の犠牲を強いる場合をいい，公共の福祉のためにする一般的な制限である場合には，原則的には，「補償」を要しない。

…法上補償が必要とされる場…わらず，財産権…た法律が補償に関する規定…は，当該法律は，…違無効となる。

6c－1（24－1）
①　②　③

①6cは、〈体系問題6〉のc、財産権の保障に属する問題であることを示す（目次参照）。
②1は、〈体系問題6〉のcの中の第1問という意味である。
③24－1は、平成24年度本試験の第1問の意味である。

問題・解説は表裏一体となっているので切り離して使用することもできる。（セルフファイリング方式）

日付と正誤を書いたり……
かかった時間を書いたり……
5肢中何肢正解したかを書いたり……

学習記録	3/9	3/21	／	3/9	／	3/9	／	2/5	5/5
	×	○		ア、エ		2分		R6 3/9	R6 3/21

間違えた肢を書いたり……

自分なりの使い方で効率のよい学習！

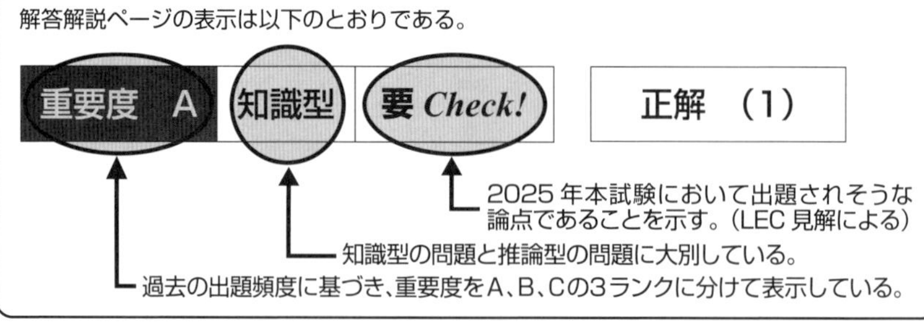

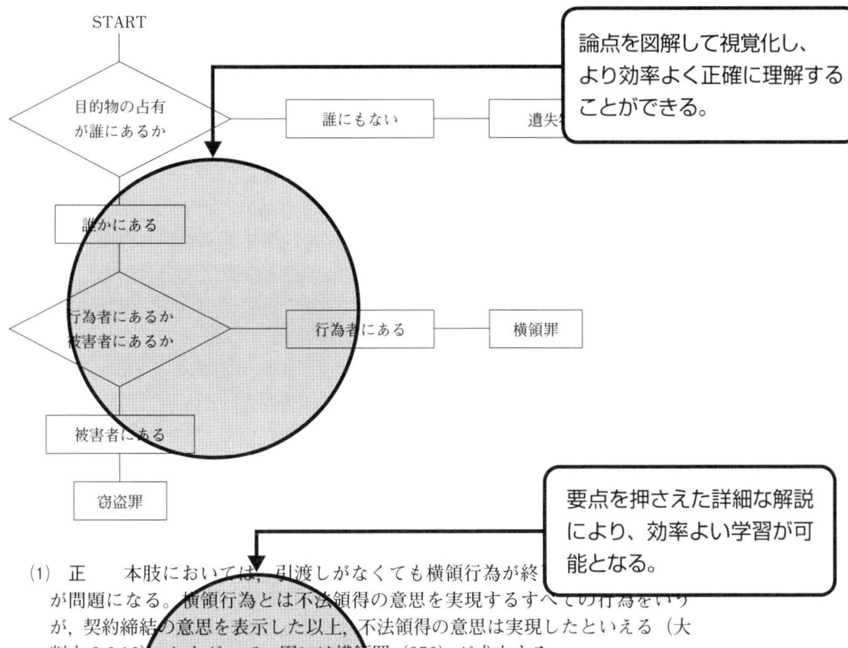

(1)　正　　本肢においては，引渡しがなくても横領行為が終
が問題になる。横領行為とは不法領得の意思を実現するすべての行為をいうが，契約締結の意思を表示した以上，不法領得の意思は実現したといえる（大判大2.6.12）。したがって，甲には横領罪（252）が成立する。

(2)　正　　横領罪の客体は「自己の占有する他人の物」である。そして，横領罪における「占有」は，物に対する事実的支配に限らず法律的支配も含むため，登記済不動産における所有権登記名義人は占有を有しているといえる（最判昭30.12.26）。しかし，登記が無効である場合には，占有は認められない（大判大5.6.24）ため，本肢のように，他人の不動産につき無断でされた自己名義の所有権保存登記は無効であるから，甲に占有は認められず，横領罪は成立しない。

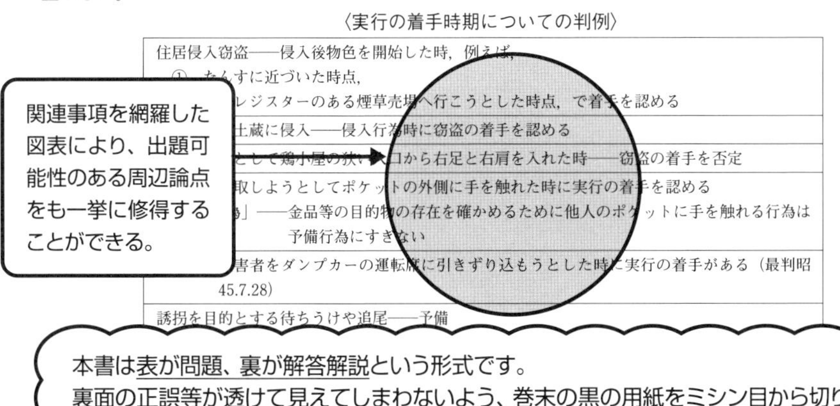

本書は表が問題、裏が解答解説という形式です。
裏面の正誤等が透けて見えてしまわないよう、巻末の黒の用紙をミシン目から切り取り、下敷きとして利用されることをおすすめいたします。

供託法索引

過去問

問＼年度	S57	S58	S59	S60	S61	S62	S63	H元	H2
8	—	—	—	—	—	—	—	—	—
9	—	—	—	—	—	—	—	—	—
10	—	—	—	—	—	—	—	—	—
11	5c－1	※	3e－1	1c－1	6b－1	5b－5	3e－2	5c－4	5a－1
12	5b－1	5c－2	5c－3	2－1	4－1	2－2	5b－6	5b－7	1b－1
13	6a－1	5b－2	5b－3	6a－2	7b－1	6b－2	3c－1	1d－1	4－2
14	—	—	—	5b－4	3a－1	3b－1	6a－3	6a－4	6a－5

＊　※のついている問題は法改正により成立しなくなり削除した問題です。

問＼年度	H3	H4	H5	H6	H7	H8	H9	H10	H11
8	—	—	—	—	—	—	—	—	—
9	—	—	5b－9	5b－10	5b－11	1c－3	※	1d－3	5b－14
10	—	—	2－3	3e－4	6a－10	5c－6	6a－12	5b－13	3e－5
11	1c－2	1d－2	6a－8	6a－9	5a－2	6a－11	7b－3	5c－7	4－3
12	3e－3	6a－7	—	—	—	—	—	—	—
13	7b－2	5b－8	—	—	—	—	—	—	—
14	6a－6	5c－5	—	—	—	—	—	—	—

＊　※のついている問題は法改正により成立しなくなり削除した問題です。

問＼年度	H12	H13	H14	H15	H16	H17	H18	H19	H20
8	5a－3	1d－4	2－4	—	—	—	—	—	—
9	5b－15	5a－4	3c－2	7a－1	3e－6	7b－4	5b－19	2－6	3e－7
10	6a－13	5b－16	5b－17	5c－8	5c－9	5c－10	6a－15	5c－11	5c－13
11	—	—	—	5b－18	6a－14	2－5	5a－5	5c－12	5b－20
12	—	—	—	—	—	—	—	—	—
13	—	—	—	—	—	—	—	—	—
14	—	—	—	—	—	—	—	—	—

問＼年度	H21	H22	H23	H24	H25	H26	H27	H28	H29
8	—	—	—	—	—	—	—	—	—
9	3e－8	3e－9	5a－7	5b－21	3e－10	5b－22	1d－5	1c－4	5b－24
10	6a－16	5c－14	7b－5	3a－2	5c－15	3c－3	5b－23	5a－8	6a－20
11	5a－6	6a－17	6b－3	6a－18	4－4	6a－19	7b－6	2－7	5c－16
12	—	—	—	—	—	—	—	—	—
13	—	—	—	—	—	—	—	—	—
14	—	—	—	—	—	—	—	—	—

問＼年度	H30	H31	R 2	R 3	R 4	R 5	R 6
8	—	—	—	—	—	—	—
9	5a－9	4－5	5a－10	1c－5	5a－11	5b－27	5c－21
10	2－8	5b－25	3e－11	3e－12	3e－13	5c－19	6a－23
11	5c－17	6a－21	5c－18	5b－26	6a－22	5c－20	7b－7
12	—	—	—	—	—	—	—
13	—	—	—	—	—	—	—
14	—	—	—	—	—	—	—

司法書士法索引

過去問

問＼年度	H15	H16	H17	H18	H19	H20	H21	H22	H23
8	2－1	3－1	3－2	3－3	5－1	4－1	2－2	3－4	3－5

問＼年度	H24	H25	H26	H27	H28	H29	H30	H31	R 2
8	2－3	2－4	2－5	2－6	3－6	2－7	3－7	4－2	1c－1

問＼年度	R 3	R 4	R 5	R 6
8	2－8	3－8	5－2	3－9

供託法

第１編　供託の制度
第２編　弁済供託の要件
第３編　供託の手続
第４編　民事執行法にかかわる供託
第５編　供託物払渡請求権の変動

1b−1(2−12)　供託物

供託物又は供託所に関する次の記述のうち、正しいものはどれか。

(1)　外国の通貨は、法務局、地方法務局又はその支局若しくは法務大臣の指定した出張所において供託することができる。

(2)　不動産の供託は、法務大臣の指定する銀行が取り扱う。

(3)　弁済供託において、債務履行地に金銭又は有価証券以外の物品の供託を取り扱う供託所がない場合には、裁判所は供託所の指定及び供託物保管者の選任をすることができる。

(4)　法務大臣の指定する倉庫業者は、その営業の部類に属するもの以外のものについても供託の事務を取り扱う義務を負う。

(5)　金銭の弁済供託をする場合において、債務の履行地に供託所がないときは、法務大臣の指定する供託所が供託事務を取り扱う。

学習記録	／	／	／	／	／	／	／	／	／

重要度　C	知識型		正解　(3)

⑴　誤　　供託物が金銭又は有価証券である場合には、法務局若しくは地方法務局又はその支局若しくは法務大臣の指定する出張所が、供託所として供託事務を取り扱う（1）。この場合の「金銭」とは、わが国の通貨であって、外国の通貨は含まれない。したがって、外国の通貨は、「物」として法務大臣が指定する倉庫営業者又は銀行（以下「倉庫営業者等」という。）に供託することになる（5Ⅰ）。

⑵　誤　　供託物が金銭及び有価証券以外の物品である場合には、法務大臣の指定する倉庫営業者等が供託所として供託事務を取り扱う（5Ⅰ）。しかし、土地収用法95条5項及び道路法94条3項においては、明白に土地を供託すべき旨を定めており、この場合には、民法495条2項、非訟事件手続法94条の裁判所による供託所の指定及び供託物保管者の選任に関する規定を準用しているところから（土収99Ⅱ、道路94Ⅳ）、土地に関する供託所としては法務局である供託所を予定しておらず、非訟事件として裁判所によって処理するのが妥当と解されている。

⑶　正　　供託物が金銭・有価証券以外の物品である場合には、法務大臣の指定する倉庫営業者等が供託所として供託事務を取り扱う（5Ⅰ）。弁済供託の場合において、①その地域に指定倉庫営業者等がない場合（本肢の場合）、②倉庫営業者等が供託申請を拒否した場合、③不動産の場合（肢⑵の場合）には、弁済者の請求により、債務履行地の裁判所が供託所の指定及び供託物保管者の選任を行う（民495Ⅰ・Ⅱ、非訟94）。

⑷　誤　　法務大臣の指定する倉庫営業者等は、供託の目的物が、その倉庫営業者等の営業の部類に属さないものであったり、営業の部類に属していても保管できる限度の数量を超える場合には、保管する義務を負わない（5Ⅱ）。

⑸　誤　　金銭の弁済供託の場合、債務履行地の供託所が原則として管轄供託所となるが、その供託所がない場合には、債務履行地の最寄りの供託所（時間的・経済的にみて、被供託者が供託物を受理するのに最も便利な同一都道府県内の供託所）に供託すれば足りる（昭23.8.20民甲2378号）。

1c－1(60－11)　管　轄

供託所の管轄に関する次の記述のうち、正しいものはどれか。

(1) 債権者不確知を理由とする弁済供託は、供託者の住所地の供託所にすることができる。

(2) 金銭債権に対する差押えの競合を理由として第三債務者がする供託は、先に送達された差押命令を発した執行裁判所の所在地の供託所にしなければならない。

(3) 地方裁判所の支部において命ぜられた仮差押えの保証の供託は、当該支部の所在地の供託所にしなければならない。

(4) 譲渡制限付株式の譲渡につき、取締役会によって、譲渡の相手方として指定された者が先買権を行使するためにする供託は、会社の本店の所在地の供託所にしなければならない。

(5) 宅地建物取引業の営業保証金の供託は、宅地建物取引業者が複数の営業所を有するときは、いずれかの営業所の所在地の最寄りの供託所にすることができる。

学習記録	／	／	／	／	／	／	／	／	／

重要度　B	知識型		正解　(4)

(1) 誤　弁済供託は、債務履行地の供託所にしなければならない（民495Ⅰ）。このことは、債権者不確知（民494Ⅱ）を理由とする弁済供託にあっても同様である。債務履行地とは、当該債務が取立債務であれば債務者の住所地、持参債務であれば債権者の住所地、その他の場所で履行すべき特約があればその定められた場所である。弁済をすべき場所につき何も定めがない場合は、弁済時の債権者の住所が債務履行地である（民484Ⅰ）。債権者不確知の弁済供託のように、債権者が複数であって、各債権者の住所地が異なり、かつ持参債務であるときは、それぞれの債権者の住所地が債務履行地になり得ることから、管轄供託所がいずれであるか不明であるので、いずれか一人の債権者の住所地の管轄供託所に供託することができる（昭38.6.22民甲1794号）。

(2) 誤　民事執行法上の第三債務者がする執行供託は、債務履行地の供託所にしなければならない（民執156Ⅰ・Ⅱ）。この債務履行地とは、第三債務者と執行債務者との関係で定まる債務履行地であって、執行債務者と執行債権者との関係で定まる債務履行地ではない。つまり、被差押債権の債務履行地である。

(3) 誤　仮差押えの保証供託は、担保を立てるべきことを命じた裁判所（発令裁判所）又は保全執行裁判所の所在地を管轄する地方裁判所の管轄区域内の供託所に対してしなければならない（民保4Ⅰ）。したがって、地方裁判所の支部で担保を立てるべきことを命ぜられた場合には、当該支部の所在地の供託所だけではなく、その支部の属する地方裁判所の管轄区域内の供託所にも供託することができる。

(4) 正　株式の譲渡制限の規定がある場合、係る株式の譲渡をするには株主総会（取締役会設置会社にあっては取締役会）の承認を要する（会社139）。しかし、株主総会（取締役会設置会社にあっては取締役会）が承認せず、他の譲渡の相手方（指定買取人）を指定した場合、その者が先買権を行使するためには、一株当たり純資産額に対象株式の数を乗じて得た額を会社の本店の所在地の供託所に供託しなければならない（会社142Ⅱ）。

(5) 誤　宅地建物取引業者は、営業保証金を主たる事務所の最寄りの供託所に供託しなければならない（宅建業25Ⅰ）。営業活動は、主たる事務所の所在地を中心にされていることから、その社会的安定性を保証するとともに、当該事務所の周辺に多数存在することが予想される利害関係人の便宜を図るためである。

〈各種供託の土地管轄〉

<table>
<tr><th colspan="2">供託の種類</th><th colspan="3">土　地　管　轄　供　託　所</th></tr>
<tr><td colspan="2" rowspan="2">弁済供託</td><td>原則</td><td colspan="2">債務履行地の供託所（民 495 Ⅰ）
→債務履行地の属する最小行政区画（市区町村）内にある供託所をいう（朝鮮高判大 14.3.3）</td></tr>
<tr><td>例外</td><td colspan="2">債務履行地の属する最小行政区画内に供託所がない場合は、その最小行政区画を包摂する行政区画（都道府県）内の最寄りの供託所（昭 23.8.20 民甲 2378 号）
→時間的、経済的にみて被供託者の供託物の受領に最も便利な供託所をいう（昭 40.1.7 民甲 67 号）</td></tr>
<tr><td rowspan="5">保証供託</td><td>営業保証供託</td><td>旅行業者
許可割賦販売業者
宅建取引業者</td><td colspan="2">主たる営業所（事務所）の最寄りの供託所
（旅行業 8 Ⅶ、割賦 16 Ⅰ、宅建業 25 Ⅰ）</td></tr>
<tr><td rowspan="4">裁判上の保証供託</td><td>民訴法上の担保供託</td><td colspan="2">発令裁判所の所在地を管轄する地方裁判所の管轄区域内の供託所（民訴 76・259・405 Ⅰ）</td></tr>
<tr><td>民執法上の担保供託</td><td colspan="2">発令裁判所又は執行裁判所の所在地を管轄する地方裁判所の管轄区域内の供託所（民執 15 Ⅰ）</td></tr>
<tr><td rowspan="2">民保法上の担保供託</td><td>原則</td><td>発令裁判所又は保全執行裁判所の所在地を管轄する地方裁判所の管轄区域内の供託所
（民保 4 Ⅰ）</td></tr>
<tr><td>例外</td><td>保全命令については、裁判所の許可により、裁判所が相当と認める地を管轄する地方裁判所の管轄区域内の供託所（民保 14 Ⅱ）</td></tr>
<tr><td colspan="2">執行供託</td><td colspan="3">差押えに係る金銭債権の債務履行地の供託所（民執 156 Ⅰ・Ⅱ）</td></tr>
<tr><td colspan="2">譲渡制限株式の指定買取人の供託</td><td colspan="3">会社の本店所在地の供託所（会社 142 Ⅱ）</td></tr>
<tr><td colspan="2">没取供託</td><td colspan="3">全国どこの供託所でも可（公選 92・93）</td></tr>
</table>

MEMO

1c−2(3−11)　管　轄

供託の管轄に関する次の記述のうち、誤っているものはどれか。(改)

(1)　家賃の弁済供託は、特約のない限り、賃貸人の住所地の供託所にしなければならない。

(2)　銀行の預金債務の弁済供託は、預金者の住所地の供託所にしなければならない。

(3)　交通事故の被害者が行方不明のためにする損害賠償債務の弁済供託は、被害者の最後の住所地の供託所にしなければならない。

(4)　平成17年法改正により削除

(5)　宅地建物取引業法の免許を受けた宅地建物取引業者は、営業保証金を主たる事務所の最寄りの供託所に供託しなければならない。

学習記録	／	／	／	／	／	／	／	／	／

重要度　B	知識型		正解　(2)

⑴ 正　弁済供託は、債務履行地の供託所にしなければならない（民495Ⅰ）。ここでいう債務の履行地とは、特約があればその定められた場所であり、特約がなければ原則として債権者の現時の住所である（民484Ⅰ）。したがって、家賃の弁済供託は、特約のない限り、賃貸人の住所地の供託所にしなければならない。

⑵ 誤　銀行の預金債務は、一般に取立債務に当たるため、その弁済供託は、銀行の本店所在地の供託所にすれば足りる。したがって、預金者の住所地に供託することを要しない。

⑶ 正　債権者の住所が不明の持参債務のときに、受領不能（民494Ⅰ②）を理由に供託する場合には、債権者の最後の住所地の供託所に供託するものとされている（昭39全国供託課長会同決議）。

⑷ 平成17年法改正により削除

⑸ 正　宅地建物取引業者は、営業保証金を、主たる事務所の最寄りの供託所に供託しなければならない（宅建業25Ⅰ）。営業活動は、主たる事務所の所在地を中心にされていることから、その社会的安定性を保証するとともに、当該事務所の周辺に多数存在することが予想される利害関係人の便宜を図るためである。

〈持参債務における弁済供託の土地管轄〉

<table>
<tr><th>類　　型</th><th colspan="2">事　　例</th><th>土　地　管　轄</th></tr>
<tr><td>債権者不確知（民494Ⅱ）</td><td colspan="2">債権者と称する者が複数いるが、真の権利者が不明で、それぞれの住所が異なるため、管轄供託所が複数となる場合</td><td>いずれか一人の債権者の住所地の供託所に供託することができる（昭38.6.22民甲1794号）</td></tr>
<tr><td rowspan="2">債権者複数</td><td rowspan="2">複数の債権者の各住所地が異なるため、管轄供託所が複数となる場合</td><td>可分債務の場合</td><td>各債権者の住所地の供託所に供託すべきである（昭36.4.8民甲816号）</td></tr>
<tr><td>不可分債務の場合</td><td>いずれか一人の債権者の住所地の供託所に供託することができる（昭36.4.8民甲816号）</td></tr>
<tr><td>債権者不明</td><td colspan="2">債務者に責めなくして、債権者が当初から全く不明である場合</td><td>債務者の住所地の供託所に供託すれば足りる（昭33.3.27民甲635号）</td></tr>
<tr><td>債権者の住所不明</td><td colspan="2">債権者の住所が不明であるため、受領不能（民494Ⅰ②）を理由に供託する場合</td><td>債権者の最後の住所地の供託所に供託することができる（昭39全国供託課長会同決議）</td></tr>
<tr><td>債権者の住所変更</td><td colspan="2">債権者の住所地を債務履行地として家賃の弁済供託をしていたが、後に債権者が住所を変更した場合</td><td>（それ以後の供託を）債務者の住所地の供託所にすることができる（昭36.5.10民甲1092号）</td></tr>
</table>

MEMO

1c−3(8−9)　管　轄

供託所の管轄に関する次の記述のうち、正しいものは幾つあるか。

(ア)　金銭債権について弁済供託をする場合において、債務の履行地である市区町村内に供託所がないときは、裁判所が指定した供託所に供託しなければならない。

(イ)　金銭債権に対する差押命令が第三債務者に送達された場合において、第三債務者が当該金銭債権の額に相当する金銭を供託するときは、第三債務者の住所地の供託所にしなければならない。

(ウ)　訴訟上の担保供託は、担保すべきことを命じた裁判所の所在地を管轄する地方裁判所の管轄区域内のいずれの供託所にもすることができる。

(エ)　選挙供託については、供託所の管轄について定めがないので、全国いずれの供託所にもすることができる。

(オ)　供託の管轄が定められている供託の場合において、管轄外の供託所に供託の申請がされたときは、供託官は、これを却下しなければならない。

(1)　0個　　(2)　1個　　(3)　2個　　(4)　3個　　(5)　4個

学習記録	／	／	／	／	／	／	／	／	／

重要度　B	知識型		正解　(4)

(ア)　誤　　弁済供託は債務履行地の供託所にすることを要するが（民495Ⅰ)、その地に供託所がない場合には、債務履行地の属する行政区画内における最寄りの供託所にすれば足りる（昭23.8.20民甲2378号)。したがって、裁判所の指定した供託所に供託しなければならないとする点で、本肢は誤っている。

(イ)　誤　　本肢の供託は、第三債務者が供託をすることによって債務者に対して遅延損害金の支払を免れるという効果を生ずる。すなわち、第三債務者の免責の利益を図るために認められたという点においては弁済供託と同様の性質を有するため、弁済供託の場合（民495Ⅰ）と同様に、第三債務者の債務履行地の供託所にすることを要する（昭55.9.6民四5333号)。

(ウ)　正　　訴訟法上の供託は、担保を供すべきことを命じた裁判所の所在地を管轄する地方裁判所の管轄区域内の供託所に金銭・有価証券等を供託する方法によってすることを要する（民訴76)。そして、その管轄区域内であれば、いずれの供託所にもすることができる。

(エ)　正　　選挙供託（公選92）は、得票数が定められた数に達しない場合等に供託物に対する供託者の所有権を剥奪し、これを国庫又は地方公共団体に帰属させる没取供託である（公選93・94)。選挙供託には、供託根拠法令に管轄供託所を定める規定がないので、全国どこの供託所にも供託することができる。

(オ)　正　　管轄外の供託所にされた供託の申請は、民事訴訟法における管轄違いの訴えのように移送という措置（民訴16）がとられることはなく、供託官によって却下される（供託規21の7)。したがって、本肢の場合、供託者によって正しい供託所に供託し直すことになる。

以上から、正しいものは(ウ)(エ)(オ)の３個であり、正解は(4)となる。

1c−4(28−9)　管　轄

供託の管轄に関する次の(ア)から(オ)までの記述のうち、誤っているものの組合せは、後記(1)から(5)までのうち、どれか。

(ア)　弁済供託は、債務の履行地の供託所にしなければならないが、債務の履行地の属する行政区画内に供託所がない場合には、その地を包括する行政区画内における最寄りの供託所にすれば足りる。

(イ)　宅地建物取引業者がすべき営業保証金の供託は、当該宅地建物取引業者が複数の事務所を有している場合には、それぞれの事務所の最寄りの供託所にしなければならない。

(ウ)　選挙供託は、全国いずれの供託所にもすることができる。

(エ)　民事訴訟の訴訟費用の担保のために行う担保供託は、担保を立てるべきことを命じた裁判所の所在地を管轄する地方裁判所の管轄区域内の供託所にしなければならない。

(オ)　管轄外の供託所にされた弁済供託が誤って受理された場合には、当該弁済供託は無効であり、たとえ被供託者が当該弁済供託を受諾したとしても、当該弁済供託を有効なものとして取り扱うことはできない。

(1)　(ア)(イ)　　(2)　(ア)(ウ)　　(3)　(イ)(オ)　　(4)　(ウ)(エ)　　(5)　(エ)(オ)

学習記録	／	／	／	／	／	／	／	／	／

重要度　B	知識型		正解　(3)

(ア)　正　　弁済供託は、債務履行地の供託所にしなければならない（民495 I）が、債務履行地の属する最小行政区画（市区町村）内に供託所がない場合には、債務履行地の属する行政区画（都道府県）内における最寄りの供託所にすれば足りる（昭23.8.20民甲2378号）。

(イ)　誤　　宅地建物取引業者は、営業保証金を主たる事務所の最寄りの供託所に供託しなければならない（宅建業25 I）。これは、主たる事務所は営業活動の中心であり、また、営業保証供託は、取引によって生ずる不特定多数の相手方の損害等を担保するものであるから、この相手方の権利行使の容易性や利便性を考慮したものである。

(ウ)　正　　選挙供託（公選92）は、得票数が定められた数に達しない場合などに、供託物が没取され、これを国庫又は地方公共団体に帰属させる没取供託である（公選93・94）。そして、没取供託には、供託根拠法令上管轄の定めはないので、全国どこの供託所にでも供託することができる。

(エ)　正　　原告が日本国内に住所、事務所及び営業所を有しないときは、裁判所は、被告の申立てにより、決定で、訴訟費用の担保を立てるべきことを原告に命じなければならない（民訴75 I）。そして、当該規定による訴訟費用の担保供託は、担保を立てるべきことを命じた裁判所の所在地を管轄する地方裁判所の管轄区域内の供託所にしなければならない（民訴76本文）。

(オ)　誤　　管轄外の供託所に供託の申請がされた場合、供託官は、当該供託申請を却下しなければならないが（供託規21の7）、誤って当該供託申請が受理されたとしても、当該供託は有効に成立しない。そのため、この場合は、供託者は、錯誤を理由として供託物を取り戻して、改めて管轄供託所に供託することを要する。ただし、債務履行地でない供託所にされた弁済供託が誤って受理された場合であっても、供託者が錯誤を理由とする供託物の取戻しをする前に、被供託者が供託を受諾するか又は還付請求をした場合は、当該管轄違背の瑕疵は治癒され、有効な供託とみなされることとなる（昭39.7.20民甲2594号）。

以上から、誤っているものは(イ)(オ)であり、正解は(3)となる。

1c−5(R3−9)　管　轄

供託所の管轄に関する次の(ア)から(オ)までの記述のうち、正しいものの組合せは、後記(1)から(5)までのうち、どれか。

(ア)　譲渡制限株式を取得した者からの譲渡の承認の請求に対して、株式会社が譲渡を承認せず対象株式を買い取る旨の通知をしようとするときの供託は、その株式会社の本店の所在地の供託所にしなければならない。

(イ)　宅地建物取引業者が事業の開始後新たに事務所を設置したときの営業保証金の供託は、主たる事務所の最寄りの供託所にしなければならない。

(ウ)　仮差押えの執行を取り消すために債務者がする仮差押解放金の供託は、債務の履行地の供託所にしなければならない。

(エ)　不法行為に基づく損害賠償債務について、債権者の住所が不明である場合の受領不能を原因とする弁済供託は、不法行為があった地の供託所にすることができる。

(オ)　衆議院小選挙区選出議員の選挙の候補者の届出をするためにする選挙供託は、候補者の選挙区又はその最寄りの供託所にしなければならない。

(1)　(ア)(イ)　　(2)　(ア)(エ)　　(3)　(イ)(オ)　　(4)　(ウ)(エ)　　(5)　(ウ)(オ)

学習記録	／	／	／	／	／	／	／	／	／

重要度　B	知識型		正解　(1)

(ア)　正　　譲渡制限株式を取得した者からの譲渡の承認の請求に対して、株式会社が譲渡を承認せず対象株式を買い取る旨の通知をしようとするときの供託は、その株式会社の本店の所在地の供託所にしなければならない（会社141 Ⅱ・Ⅰ参照）。

(イ)　正　　宅地建物取引業者は、事業の開始後新たに事務所を設置したときは、当該事務所につき営業保証金の供託を主たる事務所の最寄りの供託所に供託しなければならない（宅建業26 Ⅰ・Ⅱ・25 Ⅰ）。

(ウ)　誤　　仮差押命令においては、仮差押えの執行の停止を得るため、又は既にした仮差押えの執行の取消しを得るために債務者が供託すべき金銭の額を定めなければならない（民保22 Ⅰ、仮差押解放金）。そして、仮差押解放金を供託する場合には、仮差押命令を発した裁判所又は保全執行裁判所の所在地を管轄する地方裁判所の管轄区域内の供託所にしなければならない（民保22 Ⅱ）。

(エ)　誤　　弁済供託は、債務の履行地の供託所にしなければならない（民495 Ⅰ）。そして、不法行為に基づく損害賠償債務は当事者の別段の意思表示のない限り、持参債務となる（民484 Ⅰ後段・722 Ⅰ・417）。この点、持参債務について、弁済の場所の契約がなく、債権者の住所が不明であるため、受領不能（民494 Ⅰ②）を原因として弁済供託する場合には、債権者の最後の住所地の供託所に供託するものとされている（昭39全国供託課長会同決議）。したがって、交通事故の被害者が行方不明となり、現在の住所が不明であるためにする損害賠償債務の弁済供託は、被害者の最後の住所地の供託所に供託することとなる。

(オ)　誤　　選挙供託（公選92）は、得票数が定められた数に達しない場合などに、供託物を没取して、これを国庫又は地方公共団体に帰属させる没取供託である（公選93・94）。そして、選挙供託には、供託根拠法令上管轄の定めはないので、立候補しようとする地を管轄する供託所に限られず、原則として全国どこの供託所にでも供託をすることができる。

以上から、正しいものは(ア)(イ)であり、正解は(1)となる。

1d－1(元－13)　供託当事者

供託の当事者に関する次の記述のうち、誤っているものはどれか。

(1)　権利能力のない社団で、代表者又は管理人の定めがあるものは、供託の当事者となることができる。

(2)　意思無能力者は、供託の当事者となることができない。

(3)　弁済供託においては、債務者以外の第三者も、債務者のために弁済をすることができるときは、供託者となることができる。

(4)　営業の許可を受けた未成年者は、その営業に関して自ら供託することができる。

(5)　登記された法人以外の法人も、供託の当事者となることができる。

学習記録	／	／	／	／	／	／	／	／	／

重要度　B	知識型		正解　(2)

⑴ 正　権利能力のない社団で、代表者又は管理人の定めがあるものは、供託の当事者となることができる（供託規14Ⅲ参照）。権利能力のない社団であっても、代表者又は管理人の定めがあるものは、権利義務の帰属主体としての行為をすることができることから、供託に関しては当事者能力が認められている。

⑵ 誤　意思無能力者であっても、供託の当事者となることができる。意思無能力者も、自然人である以上、権利義務の帰属主体として権利能力を有するからである（民３）。

⑶ 正　弁済供託がされることによって、債務の消滅という通常の弁済と同一の効果が生ずるため、債務者以外の第三者であっても、弁済をすることができる限度において（民474・499）、供託者となることができる。

⑷ 正　未成年者が営業の許可を受けた場合には、その営業に関しては、自ら供託することができる。供託行為能力とは、供託手続上の行為を自ら有効になし得る能力のことをいうが、供託法において、この供託行為能力につき特に規定がないため、民法その他の法令によってその内容が定まる。すなわち、未成年者は、原則として供託行為能力を有しないが（民５）、例外として営業の許可を受けている場合は、その営業に関する事項については供託行為能力を有する（民６Ⅰ）。

⑸ 正　登記された法人以外の法人（健康保険組合等）も、供託の当事者となることができる（供託規14Ⅱ）。私法上の権利義務の帰属主体としての地位を有する場合には、当然に供託当事者能力を有するとされている。未登記法人は、単に取引の安全のための登記がないにすぎないのであって、法人格を有する限り、当然に供託当事者能力を有するからである。

1d−2(4−11)　供託当事者

供託の当事者に関する次の記述のうち、正しいものは幾つあるか。(改)

(ア)　弁済供託においては、債務者以外の第三者が供託者となることはできない。

(イ)　営業保証供託においては、営業をしようとする者以外の第三者が供託者となることはできない。

(ウ)　裁判上の保証供託においては、相手方の同意を得なければ、当事者以外の第三者が供託者となることはできない。

(エ)　仮差押解放金の供託においては、債務者以外の第三者が供託者となることはできない。

(1)　0個　　(2)　1個　　(3)　2個　　(4)　3個　　(5)　4個

学習記録	／	／	／	／	／	／	／	／	／

重要度　B	知識型		正解　(3)

(ア)　誤　　弁済供託においては、債務者以外の第三者も、債務者のために弁済をすることができるときは、供託者となることができる。弁済供託がされることによって、債務の消滅という通常の弁済と同一の効果が生ずるため、債務者以外の第三者であっても、弁済をすることができる限度において（民474・499)、供託者となることができるのである。

(イ)　正　　営業保証供託においては、営業者自身の信用を社会的に保証するという目的があるので、営業をしようとする者以外の第三者が供託者となることはできない（昭39全国供託課長会同決議)。

(ウ)　誤　　裁判上の保証供託にあっては、裁判所の立担保命令等によって担保提供を命ぜられた当事者が供託者となるのが原則であるが、第三者も本人に代わって供託することができる（大判大2.1.30)。この場合、第三者が供託する旨を供託書に記載すれば足り、相手方の同意がなくても供託することができる（昭35全国供託課長会同決議)。第三者のした保証供託も、相手方（被告）が訴訟費用に関し、供託物（民訴76）について他の債権者に先立って弁済を受ける権利を有する（民訴77）という効果は同一であり、また、特に相手方に不利益を与えることはないからである。

(エ)　正　　仮差押解放金の供託においては、債務者以外の第三者は供託者となることができない（民保22Ⅰ、昭42全国供託課長会同決議)。仮差押えの執行の効力は、仮差押解放金の供託により、仮差押債務者の有する仮差押解放金の取戻請求権の上に移行することになる（平2.11.13民四5002号）が、第三者が供託した場合、この第三者が取戻請求権を有することになる。しかし、仮差押債務者に対する仮差押えの効力が、第三者の有する取戻請求権に移行することは困難であることから、第三者に仮差押解放金の供託を認めると、本執行が不可能となる。したがって、第三者は供託当事者適格を有しない。

以上から、正しいものは(イ)(エ)の２個であり、正解は(3)となる。

〈供託の種類と当事者適格〉

	供託者としての適格	被供託者としての適格
弁済供託	・弁済をすべき債務者 ・弁済をすることができる第三者 （民 474・499）	・債権者
	・賃貸借の場合 ┌賃借人が複数のとき │　各賃借人 │　　∵賃料債務＝不可分債務 └賃貸人が複数のとき ①賃貸人全員に対し全額提供（注１） →全額供託に限り賃借人 ②一部の賃貸人に対し一部提供（注２） →一部供託に限り賃借人 ∵賃料債権＝可分債権	・賃貸借の場合 受領拒否した賃貸人 （自己の相続分の割合で換算した額のみ可） ∵賃料債権＝可分債権
保証供託	・法令上の担保提供義務を負う者 ・供託する旨を供託書に記載した第三者（営業保証供託の場合は、第三者は供託当事者適格なし）	・供託物につき法定の担保権又は優先権を取得すべき者（営業保証供託の場合は、供託時には被供託者は存在しない）
執行供託	・執行手続の執行機関 ・執行債務者 ・債権差押えの場合の第三債務者（第三者は供託当事者適格なし）	・執行債権者
没取供託	・公職の候補者の届出又は推薦届出をする者（公選 92）等	・国又は地方公共団体
保管供託	・供託目的物の保管責任者又は所持人（第三者は供託当事者適格なし）	（不存在）

（注１）　賃貸人全員に対して弁済の提供をして受領拒否された場合には、その全員を被供託者として賃料全額を供託すべきである（昭 38.1.21 民甲 45 号）。

（注２）　一部の賃貸人に対してその相続分の割合で弁済の提供をして受領拒否された場合には、その賃貸人を被供託者として相続分の割合で換算した額を供託することができる（昭 36.4.4 民甲 808 号）。

MEMO

1d−3(10−9)　供託当事者

次の(ア)から(オ)までの供託のうち、第三者が供託者になることができるものの組合せは、後記(1)から(5)までのうちどれか。

(ア)　営業上の保証供託

(イ)　没取供託

(ウ)　裁判上の保証供託

(エ)　仮差押解放金の供託

(オ)　弁済供託

(1)　(ア)(イ)　(2)　(ア)(エ)　(3)　(イ)(ウ)　(4)　(ウ)(オ)　(5)　(エ)(オ)

学習記録	／	／	／	／	／	／	／	／	／

重要度　B	知識型		正解　(4)

(ア)　できない　　営業保証供託においては、営業をしようとする者以外の第三者が供託者となることはできない（昭 39 全国供託課長会同決議）。営業保証供託は、営業者自身の信用を社会的に保証するという目的があるので、営業者以外の者が供託してしまうと、その意味がなくなってしまうからである。

(イ)　できない　　没取供託は、特殊な政策的目的から、供託者と被供託者の間に何ら法律関係が存在しないのに供託者に供託をさせ、一定の条件の下で被供託者が供託物を没取するという極めて特殊な機能を果たす制度である。具体例として、選挙の立候補の届出をするためにされる供託（公選 92）等がある。そして没取供託は、制度濫用の防止が目的であることから、その者以外の第三者は供託当事者適格を有しない。

(ウ)　できる　　裁判上の保証供託にあっては、裁判所の立担保命令等によって担保提供を命ぜられた当事者だけでなく、第三者も本人に代わって供託することができる（大判大 2.1.30）。この場合、第三者が供託する旨を供託書に記載すれば足り、相手方の同意なくして供託することができる（昭 35 全国供託課長会同決議）。第三者のした保証供託も、相手方（被告）が訴訟費用に関し、供託物（民訴 76）について他の債権者に先立って弁済を受ける権利を有する（民訴 77）という効果は同一であり、また、特に相手方に不利益を与えることはないからである。

(エ)　できない　　仮差押解放金の供託においては、債務者以外の第三者は供託者となることができない（民保 22 Ⅰ、昭 42 全国供託課長会同決議）。仮差押えの執行の効力は、仮差押解放金の供託により、仮差押債務者の有する仮差押解放金の取戻請求権の上に移行することになるが（平 2.11.13 民四 5002 号）、第三者が供託した場合、この第三者が取戻請求権を有することになる。しかし、仮差押債務者に対する仮差押えの効力が、第三者の有する取戻請求権に移行することは困難であることから、第三者に仮差押解放金の供託を認めると、本執行が不可能となる。したがって、第三者は供託当事者適格を有しない。

(オ)　できる　　弁済供託においては、債務者以外の第三者も、債務者のために弁済をすることができるときは、供託者となることができる。弁済供託がされることによって、債務の消滅という通常の弁済と同一の効果が生ずるため、債務者以外の第三者であっても、弁済をすることができる限度において（民 474・499）、供託者となることができるのである。

以上から、第三者が供託者になることができるものは(ウ)(オ)であり、正解は(4)となる。

1d−4(13−8)　供託当事者

供託当事者に関する次の(1)から(5)までの記述のうち、正しいものはどれか。(改)

(1)　行為無能力者がした供託手続上の行為は、供託には公法関係の側面があること及び手続の安定の要請があることにかんがみ無効な行為と解されるので、営業の許可を受けていない未成年者が単独でした弁済供託は、無効である。

(2)　裁判上の保証供託は、裁判所の担保提供命令によってするものであるので、担保提供を命ぜられた当事者以外の第三者は、裁判所の許可を受けなければ、当事者に代わって供託者となることができない。

(3)　弁済供託の被供託者は、供託の当事者として供託の成立の時に具体的に確定している必要があるので、被供託者が確定していない場合には、弁済供託をすることができない。

(4)　遺言執行者などの他人の財産の管理人は、本人のために財産を管理する者であるので、その財産管理の一環としてする供託においては、本人が供託者となる。

(5)　営業上の保証供託は、不特定の者が被る可能性のある損害を担保するためのものであるので、営業者以外の第三者は、監督官庁の承認を受けて、営業者に代わって供託者となることができる。

学習記録	／	／	／	／	／	／	／	／	／

重要度　B	知識型		正解　(1)

⑴　正　　供託行為能力とは、供託手続上の行為を自ら有効にすることができる能力のことをいうが、供託法において、この供託行為能力につき規定がないため､民法その他の法令によってその内容が定まる（民訴28参照）。そして、営業の許可（民6Ⅰ）を受けていない未成年者が単独でした供託は、たとえ法定代理人の同意を得ていたとしても、「無効」である（「取り消すことができる供託」ではない、民訴31参照、民5Ⅱ・120Ⅰ対照）。供託には公法関係の側面があること及び手続の安定の要請があることに鑑み、未成年者が単独でした供託については、原則として一律に無効としたものである。

⑵　誤　　裁判上の保証供託（民訴76、民執15Ⅰ、民保4Ⅰ）における担保提供義務者は、担保を立てるべきことを命じた決定（立担保命令）によって担保提供を命じられた者をいい、この者が供託者となるのが原則であるが、第三者も本人に代わって供託することができるものとされている（大判大2.1.30）。この点、第三者が供託する場合、裁判所の許可は不要である。

⑶　誤　　弁済供託においては、供託の当事者として被供託者が供託の成立の時に具体的に確定しているのが原則である。しかし、債権者が死亡しその相続人が誰であるか不明である場合（昭37.7.9民甲1909号）や、賃貸人の死亡により相続が開始し、相続人がその妻と子であることが判明しているときに、子が何人いるかが明らかでない場合（昭41.12.8民甲3325号）であっても、債権者不確知（民494Ⅱ）を理由として供託することができる。

⑷　誤　　供託者とは、「自己の名」において供託をする者であるから、代理人によってされた供託にあっては､本人が供託者である。しかし､遺言執行者（民1006）などの他人の財産の管理人は、自己の名において行為をする者であるから（民953・28・1012Ⅰ）、これらの者が財産管理の一環としてする供託にあっては、本人ではなく、当該管理人が供託者であると解されている。

⑸　誤　　営業保証供託は、裁判上の保証供託（民訴76、民執15Ⅰ、民保4Ⅰ）とは異なり、たとえ監督官庁の承認があったとしても、第三者が営業者に代わって供託することは許されない（昭39全国供託課長会同決議）。営業保証供託には、営業者の信用を社会的に保証するという目的があるからである。

1d−5(27−9)　供託当事者

供託の当事者に関する次の(ア)から(オ)までの記述のうち、正しいものの組合せは、後記(1)から(5)までのうち、どれか。

(ア)　契約の当事者以外の第三者は、当事者がその弁済について反対の意思を表示した場合には、自ら弁済供託をすることができない。

(イ)　営業の許可を受けた未成年者は、当該営業に関しない債務を免れることを目的とする場合には、自ら弁済供託をすることができない。

(ウ)　債務者は、被供託者を具体的に確定していない場合には、弁済供託をすることができない。

(エ)　当事者以外の第三者は、相手方の同意がない場合には、裁判上の保証供託をすることができない。

(オ)　仮差押債務者以外の第三者は、仮差押債権者の同意がある場合には、仮差押解放金の供託をすることができる。

(1)　(ア)(イ)　　(2)　(ア)(ウ)　　(3)　(イ)(エ)　　(4)　(ウ)(オ)　　(5)　(エ)(オ)

学習記録	／	／	／	／	／	／	／	／	／

重要度　B	知識型		正解　(1)

(ア)　正　　弁済供託においては、債務者以外の第三者であっても、債務者に代わって弁済をすることができる限度（民474・499）において、当事者適格を有する。しかし、当事者がその弁済について反対の意思を表示した場合には、第三者は弁済することができない（民474 Ⅳ）。

(イ)　正　　供託行為能力とは、供託手続上の行為を自ら有効に行うことができる能力のことをいうが、供託法において、この供託行為能力につき特に規定がないため、民法その他の法令によってその内容が定まる。この点、未成年者については、原則として行為能力を有しないが（民5）、営業の許可を受けた場合には、その営業に関しては行為能力を有することとなる（民6Ⅰ）。そのため、営業の許可を受けている未成年者は、営業に基づくものであれば、自ら供託をすることができる。したがって、当該営業に関しない債務を免れることを目的とする場合には、自ら弁済供託をすることはできない。

(ウ)　誤　　弁済者が過失なく債権者を確知することができないときは、供託することができる（民494 Ⅱ）。

(エ)　誤　　裁判上の保証供託においては、法令又は裁判所等の命令により担保提供を命じられた者が供託者となるのが原則であるが、第三者も本人に代わって供託することができるものとされている（大判大2.1.30、昭18.8.13民甲511号）。そして、第三者が裁判上の保証供託をする場合、第三者が供託する旨を供託書に記載すれば足り、相手方の同意は要しない（昭35全国供託課長会同決議）。

(オ)　誤　　仮差押解放金の供託においては、債務者以外の第三者は供託者となることができない（民保22Ⅰ、昭42全国供託課長会同決議）。なぜなら、仮差押えの執行の効力は、仮差押解放金の供託により、仮差押債務者の有する仮差押解放金の取戻請求権の上に移行することになるため、この場合に第三者の供託を認めると、この第三者が取戻請求権を有することとなるが、仮差押債務者に対する仮差押えの効力が、第三者の有する取戻請求権に移行することは困難であり、また、仮差押債権者が供託物取戻請求権につき本執行をしようとしても、当該供託物取戻請求権が仮差押債務者ではなく第三者に帰属する以上、本執行は不可能となるからである。

以上から、正しいものは(ア)(イ)であり、正解は(1)となる。

2－1(60－12)　供託の有効要件

弁済供託に関する次の記述のうち、正しいものはどれか。

(1) 賃貸人が、家屋の明渡請求をしているため家賃を受領しないことが明らかであるときは、賃借人が毎月末迄に当月分を支払う旨の約定がある場合でも、賃借人は当月分と次月分の家賃を併せて供託することができる。

(2) 交通事故による損害賠償につき、加害者が自己の見積った損害賠償額に事故の日から提供日までの遅延損害金を付した額の金銭を提供したが、その額が不服であるとしてその受領を拒絶されたときは、加害者は提供した額の金銭を供託することができる。

(3) 賃貸人が行方不明のため受領することができないとして家賃の弁済供託をしたが、供託すべき額に不足しているときは、賃借人は不足額を追加して供託することができる。

(4) 電気料金の値上げに不服のある者は、値上げ前の料金額を提供してその受領を拒絶されたときは、提供した金銭を供託することができる。

(5) 雇主は解雇した外交販売員に対する未払給与を受領不能を原因として供託する場合、当該外交販売員が雇主に納入すべき商品販売代金があるときは、その支払いを「供託金還付請求」の反対給付とすることができる。

学習記録	／	／	／	／	／	／	／	／	／

重要度　A　知識型　　　　**正解　(2)**

⑴　誤　　賃貸人が家屋の明渡請求をしているため、家賃を受領しないことが明らかな場合であっても、賃借人が毎月末日までに当月分の家賃を支払う旨の約定があるときは、賃借人は、当月分と次月分の家賃を併せて供託することはできない。次月分の家賃については弁済期が到来していないからである（昭24.10.20民甲2449号参照）。

⑵　正　　交通事故の加害者は、損害賠償債務として任意に算定した額について弁済供託することができる（昭41.7.5民甲1749号）。この場合には、当事者間において賠償額につき争いがある場合であっても、不法行為に基づく損害賠償債務は不法行為の時に発生するため、観念的には最初から客観的に一定額として確定しているものと考えられるからである。したがって、加害者は、不法行為の時（交通事故の時）から提供の日までの遅延損害金を付した金銭を提供し（最判昭37.9.4参照）、受領を拒否されたときは、受領拒否（民494Ⅰ①）を理由として供託することができる（昭32.4.15民甲710号）。

⑶　誤　　債権額の一部の供託は、それが特に有効な供託と解されるのでない限り、債務の本旨に従ったもの（民493本文）とはいえない。したがって、その供託した部分についても効力を生ぜず（東京高判昭40.11.29）、不足分を追加して供託することはできない。

⑷　誤　　電気料金の値上げに不服のある者は、値上げ前の料金を提供して、その受領を拒絶されたとしても、供託することは認められない（昭26.10.23民甲2055号、昭50.3.17民四1448号）。電気料金のような公共料金は、国家の管理の下に合理的かつ適正な料金設定がされているので、需要者はその料金設定に従う必要があるからである。

⑸　誤　　債権者の供託物受領の要件として、債務者が債権者の給付に対して弁済すべき場合には、債権者はその反対給付をしなければ供託物を受け取ることができない（民498Ⅱ）。しかし、この反対給付条件の内容は、双務契約上の債務の同時履行又はこれに準ずる関係にあるものでなければならない。雇主の未払給与と外交販売員の商品販売代金の各債務は、このような密接な関係になく、雇主が未払給与を供託する場合、外交販売員の商品販売代金を反対給付の条件とすることはできない。

2−2(62−12)　供託の有効要件

弁済供託をすることができる供託金の額に関する次の記述のうち、正しいものはどれか。

(1)　建物の借賃の増額につき協議が調わないときは、増額請求を受けた借主は、貸主の請求額を供託しなければならない。

(2)　地代の減額につき協議が調わないときは、減額請求をした借主は、相当と認める額を供託することができる。

(3)　賃借中の一筆の土地の一部について貸主から明渡請求を受け、当該部分の地代の受領を拒否された借主は、地代の全額を供託することができる。

(4)　遅延損害金の額が元金の１パーセントに満たない僅少なものであるときは、債務者は、元金のみを供託することもできる。

(5)　売買契約の買主が、売主に対して有する不法行為に基づく損害賠償債権につき賠償額を争い控訴中である場合、買主は、一審判決認容額をもって売買代金債務と相殺し、その残額を供託することができる。

学習記録	／	／	／	／	／	／	／	／	／

重要度 A	知識型		正解 (3)

(1) 誤　建物の借賃の増額について当事者間の協議が調わないときは、増額を正当とする裁判が確定するまで、借主は自己が相当と認める借賃を支払えば足りるのであり（借地借家32Ⅱ）、貸主がその受領を拒否したときは、借主はその金額を供託することができる。貸主の請求額を供託する必要はない。

(2) 誤　地代の減額につき当事者の協議が調わないときは、減額を相当とする裁判が確定するまで、貸主は自己が相当と認める地代を請求することができるのであって（借地借家11Ⅲ）、借主が自己が相当と認める借賃を提供し、その受領を拒否されても、その金額を供託することはできない。

(3) 正　土地の一部について明渡請求を受け、当該部分の賃料の受領を拒否されたため、賃料の全額について供託の申請をしたときは受理される（昭40.12.6民甲3406号）。

(4) 誤　遅延損害金が発生している場合には、元金にこれを加えた金額を供託しなければならない（昭38.5.27民甲1569号参照）。したがって、遅延損害金の金額が僅少であっても、元金のみの供託をすることはできない（昭39.8.4民甲2711号）。なお、いったん受理された後、弁済提供した金額が遅延損害金につきわずかに不足する場合に、その弁済提供が無効であると主張するのは信義則に反するという判例（最判昭41.3.29、最判昭35.12.15）とは区別する必要がある。

(5) 誤　不法行為に基づく損害賠償債権を自働債権とする相殺は認められる（最判昭42.11.30）。しかし、そのためにはそもそも債権が相殺適状になければならない。本肢の場合、買主の売主に対する不法行為に基づく損害賠償債権は、控訴審で訴訟が係属中であり確定しておらず、相殺適状にない。したがって、当該債権を自働債権として相殺することはできず（民505Ⅰ）、その残額を供託することもできない。

2−3(5−10)　供託の有効要件

弁済供託に関する次の記述のうち、誤っているものはどれか。(改)

(1) 貸主が家屋明渡訴訟を提起しているため家賃の弁済を受領しないことが明らかである場合において、借主が支払日を数か月経過した後に弁済供託をするときは、遅延損害金を付することを要しない。

(2) 家屋の貸主の死亡により数人の相続人が相続によりその地位を承継した場合において、借主が相続人の一人に賃料を提供し、受領を拒否されたときは、借主は、賃料全額の供託をすることができる。

(3) 平成 29 年法改正により削除

(4) 交通事故の加害者が自ら算定した損害賠償額に事故発生時から提供時までの遅延利息を付して提供し、被害者に受領を拒否された場合には、加害者は、その合計額を供託することができる。

(5) 家賃の増額請求につき当事者間に協議が調わない場合において、借主は、従前の額を相当と考えその額を提供したところ、貸主が受領を拒否したときは、借主は、その額を供託することができる。

学習	／	／	／	／	／	／	／	／	／
記録									

重要度 A	知識型		正解 (2)

(1) 正　賃貸人が家屋明渡訴訟を提起しているため、家賃の弁済を受領しないことが明らかである場合においては、賃借人が支払日を数か月経過した後に供託をするときであっても、遅延損害金を付すことを要しない（昭 37.5.25 民甲 1444 号）。債務不履行としての遅延損害金は、債務者の責めに帰すべき事由があるときに生ずるものである。債権者が受領する意思が全くない場合には、債務者の責めに帰すべき事由はなく、口頭の提供がないときであっても、債務者は、債務不履行責任を負うものではないからである（最大判昭 32.6.5）。なお、債権者が受領する意思が全くない場合、例えば、賃借物の明渡請求があった場合において、現に明渡訴訟が提起されているとき（又は当事者間で明渡しに関し係争中であるとき）には、債務者は弁済の提供をすることなく、直ちに供託することができる（昭 37.5.31 民甲 1485 号）。

(2) 誤　賃貸人の死亡により数人の相続人がその地位を承継した場合において、賃借人が相続人の一人に賃料を提供し、その相続人が受領を拒否したときであっても、賃借人は、賃料全額を供託することはできない（昭 36.4.4 民甲 808 号）。

(3) 平成 29 年法改正により削除

(4) 正　交通事故の加害者は、損害賠償債務として任意に算定した額について弁済供託することができる（昭 41.7.5 民甲 1749 号）。この場合には、当事者間において賠償額につき争いがある場合であっても、不法行為に基づく損害賠償債務は不法行為の時に発生するため、観念的には最初から客観的に一定額として確定しているものと考えられるからである。したがって、加害者は、不法行為の時（事故発生の時）から提供の日までの遅延損害金を付した金銭を提供し（最判昭 37.9.4 参照）、受領を拒否されたときは、受領拒否（民 494 Ⅰ①）を理由として供託することができる（昭 32.4.15 民甲 710 号）。

(5) 正　家賃の増額請求について当事者間に協議が調わない場合には、賃借人は増額を正当とする裁判が確定するまでは、自分が相当と認める金額を支払えば足り（借地借家 32Ⅱ）、これを拒否された場合には、受領拒否（民 494 Ⅰ①）を理由として、供託することができる（昭 41.7.12 民甲 1860 号）。また、相当と認める賃料とは、必ずしも従来の賃料をいくらかでも増額したものであることを要せず、従来の賃料でも相当と認めればそれで差し支えない（昭 38.5.18 民甲 1505 号）。

2−4(14−8)　供託の有効要件

金銭の弁済供託に関する次の(1)から(5)までの記述のうち、正しいものはどれか。

(1) 弁済供託は、供託者と供託所との間における第三者のためにする寄託契約であると解されているので、第三者である被供託者が還付請求権を取得し、弁済供託による債務消滅の効果が生じるためには、被供託者の受諾の意思表示が必要である。

(2) 供託者が債務者本人の代理人としてする意思で、しかし、本人のためにすることを表示せずに弁済供託をした場合には、被供託者がその供託が本人のためにされた供託であることを知っていたとしても、本人から被供託者に対する供託としての効力は生じない。

(3) 契約上の金銭債務について債務者が弁済供託をした後に、被供託者の意思表示により当該契約が解除された場合には、供託者は、錯誤を理由として供託金を取り戻すことができる。

(4) 毎月末に支払うべき地代又は家賃について過去の数か月分をまとめて提供したがその受領を拒否されたとして供託するには、各月分についてその支払日から提供日までの遅延損害金を付して提供したことが必要である。

(5) 将来発生する地代又は家賃については、借主が期限の利益を放棄することが可能であるから、支払日未到来の将来の数か月分をまとめて提供し、その受領を拒否された場合には、これを供託することができる。

学習記録	／	／	／	／	／	／	／	／	／

重要度　A	知識型		正解　(4)

(1)　誤　　弁済供託は、供託者と供託所との間における第三者のためにする寄託契約であると解されている。その効果として、被供託者は直ちに還付請求権を取得し、供託者は取戻請求権を取得する。したがって、被供託者の受諾の意思表示がなくとも、債務消滅の効果を生ずる（民494）。なお、被供託者が受諾の意思表示をすると、供託者の取戻請求権が消滅する（民496 Ⅰ）。

(2)　誤　　供託者が債務者本人の代理人としてする意思で、しかし、本人のためにすることを表示することなく供託した場合であっても、被供託者において本人のためにされたことを知り、又は知ることができたときは、その弁済供託は本人から被供託者に対してされた供託として、その効力を有する（最判昭50.11.20）。

(3)　誤　　契約上の金銭債務について債務者が弁済供託した後に、被供託者の意思表示により当該契約が解除された場合の取戻しの事由（供託規22Ⅱ③）は、供託原因消滅である。供託後に供託原因が消滅したときに該当するからである（8Ⅱ）。

(4)　正　　毎月末に支払うべき地代又は家賃について過去の数か月分をまとめて提供したがその受領を拒否されたとして供託するには、各月分についてその支払日から提供日までの遅延損害金を付して提供したことが必要である（昭38.5.18民甲1505号）。賃料債務は各月ごとに別個独立の債務であるから、各履行期後の弁済が債務の本旨に従った弁済（民493本文）といえるためには、各月ごとに遅延損害金を付して提供する必要があるからである。

(5)　誤　　地代又は家賃について賃料先払契約がない場合には、借主が期限の利益を放棄して、将来発生する賃料を受領拒否（民494 Ⅰ①）を理由としてあらかじめ供託することはできない（昭24.10.20民甲2449号）。弁済供託の要件は、債務が現存し、かつ、確定していることであるが、賃料先払契約が存在しない場合、将来の賃料は履行期未到来の債務となり、債務が現存、確定しているとはいえないからである。

2−5(17−11)　供託の有効要件

供託と遅延損害金に関する次の(ア)から(オ)までの記述のうち、誤っているものの組合せは、後記(1)から(5)までのうちどれか。

(ア)　不法行為に基づく損害賠償債務について弁済供託をする場合には、債務者は、不法行為時から弁済の提供の日までの遅延損害金を加えて供託しなければならない。

(イ)　供託原因の記載により債権者が受領しないことが明らかな場合であっても、弁済期を経過した後に弁済供託をするときは、債務者は、弁済期から供託の日までの遅延損害金を加えて供託しなければならない。

(ウ)　売買契約を解除するため、売主が契約の際に受領した手付金の倍額を現実に提供した場合において、買主の受領拒絶を原因として弁済供託をするときは、売主は、供託の日までの遅延損害金を加えることなく供託することができる。

(エ)　金銭債権に対して差押えがされた場合において、第三債務者が当該金銭債権について執行供託をする場合には、その弁済期が経過しているときであっても、第三債務者は、供託の日までの遅延損害金を加えることなく供託することができる。

(オ)　利息制限法の規定に違反する割合による遅延損害金が定められている金銭消費貸借契約に基づく債務について、弁済期を経過した後に弁済供託をする場合には、債務者は、弁済期から供託の日までの間の利息制限法所定の割合による遅延損害金を加えて供託しなければならない。

(1)　(ア)(イ)　(2)　(ア)(ウ)　(3)　(イ)(エ)　(4)　(ウ)(オ)　(5)　(エ)(オ)

学習記録	／	／	／	／	／	／	／	／	／

重要度　A	知識型		正解　(3)

(ア) 正　不法行為に基づく損害賠償債務については、損害額に対して、不法行為時から提供時までの遅延損害金を付して、提供することを要する（昭55.6.9民四3273号）。不法行為に基づく債務は、不法行為時に履行期が到来するため、それらを一括して供託しなければ債務の本旨に従った提供とはならないからである。

(イ) 誤　債権者があらかじめ弁済の受領を拒絶し、その拒絶の意思が強固で、たとえ弁済の提供をしても受領しないことが明らかな場合、債務者は弁済の提供をすることなく直ちに弁済供託をすることができる（大判大11.10.25）。そして、このように債権者が受領しないことが明確である場合には、遅延損害金を加えて供託する必要はない（昭37.5.25民甲1444号）。

(ウ) 正　売主が売買契約を締結する際に、手付金を受領し、買主が履行に着手する前に売主から契約を解除する場合に、手付金の倍額を提供して受領を拒否されたときは、手付金の受領時からの利息を付すことなく弁済供託をすることができる（昭41.7.5民甲1749号）。

(エ) 誤　金銭債権に差押えがされたことにより、第三債務者が執行供託（民執156）を弁済期経過後にする場合、供託の日までの遅延損害金を加えなければならない。当該供託は、金銭債務が差し押さえられた場合において、第三債務者が弁済期に供託することにより、執行債務者に対する債務の免責を認めるためのものである。そのため、弁済期経過後の第三債務者による供託について遅滞の責任を免れさせる理由はないからである。

(オ) 正　利息制限法の定める利率を超える利息・遅延損害金を付加した弁済の提供に対し、債権者が受領を拒否した場合は、債務者は当該利息と遅延損害金を含めて供託することはできず（昭38.1.21民甲45号）、債務者は、弁済期から供託の日までの間の利息制限法所定の範囲内（利息１）の遅延損害金を付して供託しなければならない。

以上から、誤っているものは(イ)(エ)であり、正解は(3)となる。

2−6(19−9)　供託の有効要件

弁済供託に関する次の(ア)から(オ)までの記述のうち、誤っているものの組合せは、後記(1)から(5)までのうちどれか。

(ア)　家賃の減額につき当事者間に協議が調わない場合において、その請求をした賃借人が自ら相当と認める額を提供し、賃貸人がその受領を拒否したときは、賃借人は、その額を供託することができる。

(イ)　交通事故の加害者が自ら算定した損害賠償額と事故発生時から提供時までの遅延損害金の合計額を提供した場合において、被害者がその受領を拒否したときは、加害者は、その額を供託することができる。

(ウ)　毎月末日に支払うべき家賃につき、賃借人が毎月各支払日に当月分の家賃を提供したが、数か月にわたり賃貸人がその受領を拒否しているときは、賃借人は、その数か月分の家賃を遅延損害金を付すことなく一括して供託することができる。

(エ)　賃貸人Ａが死亡した場合には、賃借人は、相続人の有無や相続放棄の有無を調査することなく、供託書の被供託者の住所氏名欄に「住所亡Ａの相続人」の旨を記載して債権者不確知供託をすることはできない。

(オ)　賃貸人が賃料の増額請求をした場合において、あらかじめ賃貸人が賃借人の提供する賃料の受領を拒否し、現に係争中であるときは、賃借人は、現実の提供及び口頭の提供をすることなく、従来からの賃料の額を供託することができる。

(1)　(ア)(イ)　　(2)　(ア)(エ)　　(3)　(イ)(ウ)　　(4)　(ウ)(オ)　　(5)　(エ)(オ)

学習記録	／	／	／	／	／	／	／	／	／

重要度 A **知識型** **正解 (2)**

(ア) 誤　家賃の減額請求権を行使した賃借人が相当と認める額に減じた家賃を賃貸人に提供し、その受領を拒否された場合であっても、賃借人は、受領拒否（民494 Ⅰ①）を理由として、供託をすることはできない（昭46全国供託課長会同決議）。家賃の減額について、当事者間に協議が調わないときは、その請求を受けた者（賃貸人）は、減額を正当とする裁判が確定するまでは、当該賃貸人が相当と認める額の家賃の支払を請求することができる（借地借家32Ⅲ本文）。したがって、賃借人が相当と認める額に減じた家賃を賃貸人に提供しても、債務の本旨に従った弁済（民493本文）とはならない。

(イ) 正　交通事故の加害者は、損害賠償債務として任意に算定した額について弁済供託をすることができる（昭41.7.5民甲1749号）。この場合には、不法行為に基づく損害賠償債務は不法行為の時に発生するため、観念的には最初から客観的に一定額として確定しているものと考えられるからである。したがって、加害者は、不法行為の時（事故発生の時）から提供の日までの遅延損害金を付した金銭を提供し（最判昭37.9.4参照）、受領を拒否されたときは、受領拒否（民494 Ⅰ①）を理由として供託することができる（昭32.4.15民甲710号）。

(ウ) 正　賃借人が賃貸人に対して各月の賃料を各支払日に、債務の本旨に従った弁済の提供をしたにもかかわらず、賃貸人が受領を拒否している場合には、遅延損害金を付すことなく、受領拒否（民494 Ⅰ①）を供託原因として、過去の数か月分の賃料をまとめて一括供託することができる（昭36.4.8民甲816号）。各賃料債務は各月ごとに独立して発生しているが、1個の賃貸借契約から発生した賃料債務であり、各債務の内容や供託原因が同一であること、供託者と被供託者が同一であることなどの理由から一括供託が認められる。なお、各月分の賃料を各支払日に提供していなかった場合には、各月分の支払日の翌日から提供日までの遅延損害金を付して提供しなければ提供自体が不適法となり、供託できないことになる。

(エ) 誤　賃貸人が死亡したがその相続人が不明なため、債権者不確知（民494 Ⅱ）を理由として賃料を弁済供託する場合、賃借人は、相続人の有無及び相続放棄の有無等につき調査することを要せず供託することができる（昭38.2.4民甲351号）。この場合、供託書の被供託者の表示としては、被供託者の範囲を特定するための便宜として、「住所亡何某の相続人」と記載することが認められている（昭37.7.9民甲1909号）。

(オ)　正　　家賃の増額請求について当事者間に協議が調わない場合には、賃借人は増額を正当とする裁判が確定するまでは、自分が相当と認める額を支払えば足り（借地借家32Ⅱ）、これを拒否された場合には、受領拒否（民494Ⅰ①）を理由として、供託することができる（昭41.7.12民甲1860号）。また、相当と認める額とは、必ずしも従来の賃料をいくらかでも増額したものであることを要せず、従来の賃料でも相当と認めればそれで差し支えない（昭38.5.18民甲1505号）。そして、債権者が受領する意思が全くない場合、例えば、賃借物の明渡訴訟が提起されているとき（又は当事者間で明渡しに関し係争中であるとき）には、債務者は弁済の提供をすることなく、直ちに供託することができる（昭37.5.31民甲1485号）。

以上から、誤っているものは(ア)(エ)であり、正解は(2)となる。

MEMO

2−7(28−11)　供託の有効要件

弁済供託に関する次の(ア)から(オ)までの記述のうち、判例の趣旨に照らし誤っているものは、幾つあるか。（改）

(ア)　持参債務の債務者は、弁済期日に弁済をしようとして、債権者の住居に電話で在宅の有無を問い合わせた場合において、債権者以外の家人から、債権者が不在であるため受領することができない旨の回答があっただけでは、受領不能を原因とする弁済供託をすることはできない。

(イ)　不法行為の加害者は、自ら算定した損害賠償額と不法行為発生時から提供日までの遅延損害金の合計額を被害者に提供した場合において、被害者がその受領を拒んだときは、受領拒絶を原因とする弁済供託をすることができる。

(ウ)　建物の賃貸借における賃借人は、債務の本旨に従って賃料を賃貸人に提供し、賃料の受領と引き替えに受領証の交付を請求した場合において、賃貸人が賃料は受領しようとしたものの、受領証の交付を拒んだとしても、受領拒絶を原因とする弁済供託をすることはできない。

(エ)　建物の賃貸借における賃借人は、賃貸人が死亡しその共同相続人二人がその地位を承継した場合において、賃貸人の死亡後に発生した賃料全額を当該共同相続人のうちの一人に提供し、その受領を拒まれたとしても、賃料全額について、受領拒絶を原因とする弁済供託をすることはできない。

(オ)　平成29年法改正により削除

(1)　０個　　(2)　１個　　(3)　２個　　(4)　３個　　(5)　４個

学習記録	／	／	／	／	／	／	／	／	／

重要度 A	知識型		正解 (3)

(ア) 誤　持参債務の債務者が弁済期日に電話で債権者の在否を問い合わせたところ、家人から債権者は不在で受領できない旨の返答があった場合のような債権者の一時的不在も、受領不能（民494 Ⅰ②）に該当し、債務者は、事実上の受領不能を理由として弁済供託をすることができる（大判昭9.7.17）。

(イ) 正　不法行為に基づく損害賠償債務については、加害者が任意に算定した額について供託をすることができる(昭41.7.5民甲1749号)。この場合には、加害者及び被害者の間で損害賠償の額に争いがある場合でも、不法行為に基づく損害賠償債務は不法行為の時に発生するため、観念的には最初から客観的に一定額として確定していると考えられるからである。また、加害者は、不法行為の時から提供の日までの遅延損害金を付した金銭を提供し（最判昭37.9.4参照、昭55.6.9民四3273号)、受領を拒絶されたときは、受領拒絶を原因として弁済供託をすることができる（昭32.4.15民甲710号)。

(ウ) 誤　賃借人が、債務の本旨に従って賃貸人に賃料を提供したが（民493本文)、賃貸人が受取証書を交付しない場合には、受領拒絶を原因とする弁済供託をすることができる（昭39.3.28民甲773号)。なぜなら、弁済と受取証書の交付は、同時履行の関係に立つからである（民486)。

(エ) 正　賃貸人の死亡により数人の相続人がその地位を承継した場合において、賃借人が相続人の一人に賃料を提供し、その相続人が受領を拒否したときであっても、賃借人は、賃料全額を供託することはできない（昭36.4.4民甲808号)。なぜなら、賃料債権は可分債権であり、相続によって法律上当然に分割され、各相続人がその相続分に応じて権利を承継することとなるからである（最判昭29.4.8)。

(オ) 平成29年法改正により削除

以上から、誤っているものは(ア)(ウ)の2個であり、正解は(3)となる。

2－8(30－10)　供託の有効要件

弁済供託に関する次の(1)から(5)までの記述のうち、判例の趣旨に照らし誤っているものは、どれか。(改)

(1)　債権がＡ及びＢに二重に譲渡され、確定日付のある各譲渡通知が同時に債務者に到達した場合には、債務者は、Ａ又はＢを被供託者として債権者不確知を原因とする供託をすることができる。

(2)　平成29年法改正により削除

(3)　建物賃貸借契約の賃貸人が死亡した場合において、その相続人の有無が賃借人に不明であるときは、賃借人は、戸籍により賃貸人の相続人の有無を調査しなくても、債権者不確知を原因とする賃料の供託をすることができる。

(4)　建物賃貸借契約の賃借人が賃貸人から建物明渡請求訴訟を提起されるとともに、今後は賃料を受領しない旨をあらかじめ告げられた場合には、賃借人は、その後に弁済期の到来した賃料について、現実の提供又は口頭の提供をすることなく供託をすることができる。

(5)　平成29年法改正により削除

学習記録	／	／	／	／	／	／	／	／	／

重要度 A **知識型** **正解 (1)**

⑴ 誤　債権が二重に譲渡され、確定日付のある２通の債権譲渡通知（民467 Ⅱ）が債務者に同時に到達した場合には、債務者は、債権者不確知（民494 Ⅱ）を原因として供託をすることはできない（昭59全国供託課長会同決議）。なぜなら、確定日付のある債権譲渡の通知が同時に到達した場合には、各譲受人は、債務者に対して全額の弁済を請求することができ、債務者は、先に債務の履行を請求してきた譲受人に対して弁済すれば免責を受けられるため、債権者不確知とはいえないからである（最判昭55.1.11）。

⑵ 平成29年法改正により削除

⑶ 正　賃借人は、賃貸人の相続人の有無につき調査をすることを要しない（昭38.2.4民甲351号）。そのため、相続人の有無が明らかでない場合であっても、賃借人は、債権者不確知（民494 Ⅱ）を原因とする賃料の供託をすることができる（昭41.12.8民甲3325号）。

⑷ 正　債権者があらかじめ受領を拒んでいるときでも、原則として、まず口頭の提供をしなければ、供託することができない。しかし、債権者の受領しない意思が明確であるような場合においては、口頭の提供をしないで直ちに供託することができる。この点、建物の明渡請求があった場合において、あらかじめ賃貸人から賃料の受領を拒否され、目下係争中であるようなときは、債権者の受領しない意思が明確といえる（昭37.5.31民甲1485号）。

⑸ 平成29年法改正により削除

3a－1(61－14)　受領拒否

受領拒否を理由とする弁済供託の事由に当たらないものは、次のうちどれか。(改)

(1) 平成 29 年法改正により削除

(2) 家賃を毎月支払う旨の約定がある借家契約の借主が、貸主に対し、10 か月分滞納している家賃のうち１か月分とこれに対する遅延損害金につき弁済の提供をしたが、その受領を拒否された場合。

(3) 借家契約の貸主から賃料増額請求があった場合において、貸主と借主の間で賃料改定の協議が調わなかったため、借主が貸主に対し、自己が相当と認める家賃を提供したが、その受領を拒否されたとき。

(4) 借家契約の借主が、家賃は借主の住所で支払う旨の特約に基づき、貸主に対し家賃の受領を催告したが、貸主が弁済期に家賃を受け取りに来なかった場合。

(5) 借家契約の借主から家賃減額請求があった場合において、貸主と借主との間で賃料改定の協議が調わなかったため、借主が貸主に対しその減額請求に表示した額の家賃を提供したが、その受領を拒否されたとき。

学習記録	／	／	／	／	／	／	／	／	／

重要度　C	知識型		正解　(5)

⑴　平成29年法改正により削除

⑵　当たる　　家賃を毎月支払う旨の約定がある借家契約の借主が、貸主に対し、10か月分滞納している家賃のうちの1か月分とこれに対する遅延損害金につき弁済の提供をしたが、その受領を拒否された場合は、他に延滞家賃があったとしても、受領拒否（民494Ⅰ①）を理由とする弁済供託ができる。

⑶　当たる　　借家契約の貸主から賃料増額請求（借地借家32Ⅱ）があった場合において、貸主と借主の間で賃料改定の協議が調わなかったため、借主が貸主に対し、自己が相当と認める家賃（従前の額か、又はそれに若干プラスした額）を提供したが、その受領を拒否されたときは、受領拒否（民494Ⅰ①）を理由とする弁済供託の事由に当たる（昭41.7.12民甲1860号）。

⑷　当たる　　本肢は取立債務の場合であるから、口頭の提供があれば債務の本旨に従った弁済の提供となる（民493但書）。したがって、口頭の提供により受領を催告したにもかかわらず、貸主が家賃を受け取りに来ない場合には、受領拒否（民494Ⅰ①）を理由として供託することができる（昭45.8.29民甲3857号）。

⑸　当たらない　　借家契約の借主から家賃減額請求があった場合において、貸主と借主との間で賃料の改定の協議が調わなかった場合、減額を相当とする裁判が確定するまでは、貸主は、相当と認める家賃（従前の契約額以下の範囲内で貸主が妥当と判断した額）の支払を請求できる（借地借家32Ⅲ）。これに対して、借主が貸主に対しその減額請求に表示した額の家賃を提供したが、その受領を拒否されたときは、受領拒否（民494Ⅰ①）を理由とする弁済供託の事由に当たらない（昭46全国供託課長会同決議）。

〈受領拒否による弁済供託の可否〉

類　型	事　　　例
当事者適格	原賃貸人の承諾を得た適法な転借人は、原賃貸人・転貸人の双方が、原賃借料が増額されたことを理由に従前の賃料の提供に対して受領拒否している場合に、そのどちらに対しても供託できるが、民法613条による債務の弁済として原賃貸人に対して供託すれば足りる（注）
	建物賃借人が、賃貸人の設定した当該建物の抵当権者に対して、弁済期日に賃貸人に代わって弁済の提供をしたが、抵当権者がその受領を拒否した場合は、賃借人は供託することができる　（昭39.9.3民甲2912号）
	不動産の賃貸人の死亡により共同相続人がその地位を承継している場合、賃借人が賃料を相続人の一人に提供して受領を拒否されたときは相続人全員を被供託者として賃料全額を供託することができない　（昭38.1.21民甲45号）
拒否の擬制	賃借人が債務の本旨に従った賃料の提供をしたが、賃貸人が受領書を交付しない場合は、賃借人は供託することができる　（昭39.3.28民甲773号）
	賃借中の一筆の土地の一部につき明渡請求を受け、当該部分の賃料の受領を拒否された賃借人は、その拒否された部分の賃料又は賃料全額を供託することができる　（昭40.12.6民甲3406号）
	債権者の反対給付が債務履行の条件となっている場合に、債権者が反対給付を履行しないため受領させることができないときは、供託することができる　（昭39.2.26民甲398号）
利息制限法違反	利息制限法の定める利率を超える利息・遅延損害金を付加した弁済の提供に対し、債権者が受領を拒否した場合は、債務者は、当該利息と遅延損害金を含めて供託することができない　（昭38.1.21民甲45号）

（注）　賃貸人の承諾（民612Ⅰ）を得て転借している家屋につき、賃貸人、賃借人間の基本契約が期間満了により消滅し、双方とも転借人の提供する賃料の受領を拒否している場合には、転貸人に対して供託すべきである（昭38.5.18民甲1505号）。

土地の賃貸借契約が、賃貸人と賃借人間で合意解除されても、適法な転借人に対抗できないため、合意解除後、転借人が提供する地代につき賃貸人及び賃借人いずれも受領を拒むときは、賃貸人を被供託者として供託できる（昭41.12.6民甲3350号）。

MEMO

3a－2(24－10)　受領拒否

受領拒絶を原因とする弁済供託に関する次の㈠から㈤までの記述のうち、誤っているものは、幾つあるか。（改）

㈠　建物の賃借人は、賃料の増額請求を受けた場合において、賃貸人から従来の賃料の受領をあらかじめ拒まれ、目下係争中であるときは、現実の提供又は口頭の提供をすることなく、受領を拒まれた後に発生した賃料を供託することができる。

㈡　建物の賃借人は、賃料の増額請求を受けた場合において、賃料の支払日を数箇月過ぎた後、賃貸人に従来の賃料の元本のみを提供して賃貸人からその受領を拒まれたときは、当該賃料の支払日の翌日から供託日までの遅延損害金を付して、当該賃料を供託することができる。

㈢　建物の賃借人は、台風で破損した当該建物の屋根の一部の修理を賃貸人から拒まれたため自己の費用で修理をした場合において、賃貸人に賃料と当該修理代金とを相殺する旨の意思表示をした上、相殺後の残額を提供して賃貸人からその受領を拒まれたときは、相殺後の残額を供託することができる。

㈣　平成 29 年法改正により削除

㈤　建物の賃借人は、賃貸人が死亡した場合において、賃貸人の死亡後に発生した賃料をその相続人２名のうち１名に提供して当該１名の相続人からその受領を拒まれたときは、賃料の全額を供託することができる。

(1)　0個　　(2)　1個　　(3)　2個　　(4)　3個　　(5)　4個

学習記録	／	／	／	／	／	／	／	／	／

重要度　C	知識型		正解　(3)

(ア)　正　　家賃の増額請求について当事者間に協議が調わない場合には、賃借人は増額を正当とする裁判が確定するまでは、自分が相当と認める金額を支払えば足り（借地借家32Ⅱ）、これを拒否された場合には、受領拒否（民494Ⅰ①）を理由として、供託することができる（昭41.7.12民甲1860号）。また、相当と認める賃料とは、必ずしも従来の賃料をいくらかでも増額したものであることを要せず、従来の賃料でも相当と認めればそれで差し支えない（昭38.5.18民甲1505号）。なお、債権者が受領する意思が全くない場合、例えば、賃借物の明渡訴訟が提起されているとき（又は当事者間で明渡しに関し係争中であるとき）には、債務者は弁済の提供をすることなく、直ちに供託することができる（昭37.5.31民甲1485号）。

(イ)　誤　　毎月末に支払うべき地代又は家賃について、過去の数か月分をまとめて提供したがその受領を拒否されたとして供託するには、各月の賃料に加え、各月分についてその支払日から提供日までの遅延損害金を付して提供したことが必要である（昭38.5.18民甲1505号）。賃料債務は各月ごとに発生する別個独立の債務であり、履行期後に弁済する場合には、各月ごとに遅延損害金を付して提供しなければ、債務の本旨に従った弁済（民493本文）といえないからである。

(ウ)　正　　賃借人が賃貸人の負担に属する必要費を支出したときは、直ちにその償還を請求することができる（民608Ⅰ）。この点、賃借人は、自己の支出した修繕費と賃料とを相殺し、相殺後の残額を提供して賃貸人からその受領を拒否された場合は、相殺後の残額を供託できる（昭40.3.25民事甲636号）。

(エ)　平成29年法改正により削除

(オ)　誤　　賃料債権は金銭債権であるから分割可能であり、その債権は法律上当然に分割され、各共同相続人は相続分に応じて権利を承継することとなる（民896・899、最判昭29.4.8）。そのため、債務者は、各共同相続人の相続分に応じてそれぞれに弁済の提供をしなければならず、共同相続人の一部の者にのみ全額の弁済の提供をしても、債務の本旨に従った弁済（民493本文）とはならず、これを拒否されたとしても賃料全額の弁済供託をすることはできない（昭36.4.4民甲808号）。

以上から、誤っているものは(イ)(オ)の２個であり、正解は(3)となる。

3b－1(62－14)　受領不能

弁済期日において受領不能を原因とする弁済供託をすることができる場合は、次のうちどれか。(改)

(1)　金銭債権につき処分禁止の仮処分がされた場合

(2)　金銭債権につき仮差押えの執行がされた場合

(3)　金銭債権につき滞納処分による差押えがされた場合

(4)　債権者が海外出張中のため不在である場合

(5)　債権者が破産手続開始の決定を受けた場合

学習記録	／	／	／	／	／	／	／	／	／

重要度　C	知識型		正解　(4)

弁済供託とは、債務者が金銭その他の給付を目的とする債務を負担しているときに、①債権者の受領拒否（民494Ⅰ①）、②債権者の受領不能（民494Ⅰ②）、③債権者の不確知（民494Ⅱ）などのいずれかの事由がある場合において、債務者が債務の目的物を供託して債務を消滅させ、債務不履行によって生ずる不利益を免れる効力を持つ供託であり、次のような場合が考えられる。

- 事実上の受領不能
  - 交通途絶等によって債権者が履行現場に現れない場合
  - 債権者が不在であったり住所不明の場合（ただし持参債務の場合）
- 法律上の受領不能
  - 債権者が死亡したが相続人がいない場合
  - 債権者が制限行為能力者で法定代理人又は保佐人のいない場合

(1)　できない　　金銭債権に対する処分禁止の仮処分がされた場合は、上記の受領不能に該当しないため、受領不能を原因として弁済供託をすることはできない。

(2)　できない　　金銭債権につき仮差押えの執行がされた場合には、受領不能を原因とする弁済供託はすることができない（昭27.7.9民甲988号）。なお、この場合には民事保全法50条5項による執行供託をすることができる。

(3)　できない　　金銭債権につき滞納処分による差押えがされた場合には、受領不能を原因とした弁済供託をすることができない。この場合には、徴収職員による直接取立権が認められているため（税徴67Ⅰ）、第三債務者は取立てに来た徴収職員に対して支払えば足りるからである。

(4)　できる　　賃借人が家賃の支払のために電話で賃貸人の在宅の有無を問い合わせたところ、留守番の者から当該賃貸人が不在で受領することができない旨の返事があった場合には、賃借人は、事実上の受領不能を理由として弁済供託をすることができる（大判昭9.7.17）。

(5)　できない　　債権者が破産手続開始の決定を受けていた場合には、債務者は、受領不能を理由として弁済供託をすることはできない。債権者が破産手続開始の決定を受けたことにより、その当時存在する一切の財産は破産財団を形成する（破34Ⅰ）が、この場合、債務者は、破産財団の管理処分権を有する破産管財人（破78Ⅰ）に対して弁済すればよいため、債権者が破産手続開始の決定を受けたことをもって受領不能とはならないからである。

3c－1(63－13)　債権者不確知

債権者不確知を理由とする弁済供託に関する次の記述のうち、誤っているものは、幾つあるか。(改)

(ア) 債務履行地を債権者の住所とする債権が甲から乙に譲渡され、そのいずれが債権者であるかを確知することができない場合の供託は、甲又は乙のいずれかの住所地の供託所にすることができる。

(イ) 平成29年法改正により削除

(ウ) 甲男と乙女の婚姻中に乙名義でされた銀行預金について、甲・乙の離婚後、預金証書を所持する甲と届出印を所持する乙がそれぞれ自己が預金者であることを主張して係争中である場合には、債権者不確知を理由として供託することができる。

(エ) 債権者不確知を理由とする供託は、債権者が誰であるかを知ることができないことについて債務者に過失がある場合には、することができない。

(オ) 債権者甲が死亡し、その相続人が誰であるか不明の場合の供託は、被供託者を甲の相続人と表示してすることができる。

(1)　0個　(2)　1個　(3)　2個　(4)　3個　(5)　4個

学習記録	／	／	／	／	／	／	／	／	／

重要度　C	知識型		正解　(1)

(ア) 正　債権譲渡の効力に疑問があり、債権者が誰か確知できない持参債務の場合には、何ら帰責性のない債務者に債権者の都合により一方的に不利益を及ぼすべきではないので、債務者は譲渡当事者のいずれかの住所の管轄供託所に供託することができる（昭38.6.22民甲1794号）。したがって、本肢の場合、甲又は乙のいずれかの住所地の供託所に供託することができる。

(イ) 平成29年法改正により削除

(ウ) 正　婚姻中にされた妻（乙女）名義の銀行預金について、離婚後、夫であった者（甲男）が預金証書を所持し、妻であった者が印鑑を所持して互いに自らが預金者であることを主張して、現に係争中である場合には、銀行は、債権者不確知（民494Ⅱ）を理由として供託することができる（昭40.5.27民甲1069号）。債権成立当時には債権者は確知されていたが、その後、債務者である銀行の過失なくして債権者を確知することができなくなったからである。

(エ) 正　債権者不確知を理由に供託するためには、弁済者に過失なくして債権者が誰であるかを確知することができないことが必要である（民494Ⅱ）。なぜなら、弁済者の過失によって債権者が誰であるかを確知することができない場合にも、弁済供託を認めて債務消滅の効果を発生させるならば、債権者に対し一方的に不利益を課することになり、極めて不当な結果となるからである。

(オ) 正　債権者甲が死亡してその相続人が誰であるかが不明な場合は、必然的に被供託者である相続人の住所・氏名も不明であるが、被供託者の範囲を特定するための便宜として、被供託者を「甲の相続人」と表示して供託することが認められている（昭37.7.9民甲1909号）。

以上から、誤っているものはなく、正解は(1)となる。

3c－2(14－9)　債権者不確知

債権者不確知を理由とする弁済供託（以下「債権者不確知供託」という。）に関する次の記述のうち、正しいものは幾つあるか。(改)

(ア) 債権者Ａが死亡し、相続が開始した場合でも、戸籍を調査することにより、亡Ａの相続人が誰であるかを確定することができるから、債務者は、「亡Ａの相続人」を被供託者として債権者不確知供託をすることはできない。

(イ) 債権者がその債権をＡ及びＢに二重に譲渡し、そのそれぞれについて確定日付ある譲渡通知が債務者に到達したが、その先後関係が不明である場合には、譲渡通知は同時に到達したものとして取り扱われるから、債務者は、「Ａ又はＢ」を被供託者として債権者不確知供託をすることはできない。

(ウ) 供託物を受け取る権利を有しない者を被供託者としてされた供託は無効であるから、「Ａ又はＢ」を被供託者として債権者不確知供託がされた場合において、Ｂが還付請求権を有しないときは、当該供託は、全体として無効となる。

(エ) 平成17年法改正により削除

(オ) 被供託者を「Ａ又はＢ」とする債権者不確知供託については、第三者Ｃが、Ａ及びＢを被告とする訴訟の確定判決の謄本を添付して、Ｃが当該供託に係る債権の実体上の権利者であることを説明したとしても、Ｃは、供託物の還付を受けることはできない。

(1) ０個　(2) １個　(3) ２個　(4) ３個　(5) ４個

学習記録	／	／	／	／	／	／	／	／	／

重要度　C	知識型		正解　(2)

㈠　誤　　債権者が死亡し相続が開始した場合、戸籍を調査するなど相続の有無を調査することなく、債務者は、債権者不確知（民494 Ⅱ）を事由として供託することができる（昭38.2.4民甲351号）。この場合、供託書の被供託者の表示は、被供託者の範囲を特定するための便宜として、「住所亡Aの相続人」と記載することが認められている（昭37.7.9民甲1909号）。

㈡　誤　　金銭債権に対して滞納処分による差押え及び債権譲渡がされたが、第三債務者に対する各通知の先後関係が不明であるとされた債権者不確知供託について、この場合の払渡請求権は、債権者の各債権額に按分された割合で帰属する旨の最高裁判決が出された（最判平5.3.30）。これにより、債権者不確知供託はできないのではないかという問題が生じたが、先例は、債権譲渡通知の先後関係が不明であることを原因とする債権者不確知供託を受理することができるとしている（平5.5.18民四3841号）。

㈢　誤　　債権者不確知供託は、供託物還付請求権を有する者が複数の者の中のいずれであるかを確知できないときにすることができるものであるから、被供託者の中に還付請求権を有する者が含まれている以上、それらの中に権利義務の帰属主体とならない者が含まれていたとしても、弁済供託は無効とはならない（最判平6.3.10）。

㈣　平成17年法改正により削除

㈤　正　　被供託者を「A又はB」とする債権者不確知供託については、第三者Cが、A及びBを被告とする訴訟の確定判決の謄本を添付して、Cが当該供託に係る債権の実体上の権利者であることを証明したとしても、Cは、供託物の還付を受けることはできない。Cが真の権利者とするならば、「A又はB」を被供託者とする供託は無効であり、Cに更正することも認められていないから、Cは無効な供託に対して還付請求をすることは許されない。

以上から、正しいものは㈤の1個であり、正解は⑵となる。

3c－3(26－10)

債権者不確知

債権者不確知を原因とする弁済供託に関する次の(ア)から(オ)までの記述のうち、判例の趣旨に照らし正しいものは、幾つあるか。(改)

(ア)　持参債務について被供託者をＡ又はＢとして債権者不確知を原因とする弁済供託をする場合において、Ａの住所地の供託所とＢの住所地の供託所とが異なるときは、いずれの供託所にも供託をすることができる。

(イ)　平成29年法改正により削除

(ウ)　同一債権がＡとＢに二重に譲渡され、それぞれ債務者に対する確定日付のある証書による通知がされた場合において、各通知が債務者に同時に到達したときは、債務者は、被供託者をＡ又はＢとして債権者不確知を原因とする弁済供託をすることができる。

(エ)　賃貸人が死亡した場合には、賃借人は、当該賃貸人の相続人の有無について戸籍を調査した後でなければ、債権者不確知を原因とする弁済供託をすることはできない。

(オ)　被供託者をＡ又はＢとして債権者不確知を原因とする弁済供託がされている場合には、第三者Ｃが、被告をＡ及びＢとする訴えを提起し、当該供託に係る債権の実体上の権利をＣが有することを確認する旨の確定判決を添付して供託金払渡請求をしたとしても、Ｃは、供託物の還付を受けることはできない。

(1)　0個　　(2)　1個　　(3)　2個　　(4)　3個　　(5)　4個

学習記録	／	／	／	／	／	／	／	／	／

重要度　C	知識型	

正解　(3)

(ア)　正　　債権者不確知の弁済供託（民494Ⅱ）のように、債権者が複数であって、各債権者の住所地が異なり、かつ持参債務であるときは、いずれか一人の債権者の住所地の管轄供託所に供託することができる（昭38.6.22民甲1794号）。

(イ)　平成29年法改正により削除

(ウ)　誤　　債権が二重に譲渡され、確定日付のある２通の債権譲渡通知（民467Ⅱ）が債務者に同時に到達した場合には、債務者は、債権者不確知を理由として供託をすることはできない（昭59全国供託課長会同決議）。なぜなら、確定日付のある債権譲渡の通知が同時に到達した場合には、各譲受人は、債務者に対して全額の弁済を請求することができ、債務者は、先に債務の履行を請求してきた譲受人に対して弁済すれば免責を受けられるため、債権者不確知とはいえないからである（最判昭55.1.11）。

(エ)　誤　　賃貸人が死亡したがその相続人が不明なため、債権者不確知を原因として賃料を弁済供託する場合は、賃借人は相続人の有無につき調査することを要しない（昭38.2.4民甲351号）。

(オ)　正　　被供託者をＡ又はＢとして債権者不確知を原因とする弁済供託がされている場合に、第三者Ｃが、Ａ及びＢを相手に債権の存在確認訴訟を提起して、その訴訟の確定判決を得て、供託書に記載されていないＣが、当該確定判決正本をもって還付請求できるか否かについては、「Ａ又はＢ」を被供託者とする債権者不確知供託においては、第三者ＣがＡ又はＢとの関係で実体上の権利者であることを確定判決で証明しても、それは供託原因以外の事項であるので、これをもってＣは供託物の還付請求を行うことができない。

以上から、正しいものは(ア)(オ)の２個であり、正解は(3)となる。

3e－1(59－11)　供託原因全般

弁済供託に関する次の記述のうち、正しいものはどれか。(改)

(1) 持参債務の弁済のための供託は、債権者の所在が不明であるときは、債務者の住所地の供託所にすることができる。

(2) 賃料の弁済供託があった場合には、被供託者は、賃貸借終了後の賃料相当額の損害金として受領する旨を留保して供託金の払渡しを受けることができる。

(3) 被供託者は、供託金を受領するには反対給付の履行をすることを要する場合であっても、供託の受諾をするには反対給付の履行をすることを要しない。

(4) 平成 17 年法改正により削除

(5) 債権者の受領拒否を原因とする弁済供託に係る供託金の還付請求権を差し押さえた者は、被供託者が供託を受諾した後でなければ、供託金の払渡しを受けることはできない。

学習記録	／	／	／	／	／	／	／	／	／

重要度 A	知識型		正解 (3)

⑴ 誤　弁済供託で持参債務の場合は、債権者の住所で弁済の提供をする必要がある（民 484 Ⅰ）。ただし、持参債務において債権者が所在不明のときは、債権者の最後の住所地の供託所に供託しなければならない（昭 39 全国供託課長会同決議）。

⑵ 誤　債権額に争いがある場合、留保付払渡請求ができる。しかし、賃料として供託したものを性質の違う賃料相当の損害金として受領することはできない（昭 38.6.6 民甲 1669 号）。

⑶ 正　反対給付の履行が必要なのは、供託受諾後、払渡請求をして供託金を受け取る場合（10）であり、受諾の際（供託規 47）には不要である。

⑷ 平成 17 年法改正により削除

⑸ 誤　還付請求権を差し押さえた者は被供託者が供託を受諾しなくても、自ら受諾の意思表示をすることができる（昭 59 全国供託課長会同決議）。なお、この場合、取立権を証する書面の添付は要しない。

3e−2(63−11)　供託原因全般

弁済供託に関する次の記述のうち、誤っているものはどれか。(改)

(1) 債権者が弁済を受領しないことが明らかである場合には、弁済の提供をすることなく、供託することができる。

(2) 毎月末日に当月分を支払う旨の約定のある家賃については、期限の利益を放棄して前月末に当月分を供託することができない。

(3) 平成29年法改正により削除

(4) 取立債務の債務者は、債権者が弁済期に取立てに来ない場合には、受領を催告しないで、直ちに供託することができる。

(5) 債権者が弁済を受領しないことが明らかであることを理由とする供託においては、弁済期経過後の遅延損害金を付することを要しない。

学習記録	／	／	／	／	／	／	／	／	／

重要度 A　知識型　　正解　(4)

⑴ 正　　供託という債務者の一方的な行為により、債務消滅という債権者に不利益な効果が発生するため、債権者があらかじめ受領を拒んでいる場合であっても、原則として、債務者はあらかじめ口頭の提供（民 493 但書）をした後でなければ供託することができない。しかし、債権者の不受領意思が強く、債務者が弁済の提供をしても債権者の受領しないことが明らかな場合には、債権者に翻意の機会を保証する必要がないので、債務者の便宜の観点から、債務者は弁済の提供をすることなく直ちに供託することができる（大判大 11.10.25）。

⑵ 正　　将来発生する賃料等の債務は、支払日の到来によって、初めて具体的な債務として現存し確定するものであるから、当事者間の先払いの特約がない限り、支払日前に供託することができない（昭 36.4.4 民甲 808 号、昭 24.10.20 民甲 2449 号、昭 28.11.28 民甲 2277 号）。

⑶ 平成 29 年法改正により削除

⑷ 誤　　受領拒否（民 494 Ⅰ①）を理由として供託する場合は、原則として、債務者が債務の本旨に従った弁済の提供をしていなければならない（民 493 本文）。ただし、取立債務においては債権者の取立行為が必要であるから、債務者は口頭の提供（民 493 但書・受領の催告）をすれば、供託をすることができる（昭 42.9.21 民甲 2277 号）。

⑸ 正　　債権者が受領しないことが明らかである場合においては、債務者は、弁済期経過後の遅延損害金を付すことなく供託をすることができる（昭 37.5.25 民甲 1444 号）。債務不履行としての遅延損害金は、債務者の責めに帰すべき事由があるときに生ずるものである。すなわち、債権者が受領する意思が全くない場合には、債務者の責めに帰すべき事由はなく、弁済期経過後に弁済をするときであっても、債務者が債務不履行責任を負うものではないからである（最大判昭 32.6.5）。

3e－3(3－12)　供託原因全般

弁済供託の供託原因に関する次の記述のうち、誤っているものはどれか。

⑴　土地の賃借人が弁済期に地代を支払うために賃貸人の住所に赴いたところ、賃貸人が不在であった場合には、賃借人は、再度弁済の提供をしない限り、受領不能を供託原因とする供託をすることができない。

⑵　毎月末日までに当月分の家賃を支払う旨の約定のある場合には、賃借人は当該月に入ればいつでも賃貸人に弁済の提供をし、その受領を拒否されたときは、受領拒否を供託原因として供託をすることができる。

⑶　確定日付のある２通の債権譲渡通知が同時に送達された場合には、債務者は、債権者不確知を供託原因とする供託をすることができない。

⑷　公営住宅の家賃が値上げされた場合であっても、賃借人は、従前の家賃を提供し、その受領を拒否されたときは、受領拒否を供託原因として供託をすることができる。

⑸　家賃の減額請求権を行使した賃借人が相当と認める額に減じた家賃を賃貸人に提供し、その受領を拒否された場合には、受領拒否を供託原因とする供託をすることはできない。

学習記録	／	／	／	／	／	／	／	／	／

重要度 A	知識型		正解 (1)

(1) 誤　持参債務の場合に、債権者その他の弁済受領の権限を有する者が弁済場所である債権者の住所地にいないため、債務者が弁済できないときには、一般的には、その不在が一時的か否かを問わず受領不能（民494Ⅰ②）に該当し、債務者は再度の弁済の提供をすることなく、直ちに供託することができる。

(2) 正　毎月末日までに当月分の家賃を支払う旨の約定のある場合には、その月に入れば賃借人は末日の到来以前に弁済の提供をし、その受領を拒否されたときは、受領拒否（民494Ⅰ①）を理由として、供託することができる。

(3) 正　確定日付のある2通の債権譲渡の通知（民467Ⅱ）が同時に送達された場合には、債務者は、債権者不確知（民494Ⅱ）を理由として供託をすることはできない（昭59全国供託課長会同決議）。確定日付のある債権譲渡の通知が同時に送達された場合には、債務者は任意にどちらかの債権者に対して弁済すれば足りるからである。

(4) 正　公営住宅の賃借人が従前の家賃を提供して受領を拒否された場合には、弁済供託が認められている（昭51.8.2民四4344号）。公営住宅の使用関係については、入居者が他人の家屋に居住し、その対価として家賃を支払っているという点においては、私法上の賃貸借関係と性質を異にするものではないことから、その法的性質は、私法上の賃貸借とされているためである（大阪高判昭45.1.29）。

(5) 正　家賃の減額請求権を行使した賃借人が相当と認める額に減じた家賃を賃貸人に提供し、その受領を拒否された場合であっても、賃借人は、受領拒否（民494Ⅰ①）を理由として、供託をすることはできない（昭46全国供託課長会同決議）。建物の借賃の減額について、当事者間に協議が調わないときは、その請求を受けた者（賃貸人）は、減額を正当とする裁判が確定するまでは、当該賃貸人が相当と認める額の建物の借賃の支払を請求することができる（借地借家32Ⅲ本文）。そして、ここにいう「相当と認める額」とは、減額請求後の額以上で減額請求前の額以下の額で賃貸人が請求した額である。したがって、賃借人が相当と認める額に減じた家賃を賃貸人に提供しても、債務の本旨に従った弁済（民493本文）とはならない。

3e−4(6−10)　供託原因全般

弁済供託に関する次の記述のうち、正しいものはどれか。(改)

(1) 賃借人から賃料の提供を受けた賃貸人が、その受取証書を交付しないときは、賃借人は受領拒否を供託原因として供託することができる。

(2) 賃貸人の死亡により相続が開始した場合において、相続人がその妻と子であることが判明しているときは、子が何人いるか明らかでない場合であっても、賃借人は、債権者不確知を供託原因として供託することはできない。

(3) 婚姻中にされた妻名義の銀行預金について、離婚後、夫であった者が預金証書を所持し、妻であった者が印鑑を所持して互いに自らが預金者であることを主張して、現に係争中である場合であっても、銀行は、債権者不確知を供託原因として供託することはできない。

(4) 銀行の預金債務について、債権者の所在が不明であって、既に弁済期が到来しているときは、債務者は遅延損害金を付さない限り、受領不能を供託原因として供託することはできない。

(5) 平成 29 年法改正により削除

学習記録	／	／	／	／	／	／	／	／	／

重要度 A	知識型		正解 (1)

(1) 正　賃料の提供を受けた賃貸人がその受領書の交付をしないときは、賃借人は、受領拒否（民494Ⅰ①）を理由に当該受領書の交付を反対給付の内容（供託規13Ⅱ⑧）として供託をすることができる（昭39.3.28民甲773号）。賃貸人が弁済と同時履行の関係（民533）にある受取証書の交付（民486）をしないということは、弁済の受領をも拒否したものとみなすことができるからである（大判昭16.3.1参照）。

(2) 誤　賃貸人が死亡したがその相続人が不明なため、債権者不確知（民494Ⅱ）を理由として賃料を弁済供託する場合は、賃借人が相続人の有無につき調査することを要しない（昭38.2.4民甲351号）。これは、賃貸人の死亡による相続がなければ賃借人は何ら調査義務を負わないのに、自己に帰責事由なく偶然に相続があったからといって、賃借人に調査義務を負わせるのは、あまりに賃借人の利益を無視することになるからである。したがって、相続人が誰であるか事実上知ることができない場合（昭37.7.9民甲1909号）、又は相続人の一部について判明しない場合（昭41.12.8民甲3325号）は、債権者不確知を供託原因として供託することができる。

(3) 誤　婚姻中にされた妻名義の銀行預金について、離婚後、夫であった者が預金証書を所持し、妻であった者が印鑑を所持して互いに自らが預金者であることを主張して、現に係争中である場合には、銀行は、債権者不確知（民494Ⅱ）を理由として供託することができる（昭40.5.27民甲1069号）。本肢の場合、債権成立当時には債権者は確知されていたが、その後、債務者である銀行の過失なくして債権者を確知することができなくなったからである。

(4) 誤　銀行の預金債務は、預金証書等に記載された支払場所が債務の履行地となる、いわゆる取立債務である。取立債務の場合、弁済期以後に債権者が取立てに来ないときには、あらかじめ口頭の提供をして受領を催告すること（口頭の提供）を要する（民493但書）。しかし、債務の履行の時期及び場所が確定しており、これを債権者も承知しており、かつ、受領行為以外に債権者の協力を要しない（すなわち、債権者が取りに行けばいつでも弁済を受けられる）ということが社会的に確立・慣行化しているような性質を有する取立債務である給与債権や銀行預金については、民法493条ただし書による催告を要せず、債務者はあらかじめ支払の準備をしておくだけで遅滞の責めを免れるとされている（東京地判昭30.6.13）。したがって、銀行の預金債務について、債権者の所在が不明であって、既に弁済期が到来しているときは、債務者は遅延損害金を付さずに受領不能（民494Ⅰ②）を理由として供託することができる（昭57.10.28民四6478号）。

(5) 平成29年法改正により削除

3e−5(11−10)　供託原因全般

弁済供託に関する次の記述のうち、誤っているものはどれか。(改)

(1) 賃貸借契約における賃料債務について、賃貸人があらかじめ賃料の受領を拒否する旨を明らかにしている場合でも、その履行期が到来するまでは賃料の弁済供託をすることはできない。

(2) 家賃として供託された弁済供託金については、損害金として還付請求をする旨を留保して払渡請求をすることはできない。

(3) 債務者が債務の全額に相当するものとして弁済供託をした場合であっても、債権者たる被供託者は、債務の一部に充当する旨を留保して供託金の還付請求をすることができる。

(4) 不法行為に基づく損害賠償債務については、賠償額に争いがある場合には弁済供託をすることができない。

(5) 平成 29 年法改正により削除

学習記録	／	／	／	／	／	／	／	／	／

重要度 A	知識型			正解 (4)

⑴ 正　賃料先払契約のない場合には、将来発生する賃料を受領拒否（民494 Ⅰ①）を理由に供託することはできない（昭 24.10.20 民甲 2449 号）。弁済供託をする場合の要件を満たしているというためには、債務が現存し、かつ確定していることを要する。この点、賃料先払契約が存在しない場合には、将来の賃料は履行期未到来の債務となるからである。

⑵ 正　家賃の弁済供託金につき、被供託者は損害賠償金として還付請求する旨を留保して還付請求をすることはできない（昭 38.6.6 民甲 1669 号）。これを有効と認めると、供託者は家賃弁済の目的を達しないにもかかわらず、供託金の取戻請求権を失う（民 496 Ⅰ）ことになるからである。

⑶ 正　債務全額として弁済供託された供託金について、被供託者が当該債務の一部に充当する旨を留保して還付請求をすることができる（昭 42.1.12 民甲 175 号）。裁判等で債権額が確定しない間は供託金活用利益が阻害されることから、債権者に不当に不利益を及ぼすことを防止するためである。また、このような還付請求を認めても、その供託金額の範囲内では債務者の債務は消滅するため、債務者に不当な不利益を及ぼすこともないからである。

⑷ 誤　不法行為に基づく損害賠償債務については、加害者が任意に算定した額について供託をすることができる（昭 41.7.5 民甲 1749 号）。この場合には、加害者及び被害者の間で損害賠償の額に争いがある場合でも、不法行為に基づく損害賠償債務は不法行為の時に発生するため、観念的には最初から客観的に一定額として確定していると考えられるからである。また、加害者は、不法行為の時から提供の日までの遅延損害金を付した金銭を提供し（最判昭 37.9.4 参照、昭 55.6.9 民四 3273 号）、受領を拒絶されたときは、受領拒絶を原因として弁済供託をすることができる（昭 32.4.15 民甲 710 号）。

⑸ 平成 29 年法改正により削除

3e−6(16−9)　供託原因全般

弁済供託に関する次の(ア)から(オ)までの記述のうち、誤っているものの組合せは、後記(1)から(5)までのうちどれか。

(ア)　供託官が、金融機関に供託金の振込みを受けることができる預金口座を開設しているときは、供託者は、当該預金口座に供託金を振り込む方法により供託することができる。

(イ)　弁済の目的物が株券である場合において、債権者がその受領を拒否したときは、債務者は、法務大臣が指定した倉庫営業者に当該株券を供託することができる。

(ウ)　弁済の目的物が供託に適さないものであるときは、債務者は、裁判所の許可を得てこれを競売し、その代価を供託所に供託することができる。

(エ)　質権の目的となっている金銭債権の弁済期が、質権者の債務者に対する債権の弁済期より前に到来したときは、質権者は、第三債務者に弁済金額の供託をさせることができる。

(オ)　振替国債の譲渡を債務の内容とする場合において、債権者が振替国債の振替を受けるための口座を開設しないため弁済することができないときは、債務者は、当該振替国債を供託することができる。

(1)　(ア)(ウ)　　(2)　(ア)(エ)　　(3)　(イ)(エ)　　(4)　(イ)(オ)　　(5)　(ウ)(オ)

学習記録	／	／	／	／	／	／	／	／	／

重要度 A **知識型** | **正解 (4)**

(ア) 正　供託官は、銀行その他の金融機関に供託金の振込みを受けることができる預金口座があるときは、当該預金口座に供託金の振込みを受けることができる（供託規20の2Ⅰ）。

(イ) 誤　供託物が金銭又は有価証券である場合には、法務局・地方法務局及びこれらの支局、並びに法務大臣が指定する出張所が、供託所として供託事務を取り扱う（1）。したがって、債務者は、法務大臣が指定した倉庫業者に当該株券を供託することはできない。なお、供託物が金銭・有価証券以外の有体物である場合は、法務大臣が指定する倉庫業者又は銀行が供託所として供託事務を取り扱うことができる（5）。

(ウ) 正　弁済者は、弁済の目的物が供託に適さない場合、裁判所の許可を得て競売をしてその代価を供託所に供託できる（民497①）。

(エ) 正　質権の目的となっている金銭債権の弁済期が、質権者の債権の弁済期前に到来したときは、質権者は第三債務者に対してその弁済金額を供託させることができる（民366Ⅲ）。

(オ) 誤　振替国債とは、その権利の帰属が社債、株式等の振替に関する法律の規定による振替口座簿の記載又は記録により定まるものとされる国債をいう（社債株式振替88）。振替国債は、法令の規定により担保若しくは保証として、又は公職選挙法の規定による場合に限り供託することができ、弁済供託の場合には認められていない（社債株式振替278Ⅰ）。

以上から、誤っているものは(イ)(オ)であり、正解は(4)となる。

3e−7(20−9)　供託原因全般

弁済供託に関する次の(ア)から(オ)までの記述のうち、正しいものの組合せは、後記(1)から(5)までのうちどれか。(改)

(ア) 債権が二重に譲渡され、確定日付のある各譲渡通知が同時に債務者に到達したときは、債務者は、債権者不確知を原因とする弁済供託をすることができる。

(イ) 振替国債の譲渡を債務の内容とする場合においては、債務者は、債権者の振替口座未開設を理由として当該振替国債を供託物とする弁済供託をすることはできない。

(ウ) 地代の弁済供託をする場合において、債務履行地の属する最小行政区画内に供託所がないときは、その地を包括する行政区画内における最寄りの供託所に供託すれば足りる。

(エ) 借家人が家主から明渡請求を受け、目下係争中であるため、当該家主において家賃を受領しないことが明らかであるときは、当該借家人は、毎月末日の家賃支払日前にその月分の家賃につき弁済供託をすることができる。

(オ) 家主が死亡し、共同相続人がその地位を承継している場合において、借家人が家賃全額を家主の共同相続人の一人に提供し、その受領を拒否されたときは、当該借家人は、当該共同相続人一人を被供託者として家賃全額を供託することができる。

(1)　(ア)(イ)　　(2)　(ア)(エ)　　(3)　(イ)(ウ)　　(4)　(ウ)(オ)　　(5)　(エ)(オ)

学習記録	／	／	／	／	／	／	／	／	／

重要度 A	知識型		正解 (3)

(ア) 誤　確定日付のある２通の債権譲渡の通知（民467Ⅱ）が同時に送達された場合には、債務者は、債権者不確知（民494Ⅱ）を理由として供託をすることはできない（昭59全国供託課長会同決議）。なぜなら、確定日付のある債権譲渡の通知が同時に送達された場合には、債務者は任意にどちらかの債権者に対して弁済すれば足りるからである。なお、２通以上の債権譲渡通知等の到達の先後が不明でどちらが優先するか判断できない場合は、債権者不確知を原因として供託することができる。

(イ) 正　振替国債とは、その権利の帰属が社債、株式等の振替に関する法律の規定による振替口座簿の記載又は記録により定まるものとされる国債をいう（社債株式振替88）。そして、振替国債は、法令の規定により担保若しくは保証として、又は公職選挙法の規定による場合に限り供託することができ、そもそも弁済供託の場合には認められていない（社債株式振替278Ⅰ）。

(ウ) 正　弁済供託は債務履行地の供託所にすることを要するが（民495Ⅰ）、債務履行地の属する最小行政区画（市区町村）内に供託所がない場合には、債務履行地の属する行政区画（都道府県）内における最寄りの供託所にすれば足りる（昭23.8.20民甲2378号）。

(エ) 誤　家屋明渡請求を受け、目下係争中のため受領しないことが明らかであるとして、毎月末日の家賃支払日前にその月分の弁済供託をすることはできない（昭39全国供託課長会同決議）。賃料先払契約が存在しない場合には、将来の賃料は履行期未到来の債務となり、弁済供託の要件を満たさないからである。

(オ) 誤　本肢における賃料債権については、金銭債権であることから分割可能であり、その債権は法律上当然に分割され、各共同相続人は相続分に応じて権利を承継することとなる（最判昭29.4.8）。したがって、債務者は、各共同相続人の相続分に応じてそれぞれに弁済の提供をしなければならず、共同相続人の一部の者にのみ全額の弁済の提供をしても、債務の本旨に従った弁済（民493本文）とはならず、これを拒否されたとしても賃料全額の弁済供託をすることはできない（昭35全国供託課長会同決議）。

以上から、正しいものは(イ)(ウ)であり、正解は(3)となる。

3e－8(21－9)　供託原因全般

弁済供託に関する次の(ア)から(オ)までの記述のうち、誤っているものの組合せは、後記(1)から(5)までのうちどれか。

(ア) 賃借人が債務の本旨に従って家賃を賃貸人に提供し、家賃の受領と引換えに受取証書の交付を請求した場合において、賃貸人が家賃を受領しようとしたものの、受取証書の交付を拒んだときは、賃借人は、当該家賃の受領拒絶を原因として弁済供託をすることができる。

(イ) 借地上の建物の賃借人は、当該借地の賃貸人が反対の意思を表示していない限り、借地人のために受領不能を原因とする地代の弁済供託をすることができる。

(ウ) 不法行為に基づく損害賠償債務について加害者及び被害者の間で損害賠償の額に争いがあるために被害者がその受領を拒んだとしても、加害者は、受領拒絶を原因として弁済供託をすることができない。

(エ) 家賃の支払日が「翌月末日まで」とされている建物賃貸借契約において、賃借人が平成20年12月の半ばに同年11月分の家賃を賃貸人に提供したものの、賃貸人がその受領を拒んだときは、賃借人は、当該家賃につき、弁済供託をすることができる。

(オ) 弁済供託は、被供託者が確定していない場合には、することができない。

(1)　(ア)(イ)　　(2)　(ア)(ウ)　　(3)　(イ)(エ)　　(4)　(ウ)(オ)　　(5)　(エ)(オ)

学習記録	／	／	／	／	／	／	／	／	／

重要度 A **知識型** **正解 (4)**

(ア) 正　賃借人が債務の本旨に従った賃料の提供をしたが、賃貸人が受領書を交付しない場合には、賃借人は受領拒絶を原因として供託することができる（昭 39.3.28 民甲 773 号)。賃料の支払という債務の弁済においては、債務者の債務消滅の抗弁の立証を可能にするために、弁済と受領書の交付とは同時履行の関係にあるため（民 486)、受領書の交付義務を果たさないことが受領拒絶ということができるからである。

(イ) 正　弁済供託をすることができる者は、本来、弁済をすべき債務者であるが、第三者であっても、弁済をすることができる限度において（民 474・499)、供託者となることができる。そして、借地上の建物の賃借人は、借地人（建物賃貸人）の地代債務を弁済するについて法律上の利害関係を有するから（最判昭 63.7.1)、借地人のために地代の受領不能（民 494 Ⅰ②）を原因とする地代の弁済供託をすることができる。

(ウ) 誤　不法行為に基づく損害賠償債務については、加害者が任意に算定した額について供託をすることができる（昭 41.7.5 民甲 1749 号)。また、加害者は、不法行為の時から提供の日までの遅延損害金を付した金銭を提供し（最判昭 37.9.4 参照、昭 55.6.9 民四 3273 号)、受領を拒絶されたときは、受領拒絶を原因として弁済供託をすることができる（昭 32.4.15 民甲 710 号)。

(エ) 正　家賃の支払日が「翌月末日まで」とされている建物賃貸借契約においては、ある月の分の家賃については当該月に入れば確定的に発生していることになるので、本肢の場合、平成 20 年 12 月の半ばに同年 11 月分の家賃を賃貸人に提供したものの、賃貸人がその受領を拒んだときは、受領拒絶を供託原因として、賃借人は当該家賃につき弁済供託をすることができる。

(オ) 誤　弁済供託においては、供託の当事者として被供託者が具体的に確定しているのが原則である。しかし、債権が二重譲渡され、いずれの譲渡通知にも確定日付がない場合（昭 36.7.31 民甲 1866 号）など、債権の帰属に争いがあり、裁判によらなければ債権者を確定することができない場合であっても、債権者不確知（民 494 Ⅱ）を供託原因として弁済供託をすることができる。

以上から、誤っているものは(ウ)(オ)であり、正解は(4)となる。

3e－9(22－9)　供託原因全般

弁済供託に関する次の記述のうち、誤っているものはどれか。(改)

(1)　債権が二重に譲渡され、それぞれ債務者に対する確定日付のある証書による通知がされた場合において、各通知の到達の先後が債務者に不明であるときは、債務者は、債権者不確知を原因とする供託をすることができる。

(2)　債権の目的が外国の通貨の給付である場合において、債権者が弁済の受領を拒んだときは、債務者は、法務大臣が指定した倉庫営業者若しくは銀行又は裁判所が指定した供託所に受領拒絶を原因とする当該通貨の供託をすることができる。

(3)　持参債務の債務者が弁済期日に弁済をしようとして電話で債権者の在宅の有無をその住居に問い合わせた場合において、債権者その他の弁済の受領の権限を有する者が不在で、留守居の者から分からない旨の回答があったときは、債権者は、受領不能を原因とする供託をすることができない。

(4)　賃貸人が死亡した場合において、賃貸人の相続人の有無が債務者に不明であるときは、賃借人は、賃貸人の相続人の有無を調査しなくとも、債権者不確知を原因とする賃料の供託をすることができる。

(5)　債権が二重に譲渡され、それぞれ債務者に対する確定日付のある証書による通知がされた場合において、各通知が同時に債務者に到達したときは、債務者は、債権者不確知を原因とする供託をすることができる。

学習記録	／	／	／	／	／	／	／	／	／

重要度　A	知識型		正解　(5)

⑴　正　　債権が二重に譲渡され、各通知の到達の先後が不明であるときは、どちらの債権者が優先するのか明らかではないため、債務者は、債権者不確知(民494Ⅱ)を原因とする供託をすることができる(平5.5.18民四3841号)。

⑵　正　　供託物が金銭又は有価証券である場合は、法務局、地方法務局又はそれらの支局若しくは法務大臣の指定する出張所が供託所となる（1)。ここにいう金銭とは、日本における通貨をいい、外国の通貨は含まれない。外国の通貨は、金銭、有価証券及び振替国債以外の物品として取り扱われ、法務大臣の指定する倉庫業者又は銀行が供託所となる（5Ⅰ)。

⑶　正　　受領不能（民494Ⅰ②）の態様には、持参債務の場合、債権者不在等の事実上のものと、債権者が制限行為能力者であるのに法定代理人を欠いている場合等の法律上のものがある。債権者の不在とは、電話で債権者の不在を問い合わせたところ、債権者その他の弁済の受領の権限を有する者が不在で、留守居の者から分からない旨の回答があったとき等、一時の不在であっても差し支えない(大判昭9.7.17)。したがって、債務者は、受領不能を原因とする供託をすることができる。しかし、債権者は、本肢のような事例において、受領不能を原因とする供託をすることができない。

⑷　正　　賃貸人が死亡した場合において、賃貸人の相続人の有無が債務者に不明であるときは、賃借人は、債権者不確知（民494Ⅱ）を原因とする供託をすることができ、この場合、賃貸人の相続人及び相続放棄の有無等を調査する必要はない(昭38.2.4民甲351号)。

⑸　誤　　債権が二重に譲渡され、確定日付のある証書による通知がされた場合、各通知が同時に債務者に到達したときは、債務者は、最初に請求のあった債権者に弁済すれば債務を免れるため、債権者不確知（民494Ⅱ）による供託をすることはできない(昭59全国供託課長会同決議)。

3e−10(25−9)　供託原因全般

弁済供託に関する次の(ア)から(オ)までの記述のうち、正しいものの組合せは、後記(1)から(5)までのうち、どれか。（改）

(ア) 弁済の目的物について損傷による価格の低落のおそれがあるときは、弁済者は、裁判所の許可を得て、これを競売に付し、その代金を供託することができる。

(イ) 建物の賃貸借における賃料の支払場所について別段の意思表示がない場合において、賃貸人が死亡し、その地位を承継すべき相続人が不明であるため、賃借人が賃貸人の死亡後に発生した賃料につき債権者不確知を原因とする弁済供託をするときは、賃借人の現在の住所地の供託所にしなければならない。

(ウ) 建物の賃貸借における賃料の支払日が「前月末日」、支払場所が「賃貸人の住所」とされている場合において、賃借人が平成25年6月17日に同年7月分の賃料を賃貸人の住所に持参したものの、賃貸人がその受領を拒否したときは、賃借人は、当該賃料の弁済供託をすることができる。

(エ) 建物の賃貸借における賃料の増額について当事者間に協議が調わない場合において、賃借人が賃貸人に従来の賃料と同じ額を相当と認める額として弁済の提供をしたのに対し、賃貸人がその受領を拒否したときは、賃借人は、その額の弁済供託をすることができる。

(オ) 受領拒否を原因とする弁済供託をする場合には、供託者は、供託官に対し、被供託者に供託通知書を発送することを請求しなければならない。

(1) (ア)(エ)　(2) (ア)(オ)　(3) (イ)(ウ)　(4) (イ)(エ)　(5) (ウ)(オ)

学習記録	／	／	／	／	／	／	／	／	／

重要度　A	知識型			正解　(1)

(ア)　正　　弁済の目的物について損傷による価格の低落のおそれがあるときは、弁済者は、裁判所の許可を得て、これを競売に付し、その代金を供託することができる（民497②）。

(イ)　誤　　賃貸人が死亡した場合、賃借人は、相続人の有無を戸籍関係について調査する必要はなく、相続人が不明であるときは、債権者不確知を事由に賃料の弁済供託をすることができる（昭37.7.9民事甲1909号）。この場合、賃料債権は、賃貸人の住所地を管轄する供託所に供託することとなる。

(ウ)　誤　　地代又は家賃について賃料先払契約がない場合には、借主が期限の利益を放棄して、将来発生する賃料の受領拒否（民494Ⅰ①）を理由としてあらかじめ供託することはできない（昭28.11.28民甲2277号）。

(エ)　正　　地代又は家賃の増額について当事者間の協議が調わない場合には、賃借人は、増額を正当とする裁判が確定するまでは、自己の相当と認める金額を支払えば足り（借地借家11Ⅱ・32Ⅱ）、これを拒否されたときは、弁済供託をすることができる（昭41.7.12民甲1860号）。

(オ)　誤　　供託者は、遅滞なく債権者に供託の通知をしなければならない（民495Ⅲ）。この場合、供託者は供託官に供託通知書の発送を請求することができる（供託規16Ⅰ）。したがって、供託官に対して供託通知書の発送の請求をしなければならないとする点で、本肢は誤っている。

以上から、正しいものは(ア)(エ)であり、正解は(1)となる。

3e－11(R2－10)　供託原因全般

弁済供託に関する次の(ア)から(オ)までの記述のうち、判例の趣旨に照らし正しいものの組合せは、後記(1)から(5)までのうち、どれか。

(ア)　持参債務の債務者が弁済期に弁済をしようとして、債権者の住居に在宅の有無を電話で問い合わせた場合において、家人から債権者が一時不在であるため受領できないとの回答があっただけでは、債務者は、受領不能を原因とする供託をすることはできない。

(イ)　受領拒絶を原因とする弁済供託をする場合には、供託者は、供託官に対し、被供託者に供託通知書を発送することを請求しなければならない。

(ウ)　建物の賃料の増額請求を受けた賃借人は、その増額について賃貸人との協議が調わない場合において、従来の賃料と同じ額を相当と認める額として賃貸人に弁済の提供をし、賃貸人からその受領を拒まれたときは、受領拒絶を原因として供託をすることができる。

(エ)　建物の賃貸人が死亡した場合において、賃借人が持参債務である賃料につき債権者不確知を原因として弁済供託をしようとするときは、当該建物の所在地の最寄りの供託所に供託をすることができる。

(オ)　賃料の支払日が「毎月末日」とされている建物の賃貸借契約において、賃借人が毎月末日に当月分の賃料につき弁済の提供をした場合において、賃貸人が３か月にわたりその受領を拒んでいるときは、賃借人は、その３か月分の賃料について、供託日までの遅延損害金を付すことなく供託をすることができる。

(1)　(ア)(エ)　(2)　(ア)(オ)　(3)　(イ)(ウ)　(4)　(イ)(エ)　(5)　(ウ)(オ)

学習記録	／	／	／	／	／	／	／	／	／

重要度 A	知識型		正解 (5)

(ア) 誤　債務者が電話で債権者の在宅の有無を問い合わせたが、電話を受けた債権者以外の者から債権者が不在であると告げられ、弁済の提供をすることができない場合には、債務者は、受領不能（民494Ⅰ②）を原因として供託することができる（大判昭9.7.17）。なぜなら、債権者が弁済を受領することができないとき（民494Ⅰ②）とは、事実上の不能又は法律上の不能のことを意味するが、事実上の不能については、債権者の不在が一時的でもよいとされており、債務者が電話で債権者の不在を告げられることは、事実上の不能に当たるからである（同判例）。

(イ) 誤　民法494条の規定により弁済供託がされた場合、供託者は、遅滞なく被供託者に供託の通知をしなければならない（民495Ⅲ）。そして、この場合、供託者は供託官に対して、被供託者に供託通知書を発送することを請求することができる（供託規16Ⅰ前段）。したがって、請求しなければならないとする点で、本肢は誤っている。

(ウ) 正　家賃の増額請求について当事者間に協議が調わない場合には、賃借人は増額を正当とする裁判が確定するまでは、自己が相当と認める額の建物の家賃を支払えば足り（借地借家32Ⅱ本文）、これを拒否されたときは、受領拒否（民494Ⅰ①）を原因として、自己が相当と認める額を供託することができる（昭41.7.12民甲1860号）。

(エ) 誤　弁済供託は、債務履行地の供託所にしなければならない（民495Ⅰ）。この点、賃料が持参債務である場合の債務履行地は、債権者の現在の住所である（民484Ⅰ）。

(オ) 正　賃借人は、賃貸人に対し、債務の本旨に従って、各月分の賃料をいずれも支払日に提供したにもかかわらず、受領を拒否された場合には、受領拒否（民494Ⅰ①）を原因としてその数か月分の賃料をまとめて供託することができる（昭36.4.8民甲816号）。これは、各賃料債務が独立に発生していることから各月分ごとに供託するのが原則のところ、1個の賃貸借契約から発生した賃料債務で、各債務の内容や供託原因が同一であること、供託者と被供託者が同一であることから認められたものである。そして、各月の支払日に債務の本旨に従って弁済の提供を行っていた場合、遅延損害金を付して供託することを要しない（最判昭59.11.26参照）。

以上から、正しいものは(ウ)(オ)であり、正解は(5)となる。

3e－12(R3－10)　供託原因全般

弁済供託に関する次の(ア)から(オ)までの記述のうち、誤っているものの組合せは、後記(1)から(5)までのうち、どれか。

(ア)　家賃に電気料を含む旨の家屋の賃貸借契約がされている場合において、電気料を含む家賃を提供し、その全額の受領を拒否されたときは、賃借人は、電気料と家賃の合計額を供託することができる。

(イ)　賃借人が賃貸人から建物明渡請求を受け、目下係争中であるため、当該賃貸人において家賃を受領しないことが明らかであるときは、当該賃借人は、毎月末日の家賃支払日の前に当月分の家賃につき弁済供託をすることができる。

(ウ)　売買代金債務が持参債務である場合において、債権者が未成年者であって法定代理人を欠くときは、債務者は、受領不能を原因として弁済供託をすることができる。

(エ)　借地上の建物の賃借人は、借地人（建物の賃貸人）に代わって当該借地の地代を弁済供託することはできない。

(オ)　婚姻中にされた妻名義の銀行預金について、離婚後、夫であった者が預金証書を、妻であった者が印鑑をそれぞれ所持して互いに自らが預金者であることを主張して現に係争中である場合には、銀行は、債権者不確知を原因として供託をすることができる。

(1)　(ア)(エ)　(2)　(ア)(オ)　(3)　(イ)(ウ)　(4)　(イ)(エ)　(5)　(ウ)(オ)

学習記録	／	／	／	／	／	／	／	／	／

重要度 A | **知識型** | | **正解 (4)**

(ア) 正　共同住宅の賃借人が、毎月使用した電気料金を家賃に含めて支払う旨の特約に基づき、家賃に電気料金を含めた額を賃貸人に現実に提供したが受領を拒否された場合、供託書の備考欄に当該特約及び家賃と電気料金の区分を明記することにより、電気料金を含む家賃として受領拒否（民 494 Ⅰ①）を原因とする弁済供託をすることができる（昭 37.6.19 民甲 1622 号）。

(イ) 誤　賃貸人が建物の明渡請求をして係争中であるために賃料を受領しないことが明らかであるときは、賃借人は、当月分の賃料については、口頭の提供をすることなく不受領意思明確を原因として弁済供託することができる（昭 37.5.31 民甲 1485 号）。しかし、毎月末日を支払日とする弁済供託においては、受領しないことが明らかである場合であっても、支払日前の供託は受理されない（昭 39.11.21 民甲 3752 号）。

(ウ) 正　未成年者は弁済を受領することにより、その債権を失うこととなることから、法定代理人の同意を得ずに弁済を受領することはできない（民５Ⅰ本文参照）。したがって、未成年者である債権者に法定代理人がいない場合は、弁済の受領をすることができないので、債務者は、受領不能（民 494 Ⅰ②）を原因として供託をすることができる。

(エ) 誤　弁済供託においては、供託者となるべき者は原則的には弁済をすべき本来の債務者であるが、民法 474 条の「第三者の弁済」については、第三者は固有の意義における弁済に限らず、代物弁済、供託をすることができると解されていることから、第三者もまた債務者のために弁済を行うことができる範囲では供託者となることができる。この点、借地上の建物の賃借人はその敷地の地代の弁済について正当な利益を有する（最判昭 63.7.1）。

(オ) 正　婚姻中にされた妻名義の銀行預金について、離婚後、夫であった者が預金証書を所持し、妻であった者が印鑑を所持して互いに自らが預金者であることを主張して、現に係争中である場合には、銀行は、債権者不確知（民 494 Ⅱ）を原因として供託をすることができる（昭 40.5.27 民甲 1069 号）。

以上から、誤っているものは(イ)(エ)であり、正解は(4)となる。

3e－13(R4－10)　供託原因全般

弁済供託に関する次の(ア)から(オ)までの記述のうち、誤っているものの組合せは、後記(1)から(5)までのうち、どれか。

(ア)　建物の賃貸借における賃借人は、債務の本旨に従って賃料を賃貸人に提供し、賃料の受領と引換えに受取証書の交付を請求した場合において、賃貸人が賃料は受領しようとしたものの、受取証書の交付を拒んだときは、受領拒絶を原因とする弁済供託をすることができる。

(イ)　不法行為に基づく損害賠償債務について、債務者及び債権者の間で損害賠償の額に争いがあるために受領拒絶を原因とする弁済供託がされた場合において、被供託者が還付請求をするときは、損害賠償金の一部として受領する旨の留保を付すことはできない。

(ウ)　不法行為に基づく損害賠償債務の債務者は、損害賠償額に相当する額に履行の請求を受けた日から弁済の提供の日までの遅延損害金を加えた額をもって、弁済供託をすることができる。

(エ)　弁済供託の供託者が供託所に対して供託金取戻請求権を放棄する旨の意思表示をした場合には、これによって取戻請求権は消滅し、この放棄を撤回することができない。

(オ)　弁済供託が供託をすべき供託所以外の供託所に供託されている場合であっても、被供託者は、当該供託に係る供託金の還付を請求することができる。

(1)　(ア)(イ)　　(2)　(ア)(オ)　　(3)　(イ)(ウ)　　(4)　(ウ)(エ)　　(5)　(エ)(オ)

学習記録	／	／	／	／	／	／	／	／	／

重要度　A	知識型		正解　(3)

(ア)　正　　弁済をする者は、弁済と引換えに、弁済を受領する者に対して受取証書の交付を請求することができ（民486Ⅰ）、弁済と受取証書の交付とは同時履行の関係に立つ（大判昭16.3.1）。そのため、賃借人から家賃の提供を受けた賃貸人がその受取証書を交付しない場合には、賃借人は、受領拒否（民494Ⅰ①）を原因として供託することができる（昭39.3.28民甲773号）。

(イ)　誤　　債権額に争いがある場合であっても、被供託者が債権額の一部として受領する旨の留保付還付請求をすることができる（昭35.3.30民甲775号）。

(ウ)　誤　　不法行為に基づく損害賠償債務については、損害額に対し不法行為時から提供時までの遅延損害金を付して提供することを要する（昭55.6.9民四3273号）。したがって、履行の請求を受けた日から弁済の提供の日までの遅延損害金を加えた額では足りない。

(エ)　正　　供託者は供託物取戻請求権を放棄することができるが、撤回することは許されず、放棄により供託者の供託物取戻請求権は終局的に消滅する（昭38.8.23民甲2448号）。

(オ)　正　　土地管轄に違背する供託の申請がされた場合、供託官は、当該供託申請を却下すべきであり（供託規21の7）、誤って供託官がこれを受理したとしても、当該供託は有効に成立しない。しかし、債務履行地でない供託所にされた弁済供託が誤って受理された場合であっても、供託者が錯誤を理由とする供託物の取戻しをする前に、被供託者が供託を受諾するか又は還付請求をした場合は、当該管轄違背の瑕疵は治癒され、有効な供託とみなされることとなる（昭39.7.20民甲2594号）。

以上から、誤っているものは(イ)(ウ)であり、正解は(3)となる。

4－1(61－12)　供託物取戻請求権の消滅

弁済供託の受諾に関する次の記述のうち、誤っているものはどれか。

(1)　被供託者が、供託金還付請求権を譲渡し、その旨を供託所に通知したときは、供託者は、もはや供託不受諾を理由として供託金の取戻請求をすることができない。

(2)　賃貸借の当事者間で賃料の額につき争いがあるときに、受領拒否を理由として賃料の供託がされた場合について、被供託者は、賃料の一部である旨を留保して、供託受諾の意思表示をすることができる。

(3)　被供託者は、供託金取戻請求権が差し押さえられている場合であっても、供託受諾の意思表示をすることができる。

(4)　供託金還付請求権の仮差押債権者は、供託受諾の意思表示をすることができる。

(5)　供託受諾の意思表示は、撤回することができない。

学習記録	／	／	／	／	／	／	／	／	／

重要度　B	知識型		正解　(4)

⑴　正　　被供託者が還付請求権を第三者に譲渡し、譲渡人が供託所に譲渡通知書（民 467）を送付した場合には、供託者は、供託不受諾を理由として取戻請求権を行使することができなくなる（昭 36.10.20 民甲 2611 号）。供託物還付請求権の譲渡は、譲渡人（被供託者）がその意思に基づいて当該債権の譲渡をするものであるため、供託受諾の意思表示が譲渡行為の中に含まれていると解することができるからである。

⑵　正　　債務全額として弁済供託された供託金について、被供託者が当該債務の一部に充当する旨を留保して還付請求をすることができる（昭 42.1.12 民甲 175 号）。裁判等で債権額が確定しない間は供託金活用利益が阻害されるため、債権者に不当に不利益を及ぼすことを防止するためである。また、このような還付請求を認めても、その供託金額の範囲内では債務者の債務は消滅するため、債務者に不当な不利益を及ぼすこともないからである。

⑶　正　　供託金還付請求権と取戻請求権は、同一の供託物を目的とするが、それぞれ権利の主体が異なる別個独立の請求権であり、一方が変動しても、他方に何ら影響を及ぼさない（最判昭 37.7.13）。したがって、取戻請求権が差し押さえられている場合であっても、被供託者は、供託受諾の意思表示をすることができる（昭 45.5.23 民甲 582 号）。

⑷　誤　　供託金還付請求権の仮差押債権者は、供託受諾の意思表示をすることはできない（昭 38.2.4 民甲 351 号）。仮差押債権者は、単に供託物払渡請求権の処分を禁ずる保存行為のみができるのであって、取立権がないからである（民事保全法 50 条 5 項にて民事執行法 155 条は準用していない。）。

⑸　正　　供託受諾の意思表示がされることにより、供託金の取戻請求権の消滅（民 496 Ⅰ）等の重大な効力が生じることから、供託受諾の意思表示は、撤回することができない（昭 37.10.22 民甲 3044 号）。

4−2(2−13)　供託物取戻請求権の消滅

弁済供託に関する次の記述のうち、誤っているものはどれか。

(1)　供託者は、供託物の還付請求権が差し押さえられた場合には、供託物の取戻請求をすることができない。

(2)　被供託者は供託所に対し、供託を有効と宣言した確定判決の謄本を提出することができる。

(3)　土地の賃貸借の当事者で地代の増額について協議が調わず、増額を正当とする裁判が確定していない場合において、賃借人が自己が相当と認める地代の額を提供したが、その受領を拒絶されたときは、賃借人はその額を供託することができる。

(4)　家屋の賃貸借契約中に、ガス、水道等の使用料金を家賃に含めて支払う特約がある場合において、これを家賃に含めて提供したがその受領を拒絶されたときは、これと家賃との合計額を供託することができる。

(5)　不法行為による損害賠償金について、債務者が自己の算定する賠償額に不法行為の日から提供の日までの遅延損害金を付して債権者に提供したが、その受領を拒絶された場合には、債務者はこれを供託することができる。

学習記録	／	／	／	／	／	／	／	／	／

重要度　B	知識型		正解　(1)

(1)　誤　　供託物の還付請求権及び取戻請求権は、同一の供託物を目的とするが、これらは、権利の主体が異なる別個独立の請求権であるから、一方の権利の変動は、他方に何ら影響を及ぼさない（最判昭37.7.13）。したがって、還付請求権が差し押さえられた場合であっても、取戻請求権の行使が制限されることはない。

(2)　正　　供託者（債務者）は原則として自由な意思により供託物の取戻しをすることが認められている（民496Ⅰ）が、被供託者は、供託者の取戻請求権の行使を防ぐために、供託所に対し供託受諾の旨を証する書面又は供託を有効と宣告した確定判決の謄本を提出することができる（供託規47、民496Ⅰ）。

(3)　正　　地代の増額につき当事者間に争いがある場合は、賃借人は増額を正当とする裁判が確定するまでは、自己が債務の本旨に従ったものとして相当と考える額を提供して受領を拒絶されれば、その額をもって供託することができる（昭41.7.12民甲1860号）。

(4)　正　　特約によりガス、水道等の使用料金を家賃に含めて支払う場合には、これら数個の債務を履行しなければ債務の本旨に従った提供（民493本文）をしたことにはならない。したがって、本肢のように家賃にガス、水道料金を含めて提供した以上、その受領を拒否されたときは、これら全額を供託することができる（昭37.6.19民甲1622号）。

(5)　正　　不法行為による損害賠償債務は、不法行為時に履行期が到来するので（最判昭37.9.4）、加害者が任意に算定した損害賠償額に加えて不法行為時から提供日までの遅延損害金を加算して提供しなければ、債務の本旨に従った提供（民493本文）とはならない。そして、これらを一括して提供して受領を拒否された場合に、弁済供託をすることができる（昭55.6.9民四3273号）。

4−3(11−11)　供託物取戻請求権の消滅

供託の受諾に関する次の(ア)から(オ)までの記述のうち、正しいものの組合せは、後記(1)から(5)までのうちどれか。

(ア)　供託所への供託受諾の意思表示は、書面によってしなければならない。

(イ)　被供託者をＡ又はＢとする債権者不確知供託において、被供託者は、自らが真実の債権者であることを確定的に証明しなければ、供託の受諾をすることはできない。

(ウ)　供託受諾の意思表示は、いつでも撤回することができる。

(エ)　供託金還付請求権の譲渡通知が書面をもってされた場合でも、供託受諾の意思表示があったものと認めることはできない。

(オ)　供託受諾をすることができる者には、供託金還付請求権の仮差押債権者は含まれない。

(1)　(ア)(イ)　　(2)　(ア)(オ)　　(3)　(イ)(ウ)　　(4)　(ウ)(エ)　　(5)　(エ)(オ)

学習記録	／	／	／	／	／	／	／	／	／

重要度　B	知識型		正解　(2)

㈠ 正　供託所への供託受諾の意思表示は、書面によってしなければならない（供託規47）。供託受諾の意思表示には、供託者の取戻請求権を消滅させる効力があるので（民496Ⅰ）、その意思表示を明確にするためである。

㈡ 誤　債権者不確知供託における被供託者は、自らが真実の債権者であることを確定的に証明しなくても、供託受諾をすることができる（昭31.4.10民甲767号参照）。なお、還付請求をするに当たっては、請求者は自己が供託物還付請求権者であることを証明するため、供託物払渡請求書に供託物の還付を受ける権利を有することを証する書面を添付しなければならない（供託規24Ⅰ①）。

㈢ 誤　供託受諾の意思表示がされることにより、供託金の取戻請求権の消滅（民496Ⅰ）等の重大な効力が生じることから、供託受諾の意思表示は、撤回することができない（昭37.10.22民甲3044号）。

㈣ 誤　供託物の還付請求権の譲渡通知書が供託所に送付された場合、供託受諾の意思表示があったものと認めることができる（昭36.10.20民甲2611号、昭37.12.11民甲3560号）。供託金還付請求権の譲渡は、元の被供託者（譲渡人）の自由意思により、当該債権の譲渡をするものであるから、特別の事情がない限り、譲渡行為自体に供託受諾の意思表示も含まれているものと解されるからである。

㈤ 正　供託金還付請求権の仮差押債権者は、供託受諾の意思表示をすることはできない（昭38.2.4民甲351号）。仮差押債権者は、単に供託金払渡請求権の処分を禁ずる保存行為のみができるのであって、取立権がないからである（民事保全法50条5項にて民事執行法155条は準用していない。）。

以上から、正しいものは㈠㈤であり、正解は(2)となる。

4−4(25−11)　供託物取戻請求権の消滅

弁済供託の受諾に関する次の(ア)から(オ)までの記述のうち、誤っているものの組合せは、後記(1)から(5)までのうち、どれか。

(ア)　被供託者が供託所に対して供託物還付請求権の譲渡の通知をした場合であっても、その通知に供託を受諾する旨が積極的に明示されていない限り、供託者は、供託物の取戻請求をすることができる。

(イ)　被供託者の債権者が債権者代位権を行使することにより供託物の還付請求をすることができる場合には、当該債権者は、債権者代位権の行使として、被供託者に代わって、受諾をすることができる。

(ウ)　供託を受諾する旨を記載した書面には、印鑑証明書を添付することを要しない。

(エ)　受諾をした後は、これを撤回することができない。

(オ)　共有建物の賃貸借における賃料について受領拒否を原因とする弁済供託がされている場合において、数人の被供託者のうち一人が受諾をしたときは、供託者は、当該受諾に係る部分以外の供託金についても、取戻請求をすることができない。

(1)　(ア)(イ)　(2)　(ア)(オ)　(3)　(イ)(エ)　(4)　(ウ)(エ)　(5)　(ウ)(オ)

学習記録	／	／	／	／	／	／	／	／	／

重要度　B	知識型		正解　(2)

㈠　誤　　被供託者が供託の受諾をすることによって供託者の取戻請求権は消滅するところ、供託所に対して供託金の還付請求権の譲渡通知書が送付された場合、当該譲渡通知の記載文言から、供託受諾の意思表示を有すると認められないときを除き、当該譲渡通知をもって供託受諾の意思表示がされたものと認めることができる。

㈡　正　　供託物の還付請求権又は取戻請求権は、債権として債権譲渡の目的となり、また、差押えなどの対象にもなり得るが、供託受諾の意思表示を有効になし得る者は、当該弁済供託の還付請求権を行使することができる者である。すなわち、被供託者、還付請求権についての譲受人、差押債権者、転付債権者及び債権者代位権を行使する一般債権者である。

㈢　正　　弁済供託につき、被供託者が供託を受諾する旨の書面を供託所に提出する場合には、印鑑証明書の添付を要しない（昭和35全国供託課長会同決議）。

㈣　正　　供託受諾の意思表示がされることにより、供託金の取戻請求権の消滅などの重大な効力が生ずることから、供託受諾の意思表示は、撤回することができない（昭37.10.22民甲第3044号）。

㈤　誤　　数人の建物共有者が賃貸人となって賃貸借契約をした場合、その賃料債権は、分割債権である（民427）。したがって、数人の被供託者（賃貸人）のうち一人が受諾をしたときでも、他の被供託者（賃貸人）には影響を及ぼさないため、供託者は、当該受諾に係る部分以外の供託金について、取戻請求をすることができる。

以上から、誤っているものは㈠㈤であり、正解は⑵となる。

4−5(31−9)　供託物取戻請求権の消滅

弁済供託の受諾に関する次の(ア)から(オ)までの記述のうち、正しいものの組合せは、後記(1)から(5)までのうち、どれか。

(ア)　被供託者が供託所に対し、口頭で供託を受諾する旨を申し出ているにすぎない場合には、供託者は、供託物の取戻しをすることができる。

(イ)　被供託者が供託所に対し、書面によって供託物還付請求権の譲渡の通知をした場合であっても、その通知に供託を受諾する旨が積極的に明示されていない限り、供託者は、供託物の取戻しをすることができる。

(ウ)　被供託者の債権者であって債権者代位権の行使として供託物の還付請求をすることができるものは、債権者代位権の行使として供託を受諾することができる。

(エ)　被供託者は、供託物の還付請求をするまでの間は、供託所に対してした供託受諾の意思表示を撤回することができる。

(オ)　金額に争いのある債権について、債務者が債務の全額に相当するものとして弁済供託をした場合には、債権者は、債権の一部弁済として受領する旨の留保を付して供託を受諾することはできない。

(1)　(ア)(ウ)　(2)　(ア)(エ)　(3)　(イ)(ウ)　(4)　(イ)(オ)　(5)　(エ)(オ)

学習記録	／	／	／	／	／	／	／	／	／

重要度　B	知識型		正解　(1)

(ア)　正　　供託受諾の意思表示は、書面をもってすることとされている（供託規47)。そのため、被供託者が書面でなく口頭だけで供託を受諾する旨を申し出ているときに、供託者が供託を取り消し、取戻しの請求があった場合には、認可することができる（昭36.4.4民甲808号)。

(イ)　誤　　供託物取戻請求権は、供託受諾の意思表示を記載した書面が供託所に提出されることにより消滅する（民496Ⅰ、供託規47)。そして、供託物還付請求権の譲渡通知書が供託所に送付されたときには、供託所に送付された当該債権譲渡通知書中に供託を受諾する旨の記載がない場合であっても、当該書面中に供託を受諾したものではない旨の積極的な記載があるなど特別の事情のない限り、供託を受諾する旨の意思表示があったものと認めることができる（昭33.5.1民甲917号)。

(ウ)　正　　供託受諾の意思表示を有効にすることができる者は、供託物還付請求権を行使することができる者である。すなわち、被供託者、還付請求権の譲受人、差押債権者、転付債権者、債権者代位権を行使する一般債権者である（昭38.2.4民甲351号)。したがって、債権者代位権の行使として供託物の還付請求をすることができるものは、債権者代位権の行使として供託を受諾することができる。

(エ)　誤　　供託受諾の法的性質は、被供託者がいまだ還付請求の要件を備えることができない場合に、供託者の取戻しを妨げる意思表示であり、供託受諾の意思表示は、撤回することができない（昭37.10.22民甲3044号)。

(オ)　誤　　金額に争いがある売買代金債権の全額について弁済供託がされたが、当該供託金が債権者の主張する金額に及ばない場合、債権者（被供託者）は、その債権額の一部に充当する旨の留保を付して、供託金の還付請求をすることができる（昭42.1.12民甲175号)。

以上から、正しいものは(ア)(ウ)であり、正解は(1)となる。

5a－1(2－11)　供託申請手続

供託書の記載に関する次の記述のうち、誤っているものはどれか。なお、住所、氏名等の秘匿決定がされている場合については、考慮しないものとする。(改)

(1) 供託者が法人であるときは、その名称、主たる事務所及び代表者の氏名を記載することを要する。

(2) 供託書に記載した有価証券の枚数は、訂正することができる。

(3) 金銭その他の物の数量を記載するには、縦書をするときを除き、アラビア数字を用いなければならない。

(4) 代理人により供託する場合（公務員が職務上供託する場合を除く）には、代理人の住所をも記載することを要する。

(5) 供託により抵当権が消滅する場合には、その抵当権の表示を記載することを要する。

学習記録	／	／	／	／	／	／	／	／	／

重要度　B	知識型	要 *Check!*		正解　(2)

⑴　正　　供託者が法人であるときは、その名称、主たる事務所及び代表者の氏名を記載（住所は不要）しなければならない（供託規13Ⅱ①)。供託の真実性を担保するために、供託責任者としての法人の代表者を確定する必要があるからである。なお、供託者又は被供託者の氏名又は住所につき秘匿決定がされているときは、代替事項の記載をもってこれらに代えることができる(令5.2.2民商27号)。

⑵　誤　　供託書、供託通知書、代供託請求書、附属供託請求書、供託有価証券払渡請求書又は供託有価証券利札請求書に記載した供託金額、有価証券の枚数及び総額面又は請求利札の枚数については、訂正、加入又は削除をしてはならない（供託規6Ⅵ)。

⑶　正　　金銭その他の数量を記載するには、縦書をするときを除き、アラビア数字を用いなければならない（供託規6Ⅱ)。横書の場合には、アラビア数字がなじむとともに、数字の誤記を防止するためである。

⑷　正　　代理人により供託する場合には、公務員が職務上供託する場合を除き、代理人の氏名及び住所をも記載することを要する（供託規13Ⅱ②)。代理人の所在を明確にするためである。

⑸　正　　弁済供託の場合において、その供託によって、質権・抵当権が消滅する場合（民496Ⅱ）には、当該質権・抵当権の内容を供託所が認識できる程度にその表示をしなければならない（供託規13Ⅱ⑦)。

5a−2(7−11)　供託申請手続

供託手続に関する次の(ア)から(オ)までの記述のうち、誤っているものは幾つあるか。(改)

(ア)　供託所に提出すべき代表者の資格を証する官公署作成に係る書面は、その作成後３月以内のものでなければならない。

(イ)　供託書には、供託者又はその代表者若しくは管理人若しくは代理人が記名押印しなければならない。

(ウ)　供託書に記載した供託金額は、削除した金額の記載がなお読み得るように二線を引いて記載を削除し、その近接箇所に正書して、その字数を欄外に記載し、押印して訂正することができる。

(エ)　同一の供託所に対して同時に数個の供託をする場合において、供託書の添付書類に内容が同一のものがあるときは、そのうち１個の供託書に１通のみを添付すれば足りる。

(オ)　供託者が被供託者に供託の通知をしなければならない場合において、供託者が供託官に対して供託通知書の発送請求をしたときは、供託書に、供託通知書及び郵便切手を付した封筒を被供託者の数に応じて添付しなければならない。

(1)　１個　(2)　２個　(3)　３個　(4)　４個　(5)　５個

学習記録	／	／	／	／	／	／	／	／	／

重要度　B	知識型	要 *Check!*		正解　(3)

(ア) 正　供託所に提出すべき代表者の資格を証する官公署作成に係る書面は、その作成後３か月以内のものでなければならない（供託規９）。作成後長期間経過した資格証明書では、代表者の交替等による代表権の変更がある可能性が高くなり、供託申請における添付・提示書類としては不適格だからである。

(イ) 誤　供託書への押印を要求する規定は存在しない（供託規13Ⅱ参照）。これは、供託の際には、押印は何らの確認手段となっておらず、取戻しの際の利便のためであるとして押印を強いることは被供託者に供託物を取得させることを本質とする供託制度の目的にそぐわないからであり、また、取戻請求時までに印影がかすれたりすることによって本人の確認手段としても十分に信頼性が確保できるものとはいえないからである（登研671-131）。

(ウ) 誤　供託書、供託通知書等は、一定の手続後本人に交付されるなど供託所の手を離れるものであり（供託規18Ⅰ・19）、その中の重要な数字が改ざんされると供託関係に重要な影響を及ぼすことになるので、供託金額の訂正は認められていない（供託規６Ⅵ）。

(エ) 正　同一の供託所に対して同時に数個の供託をする場合において、供託書の添付書類に内容の同一のものがあるときは、１個の供託書に１通を添付すれば足りる。この場合には、他の供託書にその旨の記載を要する（供託規15）。

(オ) 誤　金銭又は有価証券の供託をしようとする者が提出すべき供託書はＯＣＲ用供託書でなければならないため（供託規13Ⅰ）、供託通知書の添付を要しない。一方、郵便切手を付した封筒については、供託者が供託官に対し、被供託者に供託通知書を送付することを請求する場合に添付を要する（供託規16Ⅱ）。したがって、供託通知書を添付しなければならないとする点で本肢は誤りである。なお、供託しようとする者にやむを得ない事情があるとき（ex. 読み取り機械が壊れたとき）は、供託規則13条１項の規定にかかわらず、供託の種類に従い、５号から18号までの書式による正副２通の供託書を供託所に提出しなければならないとされている（供託規16の２Ⅰ）。この場合には、供託者が供託官に対して、供託通知書の発送を請求したときに限り、供託者は、被供託者の数に応じて、供託通知書を添付しなければならない（供託規16の２Ⅳ）。

以上から、誤っているものは(イ)(ウ)(オ)の３個であり、正解は(3)となる。

5a－3(12－8)　供託申請手続

供託の申請手続に関する次の記述のうち、正しいものはどれか。なお、登記された法人が供託しようとする場合に、当該法人の代表者の資格につき登記官の確認を受けた供託書を提出する手続（簡易確認手続）については、考慮しないものとする。(改)

(1)　供託の申請は、法令に定める事項を記載した書面によりしなければならないが、その様式は、適宜なもので足りる。

(2)　供託書に記載した供託金額を訂正するときは、誤記した金額に二線を引いてその近接箇所に正書し、その字数を欄外に記載して押印しなければならない。

(3)　法人が供託しようとするときは、その代表者の資格を証する書面が必要であるが、その書面が、登記された法人について代表者の資格を証する登記事項証明書であるときは、これを供託所に提示すれば足り、提出することを要しない。

(4)　供託の申請は、本人又はその代理人が供託所に出頭してしなければならず、使者によってすることはできない。

(5)　代理人によって供託しようとする場合には、代理人の権限を証する書面を添付しなければならないが、委任による代理人の権限を証する書面には、それに押された印鑑につき市町村長又は登記所の作成した証明書を添付しなければならない。

学習記録	／	／	／	／	／	／	／	／	／

重要度　B	知識型	要 *Check!*		正解　(3)

⑴ 誤　供託書の記載事項及びその様式は法定されている（供託規13Ⅰ・Ⅱ）。すなわち、法定記載事項を記載したＯＣＲ用供託書を供託所に提出しなければならない。なお、供託しようとする者にやむを得ない事情があるときは、供託規則13条1項の規定にかかわらず、供託の種類に従い、5号から18号までの書式による正副2通の供託書を提出しなければならない（供託規16の2Ⅰ）。

⑵ 誤　供託書、供託通知書等は、一定の手続後本人に交付されるなど、供託所の手を離れるものであり（供託規18Ⅰ・19）、その中の重要な数字が改ざんされると供託関係に重要な影響を及ぼすことになる。したがって、供託書、供託通知書等に記載した供託金額の訂正は認められていない（供託規6Ⅵ）。

⑶ 正　登記された法人が供託しようとするときは、代表者の資格を証する登記事項証明書を提示すれば足りる（供託規14Ⅰ前段）。なお、その記載された代表者の資格につき登記官の確認を受けた供託書を提出した場合には、当該登記事項証明書の提示に代えることができる（供託規14Ⅰ後段・簡易確認手続）。

⑷ 誤　供託の申請は、供託者本人又は代理人によってするのを原則としているが、使者による申請も認められている（昭37.6.28民甲1697号）。また、供託の申請は当事者の出頭を義務付ける何らの規定もないことから、郵送による申請も認められている。

⑸ 誤　代理人によって供託する場合には、代理人の権限を証する書面を「提示」すれば足りる（供託規14Ⅳ）。そして、委任による代理人の権限を証する書面に押された印鑑につき市町村長又は登記所の作成した証明書の添付も要求されていない。他人の代理人として虚偽の供託をしたとしても、その者は何ら利益を受けるものではないことを考慮すれば、これらの書面を添付することまでを要求する必要はないからである。

5a−4(13−9)　供託申請手続

供託申請についての供託官の審査権限は、形式的審査の範囲にとどまるが、供託原因の存否等、当該供託が実体法上有効なものであるかどうかという供託の実体的要件が審査の対象となるか否かについては、「ならない」とする甲説と「なる」とする乙説とがある。この二つの考え方についての次の(1)から(5)までの記述のうち、正しいものはどれか。

(1)　賃料の受領拒絶を原因とする弁済供託について、供託書の記載から、申請者が提供した賃料にその弁済期から提供の日までの遅延損害金が付加されていなかったことが明らかであるときは、供託は、甲説によれば受理されるが、乙説によれば受理されない。

(2)　供託官が、法定の添付書類以外の資料の提出を求めたり、関係者の説明を聞くなどして、供託原因の存否を調査することは、甲説によれば許されないが、乙説によれば許される。

(3)　金銭債権の差押えがされた場合に第三債務者がする執行供託について、供託書の記載から、債務履行地ではない場所の供託所に供託申請がされたことが明らかであるときは、供託は、甲説によれば受理されるが、乙説によれば受理されない。

(4)　民法上の組合を供託者として、組合の名称及びその代表者Ａを表示して供託申請がされた場合において、添付書類によりＡの代表権が認められるときは、供託は、甲説によれば受理されないが、乙説によれば受理される。

(5)　売買代金の受領拒絶を原因とする弁済供託について、供託書の記載から、買主が口頭の提供のみをしているが、売主があらかじめ受領を拒絶したことも明らかであるときは、供託は、甲説によれば受理されないが、乙説によれば受理される。

学習記録	／	／	／	／	／	／	／	／	／

重要度　C	推論型		正解　(1)

(1)　正　　弁済の方法は、債務の本旨に従って現実にしなければならないが（民493本文）、弁済期から提供日までの遅延損害金を付すことなくされた賃料の提供は、実体法上、債務の本旨に従った弁済とはいえない。しかし、供託官の審査権限は形式的審査の範囲にとどまり、かつ、当該供託が実体法上有効なものであるかどうかという供託の実体的要件は審査の対象とはならないとする説（以下「甲説」という。）によれば、本旨弁済がされたかどうかという供託書の記載については審査の対象とはならないため、賃料の受領拒絶を原因とする弁済供託の供託書の記載から、申請者が提供した賃料にその弁済期から提供日までの遅延損害金が付加されていなかったことが明らかであるとしても、その供託の申請は受理される。これに対して、供託官の審査権限は形式的審査の範囲にとどまるが、その範囲内において当該供託が実体法上有効なものであるかどうかという、供託の実体的要件審査も対象となるとする説（以下「乙説」という。）によれば、本旨弁済がされたかどうかという供託書の記載は審査の対象となるため、賃料の受領拒絶を原因とする弁済供託の供託書の記載から、申請者が提供した賃料にその弁済期から提供日までの遅延損害金が付加されていなかったことが明らかであるときは、その供託の申請は受理されない。

(2)　誤　　設問の見解は、甲説・乙説を問わず、あくまで「供託官の審査権限は、形式的審査の範囲にとどまる」としている。そして、供託官が法定の添付書類以外の資料の提出を求めたり、関係者の説明を聞くなどして、供託原因の存否を調査することは、供託官の審査権限が形式的審査の範囲を逸脱することになるから、甲説によっても乙説によっても許されない（最判昭36.10.12）。

(3)　誤　　金銭債権の差押えがされた場合に第三債務者がする執行供託は、その第三債務者の債務履行地の供託所にする（民執156Ⅰ・Ⅱ）。そして、その債務履行地は、弁済場所として供託書の「供託原因たる事実」の欄に記載されるので（昭55.9.6民四5333号）、供託官はこれを供託書の記載から知ることができる。すなわち、第三債務者の債務履行地の供託所がどこであるかは、形式的審査の範囲内といえる。更に、この供託所が第三債務者の債務履行地の供託所であるかどうかは、当該供託が実体法上有効であるかどうかの審査ではなく、民事執行法という手続法上有効であるかどうかの審査である。したがって、供託書の記載から、第三債務者の債務履行地ではない場所の供託所に供託申請がされたことが明らかであるときは、甲説によっても乙説によってもその供託の申請は受理されない。

⑷　誤　　法人格のない民法上の組合（民 667 以下）であっても、供託書の供託者名に組合名を表示し、組合長某等と記載して供託する場合には、契約書・規約・委任状等によってその者の代理権の存在を確認することができれば、当該供託は受理されるとするのが先例である（昭 26.10.30 民甲 2105 号）。そして、組合の名称及び代表者の氏名（A）は供託書の記載事項であり（供託規 13Ⅱ①参照）、その供託書に添付されるAの代表権を証する書面（供託規 14Ⅲ参照）によりその代表権の有無を審査することになるが、この審査は形式的審査の範囲内といえる。更に、Aの代表権の有無は、当該供託が実体法上有効であるかどうかの審査ではなく、供託規則という手続法上有効であるかどうかの審査である。したがって、添付書類によりAの代表権が認められるときは、甲説によっても乙説によってもその供託の申請は受理される。

⑸　誤　　弁済の方法は、債務の本旨に従って現実にしなければならないが（民 493 本文）、債権者があらかじめその受領を拒んでいる場合には、弁済の準備をしたことを通知してその受領を催告すれば（口頭の提供をすれば）足りる（民 493 但書）。そして、甲説によれば、売買代金の受領拒絶を原因とする弁済供託において、買主が口頭の提供のみをしているが、売主があらかじめ受領を拒絶していることも明らかであるときの供託の実体的要件は、供託書に記載があったとしても審査の対象とはならないため、その供託の申請は受理される。一方、乙説によれば、供託書に記載があれば、形式的審査の範囲内における実体的要件として審査の対象となる。しかし、本肢の場合は民法 493 条ただし書の要件を満たしていることから、その供託の申請は受理される。

供託の手続

MEMO

5a－5(18－11)　供託申請手続

供託の申請手続に関する次の(ア)から(オ)までの記述のうち、正しいものの組合せは、後記(1)から(5)までのうちどれか。なお、登記された法人が供託しようとする場合に、当該法人の代表者の資格につき登記官の確認を受けた供託書を提出する手続（簡易確認手続）については、考慮しないものとする。(改)

(ア)　供託書には、供託者又はその代表者若しくは管理人若しくは代理人が記名押印しなければならない。

(イ)　登記された法人を被供託者として供託しようとするときは、当該法人の代表者の資格を証する登記事項証明書であって、その作成後3か月以内のものを添付しなければならない。

(ウ)　代理人によって供託しようとするときは、代理人の権限を証する書面を供託官に提示しなければならない。

(エ)　金銭の供託をしようとする者は、インターネットを利用した供託申請以外の場合であっても、申出により、供託官の告知した納付情報により供託金の納付をすることができる。

(オ)　供託者が被供託者に供託の通知をしなければならない場合には、供託者は、供託書に供託通知書を被供託者の数に応じて添付しなければならない。

(1)　(ア)(イ)　(2)　(ア)(オ)　(3)　(イ)(ウ)　(4)　(ウ)(エ)　(5)　(エ)(オ)

学習記録	／	／	／	／	／	／	／	／	／

重要度　B	知識型	要 *Check!*		正解　(4)

(ア)　誤　　供託書には、供託者又はその代表者若しくは管理人若しくは代理人が記名押印する必要はない。供託書への押印義務を課した規定が存在しないからである（供託規13参照）。

(イ)　誤　　登記された法人を被供託者として供託しようとするときは、当該法人の代表者の資格を証する登記事項証明書であって、その作成後３か月以内のものを添付する必要はない。登記された法人が被供託者となる場合に当該法人の代表者の資格証明書の添付を要求する規定が存在しないからである。

(ウ)　正　　代理人によって供託しようとするときは、代理人の権限を証する書面を供託官に提示しなければならない（供託規14Ⅳ前段）。なお、この場合においては、代理人の権限につき登記官の確認を受けた供託書を提出して、代理人の権限を証する書面の提示に代えることができる（供託規14Ⅳ後段・14Ⅰ後段・簡易確認手続）。

(エ)　正　　供託金の電子納付についての規定（供託規20の３Ⅰ）は、オンラインによる供託に関する特則を定めた供託規則の第５章ではなく、第２章の供託手続に供託金の提出方法の一つとして置かれていることから、書面又はオンラインによる供託にかかわりなく利用することができる（登研687-150）。したがって、金銭の供託をしようとする者は、インターネットを利用した供託申請以外の場合であっても、申出により、供託官の告知した納付情報により供託金の納付をすることができる（供託規20の３Ⅰ）。

(オ)　誤　　金銭又は有価証券の供託をしようとする者が提出すべき供託書は全ての供託所においてＯＣＲ用供託書でなければならない（供託規13Ⅰ）。したがって、供託者は供託書に供託通知書の添付を要しないため、本肢は誤りである。なお、供託しようとする者にやむを得ない事情があるとき（ex. 読み取り機械が壊れたとき）は、供託規則13条１項の規定にかかわらず、供託の種類に従い、５号から18号までの書式による正副２通の供託書を供託所に提出しなければならないとされている（供託規16の２Ⅰ）。この場合には、供託者が供託官に対して、供託通知書の発送を請求したときに限り、供託者は、被供託者の数に応じて、供託通知書を添付しなければならない（供託規16の２Ⅳ）。

以上から、正しいものは(ウ)(エ)であり、正解は(4)となる。

5a−6(21−11)　供託申請手続

供託の申請手続に関する次の(ア)から(オ)までの記述のうち、正しいものの組合せは、後記(1)から(5)までのうちどれか。

(ア)　金銭、有価証券又は振替国債の供託は、郵送又は電子情報処理組織を使用する方法により、することができる。

(イ)　供託者が振替国債を供託しようとするときは、その振替国債の銘柄、利息の支払期及び償還期限を確認するために必要な資料を提供しなければならない。

(ウ)　賃料、給料その他の継続的給付に係る金銭の供託をするために供託書を提出する者は、供託カードの交付の申出をしなければならない。

(エ)　供託書に記載した供託金額については、訂正、加入又は削除をしてはならない。

(オ)　同一の供託所に対して同時に数個の供託をする場合において、供託書の添付書類に内容の同一のものがあるときであっても、当該添付書類は、供託書ごとに添付しなければならない。

(1)　(ア)(エ)　　(2)　(ア)(オ)　　(3)　(イ)(ウ)　　(4)　(イ)(エ)　　(5)　(ウ)(オ)

学習記録	／	／	／	／	／	／	／	／	／

重要度　B	知識型	要 *Check!*

正解　(4)

(ア)　誤　　金銭、有価証券又は振替国債の供託は、郵送によってもすることができる（大11.6.24民事2367号等）。供託においては当事者出頭主義が採用されていないからである。また、金銭又は振替国債の供託は、電子情報処理組織を使用する方法によりすることができる（供託規38Ⅰ①）。しかし、有価証券の供託を、電子情報処理組織を使用する方法によってすることはできない（供託規38Ⅰ①参照）。

(イ)　正　　供託者が振替国債を供託しようとするときは、その振替国債の銘柄、利息の支払期及び償還期限を確認するために必要な資料を提供しなければならない（供託規14の２）。

(ウ)　誤　　賃料、給料その他の継続的給付に係る金銭の供託をするために供託書を提出する者は、供託カードの交付の申出をすることができる（供託規13の４Ⅰ本文）が、供託カードの交付の申出は権利であり義務ではない。

(エ)　正　　供託書、供託通知書、代供託請求書、附属供託請求書、供託有価証券払渡請求書又は供託有価証券利札請求書に記載した供託金額、有価証券の枚数及び総額面又は請求利札の枚数については、訂正、加入又は削除をしてはならない（供託規６Ⅵ）。

(オ)　誤　　同一の供託所に対して同時に数個の供託をする場合において、供託書の添付書類に内容の同一のものがあるときは、１個の供託書に１通を添付すれば足りる（供託規15）。

以上から、正しいものは(イ)(エ)であり、正解は(4)となる。

5a−7(23−9)　供託申請手続

次の対話は、金銭、有価証券又は振替国債の供託の手続に関する司法書士と補助者との対話である。司法書士の質問に対する次の(ア)から(オ)までの補助者の解答のうち、正しいものの組合せは、後記(1)から(5)までのうちどれか。

司法書士：　金銭の供託のほか、有価証券の供託又は振替国債の供託を電子情報処理組織を使用してすることができますか（以下本問において電子情報処理組織を使用してする供託を「オンライン供託」という。）。

補助者　：(ア)　オンライン供託は、金銭の供託に限られており、有価証券の供託及び振替国債の供託は、することができません。

司法書士：　オンライン供託以外の供託の場合に、供託官の告知した納付情報を用いて、インターネットバンキングにより、供託金を納入することはできますか。

補助者　：(イ)　オンライン供託以外の供託の場合であっても、金銭の供託をしようとする者の申出により、供託官の告知した納付情報による供託金の納入をすることができます。

司法書士：　金銭の供託の目的物として供託をすることができる金銭は、我が国の通貨に限られますか。

補助者　：(ウ)　はい。外国の通貨で金銭の供託をすることはできません。

司法書士：　供託金の受入れを取り扱う供託所に対して金銭の供託を郵送でする場合には、供託物である金銭は、どのようにして納入すればよいのですか。

補助者　：(エ)　供託金の受入れを取り扱わない供託所と同様、供託所から送付を受けた供託書正本と保管金払込書を日本銀行の本店、支店又は代理店に提出して、納入します。

司法書士：　供託金の受入れを取り扱う供託所に対して有価証券の供託をする場合には、有価証券をどのようにして納入すればよいのですか。

補助者　：(オ)　供託所に供託書と共に有価証券を提出することにより、有価証券を納入することになります。

(1)　(ア)(ウ)　　(2)　(ア)(エ)　　(3)　(イ)(ウ)　　(4)　(イ)(オ)　　(5)　(エ)(オ)

学習記録	／	／	／	／	／	／	／	／	／

供託の手続

重要度　B	知識型	要 *Check!*

正解　(3)

(ア)　誤　　電子情報処理組織を使用してする供託（以下「オンライン供託」という。）は、金銭又は振替国債についての供託についてすることができる（供託規 38 I ①）。

(イ)　正　　オンライン供託以外の供託により金銭を供託しようとする者は、現金取扱庁に申請する場合、非現金取扱庁に申請する場合、又は郵送により供託を申請する場合であっても、申出をすることにより、供託官の告知した納付情報による供託金の納付をすることができる（供託規 20 の３ Ⅰ・18 Ⅰ・20 Ⅰ、大 11.6.24 民 2367 号・供託金の電子納付）。

(ウ)　正　　供託物が金銭又は有価証券である場合は、法務局、地方法務局又はそれらの支局若しくは法務大臣の指定する出張所に供託することができるが（1）、ここにいう供託できる金銭とは、わが国の通貨に限られ、外国の通貨は含まれない。なお、外国の通貨を、金銭、有価証券以外の物品として、法務大臣の指定する倉庫業者又は銀行に供託することはできる（５ Ⅰ）。

(エ)　誤　　供託者は、直接供託所に出向かずに、郵送により供託の申請をすることができる（大 11.6.24 民 2367 号）。①現金取扱庁の場合は、供託書、必要な添付書類等、供託書正本返送用に郵券を貼った封筒を現金書留とともに供託所に郵送する方法によって申請と納入の双方を、郵送によってすることができるのに対し、②非現金取扱庁の場合は、まず、郵送による供託申請を行った後、供託所から返送された供託書正本及び保管金払込書に供託金を添えて日本銀行の本店、支店又は代理店に提出する方法によって納入する。したがって、金銭の供託を郵送でする場合、現金取扱庁と非現金取扱庁での供託金の納入方法が異なる。なお、①②どちらの場合でも、供託金を「振込方式」又は「電子納付」で納入することが認められている。

(オ)　誤　　有価証券を供託物として供託する場合、供託官は、供託を受理すべきものと認めるときは、供託書正本に、供託を受理する旨、供託番号、一定の期日までに供託物を日本銀行に納入すべき旨及びその期日までに供託物を納入しないときは受理の決定は効力を失う旨を記載して記名押印し、これを供託有価証券寄託書とともに供託者に交付しなければならない（供託規 18 Ⅰ）。そして、有価証券は、いずれの供託所においても受入れはされないため、供託者は、供託官から交付された供託有価証券寄託書に供託物である有価証券を添えて、日本銀行の本店、支店又はその代理店に一定の期日までに納入する。

以上から、正しいものは(イ)(ウ)であり、正解は(3)となる。

5a−8(28−10)　供託申請手続

電子情報処理組織による供託等に関する次の(ア)から(オ)までの記述のうち、正しいものの組合せは、後記(1)から(5)までのうち、どれか。なお、供託をしようとする者が国である場合を考慮しないものとする。(改)

(ア)　金銭又は振替国債の供託は電子情報処理組織を使用してすることができるが、供託金、供託金利息又は供託振替国債の払渡しの請求は電子情報処理組織を使用してすることはできない。

(イ)　電子情報処理組織による供託をしようとする者は、法令の規定により供託書に添付し、又は提示すべき書面があるときは、当該書面に代わるべき情報にその作成者が電子署名を行ったものを送信しなければならず、この送信に代えて、供託所に当該書面を提出し、又は提示することはできない。

(ウ)　登記された法人が電子情報処理組織による供託をしようとする場合において、その申請情報に当該法人の代表者が電子署名を行い、かつ、当該代表者に係る電子認証登記所の登記官の電子証明書を当該申請情報と併せて送信したときは、当該代表者の資格を証する登記事項証明書を提示することを要しない。

(エ)　電子情報処理組織によって金銭の供託をする場合には、供託者は、供託官の告知した納付情報により供託金を納付しなければならない。

(オ)　供託者は、供託書正本に係る電磁的記録の提供を求めた場合には、供託官に対し、当該電磁的記録に記録された事項を記載して供託官が記名押印した書面の交付を請求することはできない。

(1)　(ア)(イ)　　(2)　(ア)(オ)　　(3)　(イ)(ウ)　　(4)　(ウ)(エ)　　(5)　(エ)(オ)

供託の手続

学習記録	／	／	／	／	／	／	／	／	／

重要度　B	知識型	要 *Check!*		正解　(4)

(ア) 誤　電子情報処理組織による供託は、金銭又は振替国債につき認められており（供託規38 Ⅰ①）、また、供託物が供託金、供託金利息、又は供託振替国債の場合には、電子情報処理組織による払渡請求をすることができる（供託規38Ⅰ②）。

(イ) 誤　電子情報処理組織による供託申請をする場合において、申請人等は、法令の規定により供託書に添付し、又は提示すべき書面があるときは、法務大臣の定めるところに従い、当該書面に代わるべき情報にその作成者が電子署名を行ったもの（以下「添付書面情報」という。）を送信しなければならない（供託規39Ⅱ本文）。ただし、添付書面情報の送信に代えて、供託所に当該書面を提出し、又は提示することもできる（供託規39Ⅱ但書）。

(ウ) 正　登記された法人が電子情報処理組織による供託の申請をする場合において、その申請情報に当該法人の代表者が電子署名を行い、かつ、当該代表者に係る電子証明書を当該申請書情報と併せて送信したときは、当該代表者の資格を証する登記事項証明書を提示することを要しない（供託規39の2 Ⅰ）。

(エ) 正　電子情報処理組織による金銭の供託を国以外がする場合においては、供託規則20条の3第1項に規定する、供託官の告知した納付情報により供託金の納付をする旨（電子納付）の申出があったものとされる（供託規40 Ⅰ後段）。したがって、電子情報処理組織によって金銭の供託をする場合には、供託者は、供託官の告知した納付情報により供託金を納付しなければならない。なお、金銭の供託をしようとする者が国である場合には、当該者の選択により、電子納付の申出又は供託規則20条の4第1項に規定する、国庫内の移換の手続による供託金の払込みをする旨の申出があったものとされる（供託規40 Ⅰ後段）。

(オ) 誤　供託者は、供託書正本に係る電磁的記録の提供を求めたときは、供託官に対し、当該電磁的記録に記録された事項を記載して供託官が記名押印した書面（みなし供託書正本）の交付を請求することができる（供託規42Ⅰ本文）。

以上から、正しいものは(ウ)(エ)であり、正解は(4)となる。

5a－9(30－9)　供託申請手続

供託の申請手続に関する次の(ア)から(オ)までの記述のうち、誤っているものの組合せは、後記(1)から(5)までのうち、どれか。なお、住所、氏名等の秘匿決定がされている場合については、考慮しないものとする。（改）

(ア)　供託書に記載した供託金額については、訂正、加入又は削除をしてはならない。

(イ)　法人が金銭又は有価証券の供託をするときは、供託書には、当該法人の名称、主たる事務所及び代表者の氏名を記載しなければならない。

(ウ)　継続的給付に係る金銭の供託をするために供託カードの交付を受けた者が、当該供託カードを提示して、当該継続的給付について供託をしようとするときは、供託書（ＯＣＲ用）に記載する供託の原因たる事実については、当該供託カードの交付の申出をした際に供託書に記載した事項と同一でない事項のみを記載すれば足りる。

(エ)　供託書（ＯＣＲ用）が二枚以上にわたるときは、作成者は、各用紙のつづり目に契印をしなければならない。

(オ)　同一の供託所に対して同時に数個の供託をするときは、各供託書に添付すべき書類が同一であっても、各供託書ごとに当該書類を添付しなければならない。

(1)　(ア)(ウ)　　(2)　(ア)(オ)　　(3)　(イ)(ウ)　　(4)　(イ)(エ)　　(5)　(エ)(オ)

供託の手続

学習記録	／	／	／	／	／	／	／	／	／

重要度 B	知識型	要 *Check!*		正解 (5)

(ア) 正　供託書、供託通知書、代供託請求書、附属供託請求書、供託有価証券払渡請求書又は供託有価証券利札請求書に記載した供託金額、有価証券の枚数及び総額面又は請求利札の枚数については、訂正、加入又は削除をしてはならない（供託規6Ⅵ）。

(イ) 正　供託者が法人であるときは、供託書には、その名称、主たる事務所及び代表者の氏名を記載（住所は不要）しなければならない（供託規13Ⅱ①）。なお、供託者又は被供託者の氏名又は住所につき秘匿決定がされているときは、代替事項の記載をもってこれらに代えることができる（令5.2.2民商27号）。

(ウ) 正　供託カードの交付を受けた者が、当該供託カードを提示して、当該継続的給付について供託をしようとするときは、供託書の供託の原因たる事実について、供託カードの交付の申出をした際に供託書に記載した事項と同一でない事項を記載すれば足りる（供託規13の4Ⅳ④）。

(エ) 誤　供託所に提出すべき書類（供託書、供託通知書、代供託請求書及び附属供託請求書並びに添付書類を除く。）が二枚以上にわたるときは、作成者は、各用紙に総枚数及び当該用紙が何枚目であるかを記載することその他の必要な措置を講じなければならない（供託規8）。この点、各用紙のつづり目に契印がされている場合には、「その他の必要な措置」が講じられているものとされる（令5.9.11民商173号）が、供託書については当該規定の適用はない（供託規8括弧書）。

(オ) 誤　同一の供託所に対して同時に数個の供託をする場合において、供託書の添付書類に内容の同一のものがあるときは、1個の供託書に1通を添付すれば足りる（供託規15前段）。なお、この場合には、他の供託書にその旨を記載しなければならない（供託規15後段）。

以上から、誤っているものは(エ)(オ)であり、正解は(5)となる。

5a－10(R2－9)　供託申請手続

電子情報処理組織による供託の手続に関する次の(ア)から(オ)までの記述のうち、誤っているものの組合せは、後記(1)から(5)までのうち、どれか。（改）

(ア) 有価証券の供託は、電子情報処理組織を使用してすることができる。

(イ) 登記された法人が電子情報処理組織による供託をしようとする場合において、申請書情報に当該法人の代表者が電子署名を行い、かつ、当該代表者に係る電子認証登記所の登記官が発行する電子証明書を当該申請書情報と併せて送信したときは、代表者の資格を証する登記事項証明書を提示することを要しない。

(ウ) 令和４年法改正により削除

(エ) 電子情報処理組織により金銭の供託をしようとする者は、供託金の納入方法について、供託所に金銭を提出する方法、日本銀行に納入する方法、供託官が開設する預金口座へ振り込む方法又は供託官が告知する納付情報により納付する方法のいずれかを選択し、供託官に申し出なければならない。

(オ) 電子情報処理組織により金銭の供託をする供託者は、供託書正本に係る電磁的記録の提供を求める場合、既に書面による交付を受けているときを除き、供託官に対し、当該電磁的記録に記録された事項を記載して供託官が記名押印した書面の交付を請求することができる。

(1) (ア)(エ)　(2) (ア)(オ)　(3) (イ)(ウ)　(4) (イ)(オ)　(5) (ウ)(エ)

学習記録	／	／	／	／	／	／	／	／	／

重要度　B	知識型	要 *Check!*		正解　(1)

(ア) 誤　　電子情報処理組織による供託において、目的物とすることができるものは、電子情報処理組織によって手続が完結する金銭又は振替国債に限られ（供託規38Ⅰ①）、有価証券は認められていない。

(イ) 正　　登記された法人が電子情報処理組織による供託をする場合において、その申請書情報に当該法人の代表者が電子署名を行い、かつ、当該代表者に係る電子認証登記所の登記官の電子証明書を当該申請書情報と併せて送信したときは、当該代表者の資格を証する登記事項証明書を提示することを要しない（供託規39の2Ⅰ）。

(ウ) 令和4年法改正により削除

(エ) 誤　　供託をしようとする者が国である場合を除き、電子情報処理組織による金銭の供託においては、供託規則20条の3第1項に規定する、供託官の告知した納付情報により供託金の納付をする旨（電子納付）の申出があったものとされる（供託規40Ⅰ後段）。

(オ) 正　　電子情報処理組織による供託をした供託者は、供託規則40条2項の規定により供託書正本に係る電磁的記録の提供を求めたときは、供託官に対し、当該電磁的記録に記録された事項を記載して供託官が記名押印した書面の交付を請求することができる（供託規42Ⅰ本文）。なお、供託者が既に当該書面の交付を受けているときは、当該請求をすることはできない（供託規42Ⅰ但書）。

以上から、誤っているものは(ア)(エ)であり、正解は(1)となる。

5a－11（R4－9）　供託申請手続

供託の申請手続に関する次の(ア)から(オ)までの記述のうち、正しいものの組合せは、後記(1)から(5)までのうち、どれか。

(ア)　供託書に記載した有価証券の枚数については、訂正、加入又は削除をしてはならない。

(イ)　電子情報処理組織を使用してする供託以外の供託の場合であっても、申出をすることにより、供託官の告知した納付情報により供託金の納付をすることができる。

(ウ)　供託金の受入れを取り扱う供託所に対して供託書を送付して金銭の供託をする場合には、供託所から送付を受けた供託書正本と保管金払込書を日本銀行の本店、支店又は代理店に提出して供託金の納入をすることができる。

(エ)　同一の供託所に対して同時に数個の供託をする場合には、供託書の添付書類に内容が同一のものがあるときであっても、供託書ごとに当該添付書類を添付しなければならない。

(オ)　被供託者が法人であるときは、供託書の被供託者の住所氏名欄には、その名称、主たる事務所だけでなく、代表者の氏名をも記載しなければならない。

(1)　(ア)(イ)　(2)　(ア)(エ)　(3)　(イ)(オ)　(4)　(ウ)(エ)　(5)　(ウ)(オ)

学習記録	／	／	／	／	／	／	／	／	／

重要度　B	知識型	要 *Check!*		正解　(1)

(ア) 正　　供託書、供託通知書、代供託請求書、附属供託請求書、供託有価証券払渡請求書又は供託有価証券利札請求書に記載した供託金額、有価証券の枚数及び総額面又は請求利札の枚数については、訂正、加入又は削除をしてはならない（供託規6 Ⅵ）。

(イ) 正　　供託金の受入れを取り扱う供託所に金銭の供託をしようとする者は、供託書とともに供託金を提出しなければならない（供託規 20 Ⅰ）。この点、金銭の供託をしようとする者は、申出により、当該供託金の提出に代えて、供託官の告知した納付情報による供託金の納付をすることができる（供託規 20 の３Ⅰ）。

(ウ) 誤　　郵送による供託申請は先例により認められており（大 11.6.24 民 2367 号）、供託金の受入れを取り扱う供託所（現金取扱庁）に郵送によって供託申請手続をする場合、供託者は、①ＯＣＲ用供託書１通（又は正副２通の供託書）、②必要な添付書類等、③供託書正本返送用の郵券を貼った封筒を、④現金書留とともに供託所に郵送し、供託官は、受理手続の後、返送用封筒を用いて供託書正本を供託者に返送する。なお、供託金の受入れを取り扱わない供託所（非現金取扱庁）に対する供託にあっては、供託金の受入れは、供託者が日本銀行の本店、支店又は代理店に直接納入することとされている。

(エ) 誤　　同一の供託所に対して同時に数個の供託をする場合において、供託書の添付書類に内容の同一のものがあるときは、１個の供託書に１通を添付すれば足りる（供託規 15 前段）。なお、この場合には、他の供託書にその旨を記載しなければならない（供託規 15 後段）。

(オ) 誤　　弁済供託において金銭を供託する場合、供託物の還付を請求することができる者（被供託者）が特定できるときで、その者が法人であるときは、その名称及び主たる事務所を供託書に記載しなければならない（供託規 13 Ⅱ⑥参照）が、代表者の氏名は記載することを要しない。

以上から、正しいものは(ア)(イ)であり、正解は(1)となる。

5b－1(57－12)　供託物払渡手続

供託物の払渡しに関する次の記述のうち、正しいものは幾つあるか。(改)

(ア)　支配人その他登記のある代理人が供託物の払渡しを請求する場合には、供託物払渡請求書に代理人であることを証する登記事項証明書を添付しなければならない。

(イ)　平成 17 年法改正により削除

(ウ)　供託物の取戻しを請求する場合において、供託物払渡請求書に供託書正本及び供託通知書を添付したときは、払渡請求書に押された印鑑につき市町村長又は登記所の作成した印鑑証明書を添付することを要しない。

(エ)　消滅時効が完成した供託金であっても、国庫への歳入納付の手続がされる前であれば、払渡しを受けることができる。

(オ)　供託金払渡請求書に記載した供託金額については、訂正・加入又は削除をすることができない。

(1)　0 個　　(2)　1 個　　(3)　2 個　　(4)　3 個　　(5)　4 個

学習記録	／	／	／	／	／	／	／	／	／

重要度　A	知識型	要 *Check!*	正解　(1)

(ア)　誤　　支配人その他登記のある代理人が供託物の払渡しを請求する場合、代理人であることを証する登記事項証明書を添付する必要はなく、「提示」すれば足りる（供託規27Ⅰ但書）。そして、この場合においては、支配人その他登記のある代理人の権限につき登記官の確認を受けた供託書を提出して、代理人であることを証する登記事項証明書の提示に代えることができる（供託規27Ⅱ・14Ⅰ後段・簡易確認手続）。

(イ)　平成17年法改正により削除

(ウ)　誤　　供託物の取戻請求をする場合において、供託物払渡請求書に供託書正本及び供託通知書を添付することにより印鑑証明書の添付を省略できる旨の規定は存在しない。したがって、原則として、供託物払渡請求書に押された印鑑につき市町村長又は登記所の作成した証明書を添付することを要する（供託規26Ⅰ本文）。

(エ)　誤　　消滅時効が完成した供託金はその完成時に国庫に帰属するから、歳入納付の手続前においても、払渡しを受けることはできない（供託準57）。

(オ)　誤　　供託金払渡請求書に記載した供託金額については、訂正、加入又は削除をすることができる（供託規6Ⅵ参照）。供託金払渡請求書は、払渡請求をする際に供託所に対して1通提出すれば足り（供託規22Ⅰ）、一定の手続後、供託所に保管される関係上、供託金額が不正に訂正、加入又は削除されるおそれがないからである。

以上から、正しいものはなく、正解は(1)となる。

5b−2(58−13)　供託物払渡手続

供託金の払渡請求に関する次の記述のうち、正しいものはどれか。なお、消滅時効における主観的起算点については考慮しないものとする。(改)

(1) 弁済供託金につき被供託者が供託所に対して供託を受諾する旨を口頭で申し出た場合には、供託者は、不受諾を理由として取戻請求をすることはできない。

(2) 供託書に供託により消滅すべき抵当権の記載がある場合でも、供託者は、不受諾を理由として取戻請求をすることができる。

(3) 保証として供託した供託金の利息は、元本と同時でなければ払い渡すことができない。

(4) 弁済供託金の元金の受取人と利息の受取人とが異なる場合において、元金を払い渡したときは、利息請求権は、元金の払渡しの時から10年の経過により時効消滅する。

(5) 供託金取戻請求権を差し押さえた者は、供託所に対して差押命令が送達された時から供託金の払渡しを請求することができる。

学習記録	／	／	／	／	／	／	／	／	／

重要度 A	知識型	要 *Check!*	正解 (4)

(1) 誤　供託受諾の意思表示が供託所に対してされると、供託物の取戻請求をすることができなくなる（取戻請求権が消滅する、民496Ⅰ）。この点、供託受諾の意思表示は書面によってしなければならない（供託規47）。したがって、被供託者が供託所に対し、口頭で供託受諾の意思表示をした場合、供託物取戻請求権は消滅しないため、供託者は、その後においても供託不受諾を理由として取戻請求をすることができる。

(2) 誤　供託により質権又は抵当権が消滅したときは、供託者は、その供託物を取り戻すことができない（民496Ⅱ）。そして、供託書に供託により消滅すべき抵当権の記載がある場合には（供託規13Ⅱ⑦）、その抵当権は消滅することになるため、取戻請求をすることはできない。

(3) 誤　供託金の利息は元金と同時に払い渡すことを原則とするが（供託規34Ⅰ）、保証として金銭を供託した場合の利息については、例外として毎年、供託した月に対応する月の末日後に同日までの利息を払い渡すことができる（供託規34Ⅱ）。保証供託の目的は供託金の元金だけであり、利息には及ばないからである。

(4) 正　弁済供託金の利息は原則として元金と同時に払い渡すものとされており（供託規34Ⅰ本文）、弁済供託金の払渡し以前に利息のみの請求権が別個独立に発生することはないから、通常の場合その消滅時効を論ずる余地はない。しかし、本肢のように元金の受取人と利息の受取人とが異なる場合には、元金を払い渡した後に利息を払い渡すものとされており（供託規34Ⅰ但書）、別個独立した利息請求権は元金の払渡しの時が消滅時効の客観的起算点となり、この時から10年を経過することによって時効が完成する（民166Ⅰ②）。

(5) 誤　金銭債権である供託金取戻請求権を差し押さえた債権者は、「債務者に対して」差押命令が送達された時から1週間を経過したときは、その債権を取り立てることができる（民執155Ⅰ）。本肢の場合、供託所は第三債務者の地位に立つため、供託所に対して差押命令が送達された時からとする点で、本肢は誤っている。

5b－3(59－13)　供託物払渡手続

供託物の払渡しに関する次の記述のうち、正しいものはどれか。

(1)　供託後に代表者の変更があった法人が、供託物の払渡しを請求する場合において、供託書に押した代表者の印鑑と、供託物払渡請求書に押した代表者の印鑑が同一であるときは、印鑑証明書を提出することを要しない。

(2)　金銭債権の一部が差し押さえられた場合において、第三債務者が差押えに係る債権の全額に相当する金銭を供託したときは、執行債務者は、供託金のうち、差押金額を超える部分の払渡しを受けることができる。

(3)　供託物払渡請求に対する却下決定がされた場合において、その決定を不当とする者からする審査請求は、その者が、却下決定があったことを知った日の翌日から起算して３か月以内にしなければならない。

(4)　供託物払渡請求権の譲受人が供託物の払渡しを請求する場合には、供託物払渡請求権を譲り受けたことを証する書面を提出しなければならない。

(5)　被供託者を異にする数個の供託について被供託者が供託金の還付を受けようとする場合において、その代理人が同一であるときは、一括してその請求をすることができる。

学習記録	／	／	／	／	／	／	／	／	／

重要度 A | **知識型** | **要 *Check!*** | **正解 (2)**

⑴ 誤　供託物の取戻しを請求する場合において、供託者等が供託書に押した印鑑と供託物払渡請求書又は委任による代理人の権限を証する書面に押した印鑑が同一であった場合に、印鑑証明書の添付を省略することができる旨の規定は存在しない（供託規26Ⅲ参照）。

⑵ 正　金銭債権の一部が差し押さえられた場合、第三債務者は差押えに係る金銭債権の全額に相当する金銭を、債務履行地の供託所に供託できる（権利供託、民執156Ⅰ）。そしてその場合には、その差押債権額を超える部分については弁済供託としての性質を有するので、本来の債権者である執行債務者は供託を受諾して還付請求をすることができ、第三債務者は、供託不受諾を原因として取戻請求をすることができる（昭55.9.6民四5333号）。

⑶ 誤　一般の行政処分に対する審査請求は、原則として、処分があったことを知った日の翌日から３か月以内にしなければならない（行服18Ⅰ）。しかし、供託の審査請求は、審査請求をすることにつき利益の存する限りいつでもすることができる（供託法１条ノ９は、行政不服審査法18条の規定の適用を排除している。）。供託事務は一般行政事務とは異なり、供託官の処分が供託上の権利関係の有無を判断する確認行為であり、これに対する不服につき、その利益がある限り不服を許すことが相当であるとするのが判例である（最大判昭45.7.15）。したがって、供託官の処分に対する審査請求には、特に期間の制限は設けられていない（１ノ４・１ノ５参照）。

⑷ 誤　供託が有効に成立すると、被供託者は供託物還付請求権を、供託者は取戻請求権を供託所に対し同時に独立して有することになる。これらは普通の債権譲渡の方法（民466以下）をもって自由に譲渡することができるが、譲渡の効力を債務者である供託所及びその他の第三者に対抗するためには、譲渡人から供託所に対して譲渡通知をしなければならない（民467Ⅰ）。そして、供託所はこの譲渡通知書を受け取ったときは譲渡通知書に受付の旨、及びその年月日時分を記載し、受付の順序に従って譲渡通知書等つづり込帳に編綴し（供託規５Ⅰ）、更に当該供託書副本に受付年月日を記載する（供託準75）。このことから供託所では、譲受人が誰であるか明白であるから、供託払渡請求権を譲り受けたことを証する書面の提出は必要ない。

⑸ 誤　供託物払渡の一括請求（供託規23）は、数個の供託がされている場合において、同時に供託物の還付を受け、又は取戻しをしようとする者が同一人であるときにすることができるが、この場合の同一人とは、供託物の払

渡請求権者が同一であることをいう。したがって、本肢のように代理人が同一であっても、払渡請求権者が同一でなければ一括請求は認められない（昭41.9.22民甲2586号)。

〈供託手続に関する審査請求〉

審査請求の対象	供託所に対する申請又は請求が却下された場合
審査請求書の提出	提出先：供託官（１ノ５）
審査請求手続	①供託官 (理由)┌有→相当処分：審査請求人に通知（１ノ６Ⅰ） 　　　└無→５日以内に審査庁（監督法務局又は地方法務局の長）に送付（１ノ６Ⅱ） ↓ ②審査庁 (理由)┌有→供託官に相当処分を命ずる（１ノ７） 　　　└無→棄却（不適法の場合は却下）
行政不服審査法の規定の適用除外（１ノ８）	①審査請求期間（行服18）～制限なし ②処分庁経由（行服21）～不要 ③利害関係人の参加（行服13）～不可 ④審査請求人の口頭陳述（行服31）～不可

MEMO

5b−4(60−14)　供託物払渡手続

供託物の払渡しに関する次の記述のうち、正しいものはどれか。

(1) 賃料の増額の効力が争われ、受領拒否を原因としてされた従前の額の賃料の弁済供託において、被供託者は、賃料の一部として受領する旨の留保を付して供託金の払渡しを請求することができる。

(2) 弁済供託の供託金の還付請求権を差し押さえた者は、差押命令が供託所に送達された日から１週間を経過したときは、供託金の払渡しを請求することができる。

(3) 弁済供託の供託金を被供託者の相続人が還付請求する場合、２分の１を超える相続分を有する相続人は、供託金全額の払渡しを請求することができる。

(4) 旅行業者の営業保証金の取戻請求権を滞納処分により差し押さえた税務署の徴収職員は、その旅行業者が営業継続中であっても供託金の払渡しを請求することができる。

(5) 被供託者を甲又は乙とし、債権者不確知を原因とする弁済供託において、甲は、払渡請求書に、還付を受ける権利を有することを証する書面として、「甲が債権者である」旨の供託者の証明書を添付して、供託金の払渡しを請求することができる。

学習記録	／	／	／	／	／	／	／	／	／

重要度 A | **知識型** | **要 *Check!*** | **正解 (1)**

⑴ 正　賃貸借契約中に、賃料の増額請求につき争いが生じた場合、賃借人は相当と認める借賃を供託すれば、債務不履行責任を免れる（借地借家11Ⅱ・32Ⅱ）。これに対して、賃貸人は、賃料の一部として受領する旨の留保を付して供託金の払渡しを請求することができる（昭35.3.30民甲775号）。供託金が多額になる場合、還付請求が全くできないとなると、被供託者において資金繰等の不利益を受けることがある。そこで、係争中であっても、供託金の一部を受け取ることができるとすれば、被供託者のこのような不利益も解消されるという利点があるからである。

⑵ 誤　金銭債権を差し押さえた債権者は、「債務者に対して差押命令が送達された日から１週間」を経過したときは、その債権を取り立てることができる（民執155Ⅰ）。すなわち、弁済供託の供託金の還付請求権を差し押さえた者は、差押命令がその債務者（被供託者）に送達された日から１週間を経過したときは、供託金の払渡しを請求することができる。

⑶ 誤　相続人が数人いる場合において、その相続財産中に金銭その他の可分債権があるときは、その債権は法律上当然分割され各共同相続人がその相続分に応じて権利を承継する（最判昭29.4.8）。したがって、被供託者の相続人は自己の相続分についてのみ供託金の還付請求をすることができ、一人の相続人が全額の還付請求をすることはできない（昭35全国供託課長会同決議、昭42.5.12民甲990号）。

⑷ 誤　営業保証金は、営業の継続中に取り戻すことができない。営業保証供託の場合、供託した者が事業を廃止した場合又は一部営業を廃止したことにより営業保証金が法定の額を超えることになった場合に供託金の全部又は一部の取戻しが認められるのである。すなわち、営業中の場合はいまだ供託の必要性が現存しているので、取戻請求はできない。したがって、営業保証金の取戻請求権を差し押さえた者も、その供託金の払渡請求はできない。

⑸ 誤　債権者不確知（民494Ⅱ）による弁済供託の還付請求をするには、還付を受ける権利を有することを証する書面（供託規24Ⅰ①）として、甲乙間の確定判決・調停調書・一方の承諾書等を添付する。したがって、本肢の場合、「甲が債権者である」旨の証明書は、供託者ではなく、一方の被供託者である乙が作成したものでなければならない。

5b−5(62−11)

供託物払渡手続

供託者が供託金の払戻請求をすることができる場合は、次のうちどれか。

(1)　金銭債権に対する仮差押えの執行を原因とする第三債務者による供託がされた後に仮差押えが取り下げられた場合

(2)　金銭債権に対する差押えを原因とする第三債務者による供託がされた後に、差押命令が取り消された場合

(3)　弁済供託の被供託者が供託金還付請求権を譲渡し、その旨を供託所に通知した場合

(4)　弁済供託により抵当権が消滅した場合

(5)　弁済供託の供託金還付請求権につき、処分禁止の仮処分がされた場合

学習記録	／	／	／	／	／	／	／	／	／

重要度 A | **知識型** | **要 *Check!*** | **正解 (5)**

⑴ できない　金銭債権に対する仮差押えの執行を原因とする第三債務者による供託（民保 50Ⅴ、民執 156Ⅰ）がされた後に、仮差押えが取り消された場合であっても、仮差押金額に相当する供託金の払渡しは、被供託者である仮差押債務者の還付請求によってされ、第三債務者が取戻しを請求することはできない（平 2.11.13 民四 5002 号）。第三債務者はその供託によって既に債務免責の効果を受けているからである。なお、当該供託が錯誤により無効であるときは、第三債務者は、取戻請求をすることができる（8Ⅱ）。

⑵ できない　金銭債権に対する差押えを原因とする第三債務者による供託（民執 156Ⅰ）がされた後に、差押命令が取り消された場合であっても、差押金額に相当する供託金の払渡しは、原則として、執行裁判所の支払委託によって差押債務者に払い渡され（昭 55.9.6 民四 5333 号）、第三債務者が取戻しを請求することはできない。第三債務者はその供託によって既に債務免責の効果を受けているからである。なお、当該供託が錯誤により無効であるときは、第三債務者は、取戻請求をすることができる（8Ⅱ）。

⑶ できない　弁済供託の被供託者が還付請求権を第三者に譲渡し、その旨を供託所に通知（民 467）した場合には、供託者は、供託不受諾を理由として取戻請求権を行使することができなくなる（昭 36.10.20 民甲 2611 号）。供託金還付請求権の譲渡は、譲渡人（被供託者）がその意思に基づいて当該債権の譲渡をするものであるから、供託受諾の意思表示が譲渡行為の中に含まれていると解することができるからである。

⑷ できない　弁済供託をすることにより質権又は抵当権が消滅した場合には、供託者は、供託不受諾を理由として取戻請求権を行使することができなくなる（取戻請求権はそもそも発生しない、民 496Ⅱ、昭 41.8.25 民甲 2439 号、昭 46 全国供託課長会同決議）。この場合において、供託者に取戻請求権の行使を認めると、いったん消滅した質権又は抵当権が復活することになり、第三者（特に後順位担保権者）に不測の損害を与えることになるからである。なお、本肢事案で供託が錯誤であった場合には、質権又は抵当権が消滅しないことになるので、供託者は、取戻請求権を行使することができる（8Ⅱ）。

⑸ できる　供託金還付請求権に対して処分禁止の仮処分がされた場合であっても、供託者は、供託物の取戻請求をすることができる。供託金還付請求権と取戻請求権は、同一の供託物を目的とするが、これらは、権利の主体が異なる別個独立の請求権であるため、一方の権利の変動は、他方の権利に何らの影響を及ぼすものではないからである（最判昭 37.7.13）。

5b－6(63－12)　供託物払渡手続

供託金の還付請求に関する次の(ア)から(オ)までの記述のうち、誤っているものは幾つあるか。(改)

(ア)　数か月分の家賃が一括して弁済供託されている場合には、そのうちの一部の月の家賃についてのみ供託を受諾して還付を請求することもできる。

(イ)　被供託者が反対給付をしなければ還付請求をすることができない場合には、供託物払渡請求書にその反対給付があったことを証する書面を添付しなければならない。

(ウ)　売買代金債権全額についての弁済供託金について、その債権額の一部に充当する旨の留保を付して還付を請求することはできない。

(エ)　弁済供託金について還付請求をする場合において、供託物払渡請求書に利害関係人の承諾書を添付したときは、供託書正本又は供託通知書を添付することを要しない。

(オ)　供託書副本の記載又は副本ファイルの記録により被供託者が還付を受ける権利を有することが明らかである場合には、供託物払渡請求書に還付を受ける権利を有することを証する書面を添付することを要しない。

(1)　1個　　(2)　2個　　(3)　3個　　(4)　4個　　(5)　5個

学習記録	／	／	／	／	／	／	／	／	／

重要度 A	知識型	要 *Check!*	正解 (2)

(ア) 正　供託者が便宜的に同種の数個の債務の目的物を一括して供託することを認められた場合（供託準26の2）であっても、被供託者はどの供託物につき供託を受諾するか自由であるから、一括して弁済供託された数か月分の家賃のうちの一部の月の分のみを、供託受諾して還付請求することができる（昭38.6.6民甲1675号）。

(イ) 正　被供託者が反対給付をしなければ還付請求をすることができない場合には、供託物払渡請求書にその反対給付があったことを証する書面を添付しなければならない（10、供託規24Ⅰ②）。供託当事者間に実体上同時履行の関係がある場合には、その反対給付がされた事実を供託官に証明しなければ、供託制度の適正を担保することができないからである。

(ウ) 誤　売買代金債権全額についての弁済供託金について、被供託者（債権者）は、その債権額の一部に充当する旨の留保を付して還付請求をすることができる（昭35全国供託課長会同決議）。

(エ) 誤　還付請求をする場合において、利害関係人の承諾書の有無にかかわらず、常に供託書正本又は供託通知書を添付することを要しない。

(オ) 正　還付請求者は還付請求に際して「還付を受ける権利を有することを証する書面」を添付しなければならないのが原則である（供託規24Ⅰ①本文）。ただし、弁済供託の場合は、副本ファイルに被供託者の権利内容が明確にされている場合が多いため、それにより当該権利を証明することができるときには、特に当該権利を証する書面を添付することを要しない（供託規24Ⅰ①但書）。

以上から、誤っているものは(ウ)(エ)の2個であり、正解は(2)となる。

5b－7(元－12)　供託物払渡手続

弁済供託における供託物の払渡し及び払渡請求権に関する次の記述のうち、正しいものはどれか。

(1)　錯誤による供託物の取戻しは、被供託者が供託を受諾する旨を記載した書面を供託所に提出した後は、することができない。

(2)　供託物の払渡請求権の譲渡は、債権譲渡の方法によりすることができる。

(3)　取戻請求権が譲渡された後においては、被供託者は、供託物の還付請求をすることができない。

(4)　債権者不確知を理由とする弁済供託において供託物の還付を請求するには、供託物払渡請求書に還付を受ける権利を有することを証する書面として確定判決を添付しなければならない。

(5)　供託によって抵当権が消滅した場合でも、被供託者が供託を受諾するまでは、供託者は、供託物の取戻請求をすることができる。

学習記録	／	／	／	／	／	／	／	／	／

重要度 A | **知識型** | **要 *Check!*** | **正解 (2)**

(1) 誤　被供託者が供託受諾の意思表示をした場合には、供託者の取戻請求権が消滅する（民496Ⅰ)。しかし、この場合でも、供託自体が錯誤によってされたときには、当該供託は無効なため、債務消滅の効果を前提とした取戻請求権の消滅の効果も発生しない。したがって、供託者は錯誤を理由として取戻請求をすることができる（8Ⅱ)。

(2) 正　供託物払渡請求権のうち、供託物還付請求権とは被供託者が供託所に対して有する債権であり、供託物取戻請求権とは供託者が供託所に対して有する債権である。したがって、供託物還付請求権も、供託物取戻請求権も、通常の債権と同様、債権譲渡の方法（民466以下）によって自由に譲渡することができる。

(3) 誤　弁済供託の供託者が取戻請求権を第三者に譲渡し、その旨を供託所に通知（民467）した場合であっても、被供託者は、供託を受諾して還付請求権を行使することができる。還付請求権と取戻請求権とは、単に権利の目的物が同一の供託物であるにすぎず、権利主体・権利内容が異なる別個独立の権利であるため、一方の処分（譲渡等）は、原則として、他方に影響を及ぼすことはないからである（最判昭37.7.13)。なお、弁済供託の被供託者が還付請求権を第三者に譲渡し、その旨を供託所に通知（民467）した場合には、供託者は、供託不受諾を理由として取戻請求権を行使することができなくなる（昭36.10.20民甲2611号)。供託物還付請求権の譲渡は、譲渡人（被供託者）がその意思に基づいて当該債権の譲渡をするものであるため、供託受諾の意思表示が譲渡行為の中に含まれていると解することができるからである。

(4) 誤　債権者不確知（民494Ⅱ）を理由とする弁済供託において、供託物の還付を請求するには、供託物払渡請求書に還付を受ける権利を有することを証する書面を添付しなければならない（供託規24Ⅰ①本文)。しかし、この書面は、自己が真の債権者であることを客観的に証明するものであれば、確定判決書に限定されることはなく、公正証書・和解調書・調停調書等、又は相手方が権利者であることを認めた被供託者の承諾書でもよいとされている。なお、供託者の承諾書をもって還付を受ける権利を有することを証する書面とすることはできない。

(5) 誤　弁済供託をすることにより抵当権が消滅した場合には、供託者は、供託不受諾を理由として取戻請求権を行使することができなくなる（取戻請求権はそもそも発生しない、民496Ⅱ、昭41.8.25民甲2439号、昭46全国供託課長会同決議)。この場合において、供託者に取戻請求権の行使を認めると、いったん消滅した抵当権が復活することになり、第三者（特に後順位担保権者）に不測の損害を与えることになるからである。なお、弁済供託をすることにより抵当権が消滅した場合であっても、供託が錯誤であった場合には、抵当権が消滅しないことになるので、供託者は、取戻請求権を行使することができる（８Ⅱ)。

MEMO

5b−8(4−13)　供託物払渡手続

供託金の利息に関する次の記述のうち、正しいものの組合せは、後記(1)から(5)までのうちどれか。

(ア)　供託金の利息は、元本の払渡しを受けた後でなければ、請求することができない。

(イ)　供託金の受入れの月及び払渡しの月については日割計算により算出した額の利息を請求することができる。

(ウ)　執行裁判所の支払委託による払渡しの場合には、支払委託書の日付後の利息を請求することはできない。

(エ)　保証として金銭を供託した場合には、毎年供託した月に応当する月の末日後に、同日までの利息を請求することができる。

(オ)　供託金の金額が１万円未満の場合には、利息を請求することができない。

(1)　(ア)(イ)　　(2)　(ア)(オ)　　(3)　(イ)(ウ)　　(4)　(ウ)(エ)　　(5)　(エ)(オ)

学習記録	／	／	／	／	／	／	／	／	／

重要度 A | **知識型** | **要 *Check!*** | **正解 (5)**

⑺ 誤　供託金の利息は、保証供託の場合を除き（供託規34Ⅱ)、原則として、元金と「同時に」払い渡すものとされている(供託規34Ⅰ本文)。通常の場合、利息の受取人は、供託金の払渡請求権者と同一人だからである。

⑴ 誤　供託金の受入れの月及び払渡しの月については、日割計算による利息を請求することはできない。供託事務の取扱いの煩雑さを防止するために、これらの月については利息が付されることはないからである（供託規33Ⅱ前段)。

⑼ 誤　執行裁判所の支払委託による払渡しの場合であっても、支払委託書の日付後の利息を請求することができる。配当実施の前の利息については、支払委託の方法により債権者に払い渡されることになる（昭35全国供託課長会同決議)。これに対して、配当実施の後に生じた利息については、別途、支払委託を要することなく、配当金の払渡請求（供託規30Ⅱ）の際に、配当期日以後の期間についての利息が配当金の割合に応じて債権者に支払われることになる（昭55.6.9民四3273号)。

⑴ 正　保証として金銭を供託した場合には、毎年、供託した月に応答する月の末日後に、同日までの利息を請求することができる（供託規34Ⅱ)。保証供託においては、保証の効力はその目的物である供託金の元金のみに及び、供託金の利息に及ぶことはないから、その利息はいつでも払渡しができる性質のものである。しかし、無条件に払渡しを認めてしまうと、利息の計算が極めて煩雑になり、利息の誤払いを招くおそれがあるため、供託規則34条2項の規定が設けられた。

⑷ 正　供託金の金額が1万円未満の場合には、その全額に対する利息を請求することができない（供託規33Ⅱ後段)。供託事務の取扱いの煩雑さを防止するためである。

以上から、正しいものは⑴⑷であり、正解は⑸となる。

5b−9(5−9)　供託物払渡手続

供託物の還付を受ける権利を有することを証する書面に関する次の記述のうち、正しいものは幾つあるか。(改)

(ア)　弁済供託の被供託者が死亡した場合において、その相続人が還付請求をするときは、戸籍謄本及び住民票を添付しなければならない。

(イ)　債権者不確知を理由とする弁済供託において、一方の被供託者から還付請求をするときは、供託者の承諾書又は還付請求権があることを認めた確定判決正本を添付しなければならない。

(ウ)　債権保全のため、供託物還付請求権を代位行使する場合には、債権を有する事実を証する書面のほかに、債権保全の必要を証する書面として債務者が無資力であることの証明書を添付しなければならない。

(エ)　裁判上の保証供託において、被供託者が直接取立ての方法により担保権を実行する場合には、供託者の債務確認書又は損害を被ったことを認めた確定判決正本を添付しなければならない。

(オ)　執行裁判所が配当を実施した場合において、債権者が供託物の還付請求をするときは、当該裁判所が交付した証明書を添付しなければならない。

(1)　0個　　(2)　1個　　(3)　2個　　(4)　3個　　(5)　4個

学習記録	／	／	／	／	／	／	／	／	／

重要度　A	知識型	要 *Check!*		正解　(3)

(ア)　誤　　還付請求権者が還付請求するときは、還付を受ける権利を証する書面を添付しなければならない（供託規24Ⅰ①本文）。通常、弁済供託の場合は副本ファイルにより被供託者が特定しているため、還付を受ける権利を証する書面の添付は要しない。しかし、本肢のように被供託者が死亡した場合には、還付請求権が相続人に包括承継される（民896）ことから、相続人を特定するために、相続を証する書面が必要になる。具体的には戸籍謄本であるが、供託書の被供託者の住所・氏名欄の住所地と戸籍謄本に記載されている本籍が相違している場合、又はその住所が戸籍謄本の付票に示されている住所地と相違している場合等のときは、被供託者の同一性を担保するために別途住民票の添付も必要となる（昭37.6.19民甲1622号）。本肢の場合、戸籍謄本及び住民票を添付しなければならないとなっているが、住民票の添付は必要な場合と不要な場合があることから、誤りとなる。

(イ)　誤　　弁済供託の場合には、原則として、還付を受ける権利を証する書面の添付を省略することができるが（(ア)の解説参照）、債権者不確知（民494Ⅱ）の場合には被供託者を特定することができないため、例外的にその添付が必要となる。この場合、不確知とされた当事者間の訴訟の確定判決正本、和解調書等又は相手方が権利者であることを認める被供託者の承諾書等により証明しなければならず、供託者の承諾書をもって還付を受ける権利を証する書面として取り扱うことはできない（昭36.4.4民甲808号）。

(ウ)　正　　債権者は、自己の債権を保全するために債務者の権利を代わって行使することができる（民423）が、そのためには、被保全債権の存在及び債務者の無資力が行使の要件になる。そこで、還付を受ける権利を証する書面として、債権を有する事実を証する書面及び債権を保全する必要がある事実を証する書面として債務者が無資力であることの証明書を添付しなければならない（昭38.5.25民甲1570号）。

(エ)　正　　裁判上の保証供託の被供託者が直接取立権を行使する場合、還付を受ける権利を証する書面として、被担保債権（損害賠償請求権）の存在を証する書面を添付することになるが、具体的には、確定判決、和解調書、認諾調書、調停調書、確定した仮執行宣言付支払督促、公正証書等がこれに当たる。また、私文書であっても印鑑証明書・資格証明書等が添付されていることによって、その真正が担保される場合には、その私文書を添付しても差し支えないとされている（登記情報431-76参照）。したがって、供託者の債務確認書という私文書であっても、上記の要件を充足すれば、添付書類としての適格性を有することになる。

(オ)　誤　　裁判所の配当等の実施によって供託物の払渡しを受ける者は、供託所に保管されている支払委託書の記載から供託物の払渡しを受けるべき者であることが明らかとならないときは、支払証明書の添付が必要である（規30Ⅱ）。したがって、明らかとならないとき以外には添付を要しないため、証明書を添付しなければならないとする点で、本肢は誤っている。

以上から、正しいものは(ウ)(エ)の２個であり、正解は(3)となる。

MEMO

5b－10(6－9)　供託物払渡手続

供託金の払渡しに関する次の記述のうち、正しいものは幾つあるか。(改)

(ア)　同一人が数個の供託について同時に供託金の取戻しをしようとする場合において、供託の原因たる事実が同一であるときは、一括してその請求をすることができる。

(イ)　代理人により供託金の払渡しを請求する場合には、当該代理人の預金口座に振り込む方法により供託金の払渡しを受けることができる。

(ウ)　平成17年法改正により削除

(エ)　被供託者を二人とする弁済供託において、被供託者の持分が明らかでない場合には、各被供託者は、平等の割合で供託金の還付を請求することができる。

(オ)　旅行業法により登録を受けた旅行業者は、その事業の廃止届を主務官庁に提出すれば、供託した営業保証金の取戻しを請求することができる。

(1)　0個　　(2)　1個　　(3)　2個　　(4)　3個　　(5)　4個

学習記録	／	／	／	／	／	／	／	／	／

重要度 A	知識型	要 *Check!*	正解 (3)

(ア) 誤　同一人が数個の供託について同時に供託物の還付を受け、又は取戻しをしようとする場合において払渡請求の事由が同一のときは、一括してその請求をすることができる（供託規23）。供託原因が同一であったとしても一括請求をすることはできない。

(イ) 正　代理人により供託金の払渡しを請求する場合は、請求者本人の預金口座に振り込む方法に加え、当該代理人の預金口座に振り込むことにより供託金の払渡しを受けることができる（供託規22Ⅱ⑤）。

(ウ) 平成17年法改正により削除

(エ) 正　被供託者を二人とする弁済供託において、被供託者の持分が明らかでない場合には、各被供託者は、平等の割合で供託金の還付を請求することができる（昭40.2.22民甲357号）。債権の準共有者の持分が明らかでない場合には、その持分は、相等しいものと推定されるからである（民264・250）。

(オ) 誤　旅行業法により登録を受けた旅行業者がその事業を廃止したことによってその登録を抹消された場合（旅行15Ⅰ・20Ⅰ）であっても、その営業保証金について債権の弁済を受ける権利を有する者に対して、6か月を下らない一定期間内に申し出るべき旨を公告し、その期間内に申出がなかった場合でなければ登録の際に供託した営業保証金を取り戻すことはできない（旅行20Ⅲ・Ⅳ・9Ⅷ・17Ⅰ）。営業保証供託は、事業の性質上、他人に損害を与える可能性が大きい営業について、営業上の取引による債務や営業活動に基づく損害賠償債務の支払を担保するためにされるものであるから、営業を廃止した後において、その営業保証金について債権の弁済を受ける権利を有する者に対して、一定期間内に申し出るべき旨を公告することで、その営業によって債権を取得した者に自己の債権を主張することができる機会を保証したものである。

以上から、正しいものは(イ)(エ)の2個であり、正解は(3)となる。

5b−11(7−9)　供託物払渡手続

弁済供託に係る供託金の払渡請求に関する次の記述のうち、正しいものはどれか。

(1) 供託者は、当該供託に係る債務を担保する質権が当該供託により消滅した場合でも、供託金の取戻請求をすることができる。

(2) 被供託者は、供託金取戻請求権について消滅時効が完成した後は、供託金の還付請求をすることができない。

(3) 被供託者は、供託者が供託金取戻請求権を第三者に譲渡し、その旨を供託所に通知した場合でも、供託金の還付請求をすることができる。

(4) 供託者は、被供託者が供託金還付請求権を第三者に譲渡し、その旨を供託所に通知した場合でも、供託金の取戻請求をすることができる。

(5) 供託者は、当該供託を有効と宣告する判決が確定し、その確定判決の謄本が供託所に提出された場合でも、被供託者が供託を受諾するまでは、供託金の取戻請求をすることができる。

学習記録	／	／	／	／	／	／	／	／	／

重要度 A | **知識型** | **要 *Check!*** | **正解 (3)**

⑴ 誤　弁済供託をすることにより質権が消滅した場合には、供託者は、供託不受諾を理由として取戻請求権を行使することができなくなる（取戻請求権はそもそも発生しない、民496Ⅱ、昭41.8.25民甲2439号、昭46全国供託課長会同決議）。この場合において、供託者に取戻請求権の行使を認めると、いったん消滅した質権が復活することになり、第三者（特に後順位担保権者）に不測の損害を与えることになるからである。なお、弁済供託をすることにより質権が消滅した場合であっても、供託が錯誤であった場合には、質権が消滅しないことになるので、供託者は、取戻請求権を行使することができる（8Ⅱ）。

⑵ 誤　被供託者は、供託金取戻請求権について消滅時効が完成した後であっても、供託金の還付請求をすることができる（昭35.8.26民甲2132号参照）。還付請求権と取戻請求権とは、単に権利の目的物が同一の供託物であるにすぎず、権利主体・権利内容が異なる別個独立の権利であるため、一方の権利の変動は、原則として、他方に影響を及ぼすことはないからである（最判昭37.7.13）。

⑶ 正　弁済供託の供託者が取戻請求権を第三者に譲渡し、その旨を供託所に通知（民467）した場合であっても、被供託者は、供託を受諾して還付請求権を行使することができる。還付請求権と取戻請求権とは、単に権利の目的物が同一の供託物であるにすぎず、権利主体・権利内容が異なる別個独立の権利であるから、一方の処分（譲渡等）は、原則として、他方に影響を及ぼすことはないからである（最判昭37.7.13）。なお、弁済供託の被供託者が還付請求権を第三者に譲渡し、その旨を供託所に通知（民467）した場合には、供託者は、供託不受諾を理由として取戻請求権を行使することができなくなる（昭36.10.20民甲2611号）。供託物還付請求権の譲渡は、譲渡人（被供託者）がその意思に基づいて当該債権の譲渡をするものであるため、供託受諾の意思表示が譲渡行為の中に含まれていると解することができるからである。

⑷ 誤　⑶の解説を参照のこと。

⑸ 誤　被供託者が供託所に対し、供託を有効と宣言した確定判決の謄本を提出した場合には、供託者は、供託不受諾を理由として取戻請求権を行使することができなくなる（民496Ⅰ）。供託を有効と宣言した判決の確定により、客観的に有効な供託として社会一般に公示されたことになるため、その供託に関する（被供託者を含む）利害関係人を保護する必要が生ずるからである。

なお、この判決には、その供託が有効であることの確認判決だけではなく、債権者からの弁済請求の給付訴訟において、債務者が供託により債務を免れたことの抗弁を提出してこれが認められ、債権者の請求が棄却された場合の給付判決も含まれるとされている（通説)。また、その供託が有効であることを判決主文に宣告しているものだけではなく、その理由中で判断しているものでも差し支えないとされている。また、この場合には、既判力によって当事者は当該判決の法的判断に反する主張をすることが許されなくなるため（民訴115Ⅰ①)、供託者は、錯誤を理由とする取戻請求権（８Ⅱ）を行使することもできなくなる。

MEMO

5b−13(10−10)　供託物払渡手続

弁済供託における取戻請求権の行使に関する次の記述のうち、誤っているものはどれか。(改)

(1) 被供託者が供託所に対し供託受諾の意思表示を口頭でした後でも、供託者は、供託物の取戻しをすることができる。

(2) 供託によって抵当権が消滅した場合でも、供託を有効と宣言する判決が確定しない間は、供託者は、供託物の取戻しをすることができる。

(3) 供託金還付請求権が差し押さえられた後でも、供託者は、供託物の取戻しをすることができる。

(4) 被供託者がいったん供託受諾の意思表示をした場合には、これを撤回する旨の意思表示を供託所にしたときであっても、供託者は、供託物の取戻しをすることはできない。

(5) 平成 17 年法改正により削除

学習記録	／	／	／	／	／	／	／	／	／

重要度　A	知識型	要 *Check!*

正解　(2)

⑴　正　　供託受諾の意思表示が供託所に対してされると、供託物の取戻請求をすることができなくなる（取戻請求権が消滅する、民496Ⅰ）。この点、供託受諾の意思表示は書面によってしなければならない（供託規47）。したがって、被供託者が供託所に対し、口頭で供託受諾の意思表示をした場合、供託物取戻請求権は消滅しないため、供託者は、その後においても供託不受諾を理由として取戻請求をすることができる。

⑵　誤　　弁済供託をすることにより抵当権が消滅した場合には、供託を有効と宣言する判決が確定していない間であっても、供託者は、供託不受諾を理由として取戻請求権を行使することができない（民496Ⅱ、昭41.8.25民甲2439号、昭46全国供託課長会同決議）。この場合において、供託者に取戻請求権の行使を認めると、いったん消滅した抵当権が復活することになり、第三者に不測の損害を与えることになるからである。なお、弁済供託をすることにより抵当権が消滅した場合であっても、供託が錯誤であった場合には、供託者は取戻請求権を行使することができる（8Ⅱ）。

⑶　正　　供託物還付請求権が差し押さえられた場合であっても、供託者は、供託物の取戻請求をすることができる。供託物還付請求権と供託物取戻請求権は、同一の供託物を目的とするが、これらは、権利の主体が異なる別個独立の請求権であるため、一方の権利の変動は、他方の権利に何らの影響を及ぼすものではないからである（最判昭37.7.13）。

⑷　正　　供託物取戻請求権は、供託受諾の意思表示が書面でされたことによって（供託規47、⑴の解説参照）、確定的に消滅する（民496Ⅰ）。そして、その後において供託受諾の意思表示の撤回を許すと、債務者その他の第三者に対して多大な影響を及ぼすため、かかる意思表示の撤回は許されない（昭37.10.22民甲3044号）。したがって、本肢の場合、供託物の取戻しをすることはできない。

⑸　平成17年法改正により削除

5b−14(11−9)　供託物払渡手続

供託金払渡請求権の行使に関する次の記述のうち、誤っているものはどれか。

(1) 供託金払渡請求権は、一般の債権譲渡の方法により、供託手続外で自由に譲渡することができるが、譲受人が供託金払渡請求権を行使するためには、譲渡人から供託所に対して譲渡通知をしなければならない。

(2) 弁済供託の供託金取戻請求権が供託者の債権者によって差し押さえられた場合でも、被供託者は、供託金還付請求権を行使することができる。

(3) 反対給付を条件とする弁済供託において反対給付が未了の場合には、被供託者が供託受託の意思表示をしても、供託者は、供託金取戻請求権を行使することができる。

(4) 土地の売買代金の支払債務が供託によって消滅しているとの認定に基づいて当該土地の所有権移転登記手続を命ずる判決が確定した場合には、供託金取戻請求権を行使することはできない。

(5) 供託金払渡請求権の質権者は、その質権の実行として、当該供託金払渡請求権を差し押さえ、又は当該供託金払渡請求権について転付命令を得て、供託金の払渡しを請求することができる。

学習記録	／	／	／	／	／	／	／	／	／

重要度 A	知識型	要 *Check!*	正解 (3)

⑴ 正　供託金払渡請求権は、供託所を債務者とする供託金に対する実体的請求権であるから、一般の債権と同様の法律関係に服する。したがって、被供託者は供託金還付請求権を、供託者は供託金取戻請求権を、それぞれ一般の債権の譲渡方法（民467）をもって、自由に譲渡することができる。すなわち、譲渡の効力を債務者である供託所及びその他の第三者に対抗するためには、譲渡人から供託所に対して譲渡通知書を送付しなければならない。なお、供託金の還付又は取戻請求権の譲渡通知書は、それに供託官が受付の旨及びその年月日時分を記載する（供託規５Ⅰ）ため、確定日付のある書面となる（民施５、昭36.3.31民甲785号）。

⑵ 正　弁済供託の供託金取戻請求権が差し押さえられた場合であっても、被供託者は、供託物の還付請求権を行使することができる。供託物取戻請求権と供託物還付請求権は、同一の供託物を目的とするが、これらは、権利の主体が異なる別個独立の請求権であるため、一方の権利の変動は、他方の権利に何らの影響を及ぼすものではないからである（最判昭37.7.13）。

⑶ 誤　反対給付を条件とする弁済供託において反対給付が未了の場合であっても、被供託者が供託受託の意思表示をしたときは、供託者は、供託金取戻請求権を行使することができない（民496Ⅰ）。なぜなら、反対給付を条件とする弁済供託において、反対給付の履行を供託受諾の条件とすると、被供託者に反対給付の先履行を強いることになるため、被供託者は、反対給付の履行が未了の場合であっても、供託受諾の意思表示をすることができるからである。

⑷ 正　供託を有効と宣言した判決が確定したときは、供託者は供託物を取り戻すことができない（民496Ⅰ）。この供託を有効とする判決は、確認判決に限らず、給付判決でもよいとされている（通説）。また、供託が有効であることを判決の主文に宣言しているものだけではなく、その理由中で判断しているものでも差し支えないとされている。本肢の場合、土地の所有権移転の登記手続を求める訴訟において、土地の売買代金の支払債務が供託によって消滅していることが認定されており（理由中の判断）、これに基づいて当該土地の所有権移転登記を命ずる（主文）判決が確定したのであるから、これにより、供託者の土地売買代金の取戻請求権は消滅したものと解することができる。

⑸ 正　供託金払渡請求権の質権者は、債権質の直接取立権（民366）に基づき、供託所に対して直接に払渡請求権を行使することができる。また、供託金払渡請求権を差し押さえて取立権を行使するか（民執193Ⅱ・155Ⅰ）、転付命令（民執193Ⅱ・159）を取得することにより質権を実行することができる。

5b−15(12−9)　供託物払渡手続

供託物の払渡請求に関する次の(ア)から(オ)までの記述のうち、誤っているものは幾つあるか。（改）

(ア)　弁済供託の供託金の還付を請求する場合において、供託物払渡請求書に供託書正本及び供託所の発送した供託通知書を添付したときは、供託物払渡請求書に押された印鑑につき市町村長又は登記所の作成した印鑑証明書を添付する必要はない。

(イ)　被供託者を「甲又は乙」とする債権者不確知を供託原因とする弁済供託の供託金を乙が還付請求する場合において、甲・乙間の訴訟の確定判決の理由中で乙が供託金還付請求権を有することを確認することができるときは、当該判決の謄本をもって還付を受ける権利を有することを証する書面とすることができる。

(ウ)　金銭債権の一部に対して仮差押えの執行がされ、第三債務者が当該債権の全額に相当する金銭を供託したときは、供託金のうち仮差押金額を超える部分については、債務者が受諾するまでは、第三債務者が取り戻すことができる。

(エ)　預金又は貯金への振込みの方法による供託金の払渡しについては、代理人が請求者本人の委任に基づき、供託物払渡請求書に代理人の預金口座に振り込む方法による旨を記載して請求した場合であっても、供託金は、本人の預金又は貯金に振り込まなければならない。

(オ)　供託物の還付請求に際して払渡請求書に添付すべき「還付を受ける権利を有することを証する書面」は、その作成後３か月以内のものでなければならない。

(1)　１個　　(2)　２個　　(3)　３個　　(4)　４個　　(5)　５個

学習記録	／	／	／	／	／	／	／	／	／

重要度　A　**知識型**　**要 *Check!***　**正解　(3)**

(ア) 誤　供託金の還付を請求する場合においては、供託規則26条1項ただし書又は3項各号に該当する場合を除き、供託物払渡請求書に押された印鑑につき市町村長又は登記所の作成した証明書を添付しなければならない（供託規26）。この場合において、供託物払渡請求書に供託書正本及び供託通知書を添付したときは印鑑証明書の添付を省略することができる旨の規定は存在しない（同条参照）。

(イ) 正　被供託者を「甲又は乙」とする債権者不確知（民494 Ⅱ）を供託原因とする弁済供託において、甲又は乙が還付請求する場合には、還付請求権の存在と帰属を証する書面として、甲・乙間の訴訟の確定判決の謄本、和解調書等、甲又は乙が相手方を権利者であることを認めた承諾書等いずれかの添付が必要である。そして、確定判決の謄本を添付する場合には、判決の理由中で還付請求権を有することが確認できれば足りる（昭42全国供託課長会同決議）。

(ウ) 正　金銭債権の一部に仮差押えの執行がされ、第三債務者が仮差押えの執行に係る債権の全額に相当する金銭を供託したときは、第三債務者は差押金額を超える部分については、（仮差押債務者が受諾するまでは）供託不受諾を原因として供託金の取戻請求をすることができる（平2.11.13民四5002号）。

(エ) 誤　平成26年供託規則改正により、代理人により供託金の払渡しを請求する場合に、請求者本人の預金口座に振り込む方法に加え、当該代理人の預金口座に振り込むことにより供託金の払渡しを受けることが可能となった（供託規22 Ⅱ⑤）。

(オ) 誤　副本ファイルの記載により還付を受ける権利を有することが明らかである場合を除き、供託物払渡請求書には、還付を受ける権利を有することを証する書面を添付しなければならない（供託規24 Ⅰ②）。しかし、当該書面の作成時期に関する規定は存在しない（供託規9参照）。

以上から、誤っているものは(ア)(エ)(オ)の3個であり、正解は(3)となる。

5b－16(13－10)　供託物払渡手続

供託成立後の供託関係の変動に関する次の(ア)から(オ)までの記述のうち、正しいものの組合せは、後記(1)から(5)までのうちどれか。

(ア)　弁済供託において、被供託者の債権者が供託物の還付請求権を差し押さえた後は、供託者は、供託物の取戻しを請求することができない。

(イ)　弁済供託において、被供託者の債権者が債権者代位権に基づいて供託物の還付を請求した後は、供託者は、供託物の取戻しを請求することができない。

(ウ)　弁済供託に係る債務について保証契約が締結されていた場合には、供託により主たる債務が消滅する結果、保証債務も消滅するので、供託者は、供託物の取戻しを請求することができない。

(エ)　供託物の取戻請求権を差し押さえた債権者は、供託所に対し、自ら供託物の取戻しを請求することはできず、執行裁判所による支払委託の方法によって払渡しを受けなければならない。

(オ)　供託物の取戻請求権及び還付請求権は、いずれも当事者の合意により譲渡することができるが、譲受人は、譲渡人から供託所に対する通知がなければ、供託物の払渡しを請求することができない。

(1)　(ア)(イ)　　(2)　(ア)(ウ)　　(3)　(イ)(オ)　　(4)　(ウ)(エ)　　(5)　(エ)(オ)

学習記録	／	／	／	／	／	／	／	／	／

重要度 A　知識型　要 *Check!*　　正解　(3)

(ア)　誤　　弁済供託において、被供託者の債権者が供託物の還付請求権を差し押さえた場合であっても、供託者は、供託物の取戻しを請求することができる。供託物還付請求権と供託物取戻請求権は、同一の供託物を目的とするが、これらは、権利の主体が異なる別個独立の請求権であるため、一方の権利の変動は、他方の権利に何らの影響を及ぼすものではないからである（最判昭37.7.13）。

(イ)　正　　供託物払渡請求権は供託所を債務者とする供託物に対する実体的請求権であるため、債権者代位の目的となる（昭27.9.2民甲147号）。そして、弁済供託において、被供託者の債権者が債権者代位権（民423）に基づいて供託物の還付を請求した後は、供託者は、供託物の取戻しを請求することができない（民496Ⅰ）。還付請求権と取戻請求権は、1個の供託という事実によって生じた2個の権利であるから、還付又は取戻しのいずれか一方の行使によって他方も当然に消滅する。

(ウ)　誤　　保証債務は主たる債務を担保するためにのみ存するものであるから、主たる債務が消滅すればこれに従って消滅する（付従性）。弁済供託とは、弁済の目的物を供託所に寄託することにより、債務者が一方的に債務を消滅させる行為である（民494）ため、弁済供託がされることによって保証債務も消滅することになる。しかし、債務者が取戻請求することによって、当該保証債務は復活する（通説）。したがって、弁済供託に係る債務について保証契約が締結されていた場合において、供託がされたことによる主たる債務の消滅に伴い、保証債務が消滅したとしても、供託者（債務者）は、供託物の取戻しを請求することができる。

(エ)　誤　　供託物払渡請求権は供託所を債務者とする供託物に対する実体的請求権であるため、強制執行による差押え（民執143）の対象となる。この場合において、供託物取戻請求権を差し押さえた債権者は、債務者（供託物取戻請求権者）に対して差押命令が送達された日から1週間を経過したときは、第三債務者（供託所）から直接供託物を取り立てることができるようになる（民執155Ⅰ）。

(オ)　正　　供託物払渡請求権は供託所を債務者とする供託物に対する実体的請求権であるため、供託物還付請求権であると供託物取戻請求権であるとを問わず、譲渡人と譲受人との間の譲渡契約によって自由にその請求権を譲渡することができる（民466Ⅰ本文）。ただし、その譲渡は、譲渡人がこれを債務者（供託所）に通知（譲渡通知書を送付）しなければ債務者その他の第三者に対抗することができない（民 467Ⅰ）。したがって、供託物払渡請求権の譲受人は、譲渡人から供託所に対する通知がなければ、供託物の払渡しを請求することができない。債権譲渡の対抗要件としては、この通知のほかに「債務者の承諾」がある（民 467Ⅰ）が、本肢の場合、債務者である供託所では承諾書の作成はされず、単に通知を受領し、内部処理を行うのみであり、供託物払渡請求権譲渡の対抗要件は、譲渡人からの通知に限られることになる。なお、債権の譲渡における通知は、確定日付のある証書をもってしなければ、債務者以外の第三者に対抗することはできない（民 467Ⅱ）が、本肢の譲渡通知書は、供託所という官庁に送付され、これに供託官が受付の旨及びその年月日時分を記載する（供託規５Ⅰ）ため、確定日付のある書面となる（民施５Ⅰ⑤、昭 36.3.31 民甲 785 号）。

以上から、正しいものは(イ)(オ)であり、正解は(3)となる。

MEMO

5b－17(14－10)　供託物払渡手続

供託物の払渡手続に関する次の(1)から(5)までの記述のうち、誤っているものはどれか。(改)

(1) 保証として金銭を供託したときは、供託者は、当該供託がされた翌年度の4月以降において、前年度分の利息の払渡しを請求することができる。

(2) 錯誤により債務額を超える額の供託をしたときは、債務の同一性が認められる限り、本来の債務額の範囲で供託自体は有効であり、超過額については、錯誤を証する書面を添付して取り戻すことができる。

(3) 金銭供託の払渡しの場合における供託金の交付は、日本銀行あての記名式持参人払の小切手を払渡請求者に交付する方法によるほか、請求者が払渡請求書に記載して希望するときは、払渡請求者の預貯金に振り込む方法によることもできる。

(4) 保証として有価証券が供託され、当該有価証券に添付されている利札の償還期が到来したときは、供託者その他の利札の払渡しを受ける権利を有する者は、利札のみの払渡しを請求することができる。

(5) 平成17年法改正により削除

学習記録	／	／	／	／	／	／	／	／	／

重要度 A | **知識型** | **要 *Check!*** | **正解 (1)**

⑴ 誤　保証として金銭を供託したときは、供託者は、毎年、供託した月に応答する月の末日後に、同日までの利息の払渡しを請求することができる（供託規34Ⅱ）。

⑵ 正　錯誤により債務額を超える額の供託をしたときは、債務の同一性が認められる限り、本来の債務額の範囲で供託自体は有効である（福岡高判昭49.1.29）。債務額を超える額の供託であっても、供託が客観的にみて当該債務についてされたものとして債務の同一性が認められ、給付の目的物が金銭などのように可分なものであれば、債権者は当該債務分だけを受領することができるからである。したがって、本肢の場合、超過額については、錯誤を証する書面を添付して取り戻すことができる。

⑶ 正　金銭供託の払渡しの場合における供託金の交付は、日本銀行宛ての記名式持参人払の小切手を払渡請求者に交付する方法による（供託規28Ⅰ）。これが通常の方法であるが、払渡請求者が遠隔地におり郵便により払渡請求をする場合や、供託金が多額のため記名式持参人払式小切手を持参することが危険な場合などに、預貯金振込みの方法が認められている。すなわち、請求者が払渡請求書に記載して希望するときは、日本銀行が指定した金融機関の店舗における当該請求者の預貯金に直接振り込む方法により供託金を支払うことができる（供託規22Ⅱ⑤・28Ⅱ）。

⑷ 正　保証供託においては、担保権の目的は供託物そのものであって、その効力は、供託物の利息及び利札には及ばない（昭37.6.7民甲1483号）。したがって、保証として有価証券が供託され、当該有価証券に添付されている利札の償還期が到来したときは、供託者は、利札のみの払渡しを請求することができる（4但書、供託規36）。また、利札請求権の譲受人や有価証券の取戻請求権の譲受人は、利札の払渡しを受ける権利を有する者であるから、同様に利札のみの払渡しを請求することができる。

⑸ 平成17年法改正により削除

5b－18(15－11)　供託物払渡手続

弁済供託の供託物の払渡請求に関する次の(1)から(5)までの記述のうち、誤っているものはどれか。(改)

(1) 平成15年供託規則改正により削除

(2) 債権者が供託を受諾しないことを理由として、供託者が供託物を取り戻すときは、取戻しをする権利を有することを証する書面を添付することを要しない。

(3) 債権者不確知を原因とする弁済供託について、被供託者のうちの一人が供託物の還付を請求する場合において、供託物払渡請求書に他の被供託者の承諾書を添付することができないときは、供託者の承諾書及び印鑑証明書を添付すれば足りる。

(4) 会社の支配人が会社のために供託物の還付を請求する場合には、供託物払渡請求書に、支配人が当該請求書に押した印鑑に係る印鑑証明書を添付しなければならない。

(5) 所有権移転登記を反対給付の内容として土地の売買代金が供託されている場合には、反対給付を履行したことを証する書面として所有権移転登記がされている当該土地の登記事項証明書を添付して、供託物の還付を請求することができる。

学習記録	／	／	／	／	／	／	／	／	／

重要度　A	知識型	要 *Check!*	正解　(3)

⑴　平成15年供託規則改正により削除

⑵　正　　取戻請求の際に供託物払渡請求書には、取戻しをする権利を有することを証する書面を添付しなければならない（供託規25Ⅰ本文）が、副本ファイルの記録により、取戻しをする権利を有することが明らかである場合は除かれる（供託規25Ⅰ但書）。供託不受諾を理由として供託者が取戻請求をするとき（民496Ⅰ）は、上記の例外に当たるので、取戻しをする権利を有することを証する書面を添付することを要しない。

⑶　誤　　債権者不確知（民494Ⅱ）を理由とする弁済供託において供託物の還付を請求するには、供託物払渡請求書に還付を受ける権利を有することを証する書面を添付しなければならず（供託規24Ⅰ①本文）、他の被供託者の同意書又は確定判決書、公正証書、和解調書等がこの書面に該当する。しかし、供託者の承諾書及び印鑑証明書をもって還付を受ける権利を有することを証する書面として取り扱うことはできない（昭36.4.4民甲808号）。

⑷　正　　供託規則26条1項ただし書の場合を除き、会社の支配人が供託物の還付を請求する場合は、原則として供託物払渡請求書又は委任による代理人の権限を証する書面に押された支配人の印鑑につき市町村長又は登記所の作成した証明書を添付しなければならない（供託規26Ⅰ本文・Ⅱ）。

⑸　正　　被供託者が反対給付をしなければ還付請求をすることができない場合には、供託物払渡請求書に供託者の書面又は裁判、公正証書その他公正の書面によりその反対給付があったことを証する書面を添付しなければならない（10、供託規24Ⅰ②）。双務契約において双方の債務が同時履行の関係にある場合には、供託によって一方の債務者の債務の負担を免れさせるだけでは公平でなく、相手方にもその負担する債務を履行させる必要があるから、その事実を供託官に証明し、供託制度の適正を担保させるためである。不動産の所有権移転登記を反対給付の内容とする場合には、当該不動産の登記事項証明書も反対給付があったことを証する書面に該当する。

5b−19(18−9)　供託物払渡手続

供託物払渡請求書の添付書類に関する次の(ア)から(オ)までの記述のうち、正しいものの組合せは、後記(1)から(5)までのうちどれか。

(ア)　供託物の還付を請求する場合において、供託物払渡請求書に供託書正本及び供託通知書を添付したときは、印鑑証明書を添付することを要しない。

(イ)　供託者が錯誤により供託物を受け取る権利を有しない者を被供託者として弁済供託をした場合において、供託者が錯誤を理由として供託物の取戻しを請求するときは、供託物払渡請求書に当該供託が錯誤によるものであることを証する書面を添付することを要しない。

(ウ)　供託物払渡請求書に利害関係人の承諾書を添付すべき場合には、当該承諾書に押された印鑑に係る印鑑証明書（当該承諾書の作成前３か月以内又は当該承諾書の作成後に作成されたものに限る。）を併せて添付しなければならない。

(エ)　弁済供託の被供託者が供託を受諾しないことを理由として、供託者が供託物の取戻しを請求するときは、供託物払渡請求書に取戻しをする権利を有することを証する書面を添付することを要しない。

(オ)　登記された法人が供託物の取戻しを請求する場合において、官庁又は公署から交付を受けた供託の原因が消滅したことを証する書面を供託物払渡請求書に添付したときは、印鑑証明書を添付することを要しない。

(1)　(ア)(イ)　　(2)　(ア)(オ)　　(3)　(イ)(ウ)　　(4)　(ウ)(エ)　　(5)　(エ)(オ)

供託の手続

学習記録	／	／	／	／	／	／	／	／	／

重要度 A	知識型	要 *Check!*		正解　(4)

(ア) 誤　供託物の還付を請求する場合においては、供託規則26条1項ただし書又は3項各号に該当する場合を除き、供託物払渡請求書に押された印鑑につき市町村長又は登記所の作成した証明書を添付しなければならない（供託規26）。この場合において、供託物払渡請求書に供託書正本及び供託通知書を添付したときは印鑑証明書の添付を省略することができる旨の規定は存在しない（同条参照）。

(イ) 誤　供託物取戻請求においては、副本ファイルの記録により取戻しをする権利を有することが明らかである場合を除いて、供託物払渡請求書に取戻しをする権利を有することを証する書面を添付しなければならない（供託規25Ⅰ）。

(ウ) 正　供託物払渡請求書に利害関係人の承諾書を添付する場合には、当該承諾書に押された印鑑につき市町村長又は登記所の作成した証明書を併せて添付しなければならず、この印鑑証明書は当該承諾書の作成前3か月以内又は当該承諾書の作成後に作成されたものに限られる（供託規24Ⅱ①・25Ⅱ）。

(エ) 正　供託物取戻請求においては、副本ファイルの記録により取戻しをする権利を有することが明らかである場合を除いて、供託物払渡請求書に取戻しをする権利を有することを証する書面を添付しなければならない（供託規25Ⅰ、肢(イ)参照）。弁済供託の被供託者が供託を受諾しないことを理由として供託者が供託物の取戻しを請求するときは、取戻しをする権利を有することが明らかであるといえ、取戻しをする権利を有することを証する書面を添付することを要しない。

(オ) 誤　供託物取戻請求において、官庁又は公署から交付を受けた供託原因が消滅したことを証する書面を供託物払渡請求書に添付したときは、印鑑証明書の添付を省略できるが、これは法令の規定に基づき印鑑を登記所に提出することができる者以外の者が供託物の取戻しを請求する場合に限られ、登記された法人には適用されない（供託規26Ⅲ④）。

以上から、正しいものは(ウ)(エ)であり、正解は(4)となる。

5b−20(20−11)　供託物払渡手続

供託物払渡請求に関する次の(ア)から(オ)までの記述のうち、正しいものの組合せは、後記(1)から(5)までのうちどれか。(改)

(ア)　執行供託における供託金の払渡しは、裁判所の配当等の実施としての支払委託に基づいてされ、供託物払渡請求書には、当該裁判所の交付に係る証明書を添付しなければならない。

(イ)　毎月継続的に家賃の弁済供託がされており、被供託者が数か月分の供託金について同時に還付請求をしようとする場合において、払渡請求事由が同一であるときは、被供託者は、一括してその請求をすることができる。

(ウ)　弁済供託の供託通知書の送付を受けている被供託者が供託物の還付請求をするときは、供託物払渡請求書には、当該供託通知書を添付しなければならない。

(エ)　個人が供託物払渡請求をする場合には、本人確認資料として旅券を提示することにより、市町村長が作成した印鑑証明書の添付に代えることができる。

(オ)　供託物が振替国債である場合における払渡請求にあっては、請求者は、供託物払渡請求書２通を提出しなければならない。

(1)　(ア)(ウ)　　(2)　(ア)(エ)　　(3)　(イ)(ウ)　　(4)　(イ)(オ)　　(5)　(エ)(オ)

学習記録	／	／	／	／	／	／	／	／	／

重要度 A	知識型	要 *Check!*	正解 (4)

(ア) 誤　裁判所の配当等の実施によって供託物の払渡しを受ける者は、供託所に保管されている支払委託書の記載から供託物の払渡しを受けるべき者であることが明らかとならないときは、支払証明書の添付が必要である（規30Ⅱ）。したがって、明らかとならないとき以外には添付を要しないため、交付に係る証明書を添付しなければならないとする点で、本肢は誤っている。

(イ) 正　同一人が数個の供託について同時に供託物の還付を受け、又は、取戻しをしようとする場合において、払渡請求の事由が同一であるときは、一括してその請求をすることができる（供託規23）。

(ウ) 誤　被供託者が弁済供託の供託通知書の送付を受けている場合であっても、当該被供託者が供託物の還付請求をするときには、当該供託通知書を添付する必要はない。供託物の還付請求の添付書類として供託通知書を添付する旨の規定は存在しないからである（供託規24参照）。

(エ) 誤　個人が供託物払渡請求をするときに、本人確認資料として運転免許証、個人番号カード、在留カード、その他官公署から交付を受けた書類等（氏名、住所及び生年月日の記載があり、本人の写真が貼付されているものに限る。）を提示し、かつ、その写しを添付したことにより、その者が本人であると確認できるときは、供託物払渡請求書に押された印鑑につき印鑑証明書を添付する必要はない（供託規26Ⅲ②）。しかし、旅券には住所の記載がされないため、本人確認資料とはならない。

(オ) 正　供託物の払渡請求をしようとする者は、供託物の種類に従って区別された、それぞれの書式による供託物払渡請求書を提出しなければならない（供託規22）。この点、供託物が有価証券又は振替国債である場合には、供託物払渡請求書を2通提出する必要がある（供託規22Ⅰ括弧書）。

以上から、正しいものは(イ)(オ)であり、正解は(4)となる。

5b−21(24−9)　供託物払渡手続

供託物の払渡請求に関する次の(ア)から(オ)までの記述のうち、誤っているものの組合せは、後記(1)から(5)までのうちどれか。(改)

(ア)　供託物の払渡請求者が供託物払渡請求書に利害関係人の承諾書を添付すべき場合には、当該承諾書に押された印鑑に係る印鑑証明書であって払渡請求の日前３か月以内に作成されたものを併せて添付しなければならない。

(イ)　供託物の払渡請求者が自ら供託物の取戻しを請求する場合において、供託をする際に提示した委任による代理人の権限を証する書面であって当該払渡請求者が供託物払渡請求書に押した印鑑と同一の印鑑を押したものを供託物払渡請求書に添付したときは、供託物払渡請求書に印鑑証明書を添付することを要しない。

(ウ)　供託物が有価証券である場合には、供託物の払渡請求者は、供託物払渡請求書２通を提出しなければならない。

(エ)　供託物の払渡請求者が個人である場合において、その者が本人であることを確認することができる運転免許証を提示し、かつ、その写しを添付したときは、供託物払渡請求書に印鑑証明書を添付することを要しない。

(オ)　委任による代理人によって供託物の払渡しを請求する場合には、代理人の権限を証する書面を提示すれば足り、供託物払渡請求書にこれを添付することを要しない。

(1)　(ア)(ウ)　　(2)　(ア)(オ)　　(3)　(イ)(エ)　　(4)　(イ)(ウ)　　(5)　(ウ)(エ)

学習記録	／	／	／	／	／	／	／	／	／

重要度 A **知識型** **要 *Check!*** **正解 (2)**

㈠ 誤　供託物払渡請求書に利害関係人の承諾書を添付する場合には、当該承諾書に押された印鑑に係る印鑑証明書であって当該承諾書の作成前3か月以内又はその作成後に作成されたものを併せて添付しなければならない（供託規24Ⅱ①・25Ⅱ）。

㈡ 正　供託物の取戻しを請求する場合において、供託時に供託官に提示した委任による代理人の権限を証する書面で、払渡請求者が供託物払渡請求書に押した印鑑と同一の印鑑を押したものを供託物払渡請求書に添付したときは、供託物払渡請求書に印鑑証明書を添付することを要しない（供託規26Ⅲ③・Ⅰ）。

㈢ 正　供託物が有価証券又は振替国債であるときは、供託物払渡請求者は、供託物払渡請求書2通を提出しなければならない（供託規22Ⅰ括弧書）。

㈣ 正　供託物の払渡しを請求する者は、供託物払渡請求書又は委任による代理人の権限を証する書面に押印した印鑑につき市町村長又は登記所の作成した証明書を添付しなければならない（供託規26Ⅰ本文）。しかし、個人である供託物払渡請求者が供託物の払渡しを請求する場合に、運転免許証、個人番号カード又は在留カードなどを提示し、かつ、その写しを添付したことにより、その者が本人であると確認できるときは、印鑑証明書を添付することを要しない（供託規26Ⅲ②）。

㈤ 誤　代理人によって供託物の払渡しを請求する場合には、代理人の権限を証する書面を供託物払渡請求書に添付しなければならない（供託規27Ⅰ本文）。ただし、支配人その他登記のある代理人については、代理人であることを証する登記事項証明書を提示すれば足りる（供託規27Ⅰ但書）。そして、この場合においては、支配人その他登記のある代理人の権限につき登記官の確認を受けた供託書を提出して、代理人であることを証する登記事項証明書の提示に代えることができる（供託規27Ⅱ・14Ⅰ後段・簡易確認手続）。

以上から、誤っているものは㈠㈤であり、正解は⑵となる。

5b－22(26－9)　供託物払渡手続

供託物等の払渡請求手続に関する次の(ア)から(オ)までの記述のうち、誤っているものの組合せは、後記(1)から(5)までのうち、どれか。（改）

(ア)　所有権の移転の登記を反対給付の内容として土地の売買代金が供託されている場合には、反対給付を履行したことを証する書面として、その売買を原因とする所有権の移転の登記がされている当該土地の登記事項証明書を供託物払渡請求書に添付して、供託物の還付請求をすることができる。

(イ)　電子情報処理組織を使用して供託金の払渡請求をする場合には、日本銀行宛ての記名式持参人払の小切手の交付を受ける方法、預貯金振込みの方法又は国庫金振替の方法のいずれの方法によっても、払渡しを受けることができる。

(ウ)　保証として金銭を供託した場合には、供託者は、毎年、４月１日以降に、その前年度分の供託金利息の払渡請求をすることができる。

(エ)　供託物払渡請求書に記載した払渡請求金額については、訂正をすることができる。

(オ)　供託物払渡請求者が外国人である場合において、その者が本人であることを確認することができる在留カードを提示し、かつ、その写しを添付したときは、供託物払渡請求書に市町村長の作成した印鑑証明書を添付することを要しない。

(1)　(ア)(イ)　　(2)　(ア)(エ)　　(3)　(イ)(ウ)　　(4)　(ウ)(オ)　　(5)　(エ)(オ)

学習記録	／	／	／	／	／	／	／	／	／

重要度 A	知識型	要 *Check!*	正解 (3)

(ア) 正　不動産の所有権移転登記を反対給付として供託がされている場合、供託物の還付請求は、供託者（買主）作成に係る所有権移転登記が完了した旨の証明書等、又は所有権移転登記が完了したことを明らかにした当該不動産の登記事項証明書を供託物払渡請求書に添付してする。

(イ) 誤　電子情報処理組織を使用して供託金又は供託金利息の払渡しの請求をするときは、預貯金振込みの方法又は国庫金振替の方法によらなければならない（供託規43Ⅰ）。

(ウ) 誤　保証として金銭を供託した場合には、毎年、供託した月に応当する月の末日後に、同日までの供託金利息を払い渡すことができる（供託規34Ⅱ）。

(エ) 正　供託金払渡請求書に記載した供託金額については、訂正、加入又は削除することができる（供託規6Ⅵ参照）。なぜなら、供託金払渡請求書は払渡請求をする際に供託所に対して1通提出すれば足り（供託規22Ⅰ）、一定の手続後、供託所に保管される関係上、供託金額が不正に訂正、加入又は削除されるおそれがないからである。

(オ) 正　供託物の払渡しを請求する者は、供託物払渡請求書又は委任による代理人の権限を証する書面に押印した印鑑につき市町村長又は登記所の作成した証明書を添付しなければならない（供託規26Ⅰ本文）。しかし、個人である供託物払渡請求者が供託物の払渡しを請求する場合に、運転免許証、個人番号カード又は在留カードなどを提示し、かつ、その写しを添付したことにより、その者が本人であると確認できるときは、印鑑証明書を添付することを要しない（供託規26Ⅲ②）。

以上から、誤っているものは(イ)(ウ)であり、正解は(3)となる。

5b−23(27−10)　供託物払渡手続

弁済供託における供託金の払渡請求手続に関する次の㈠から㈤までの記述のうち、誤っているものの組合せは、後記⑴から⑸までのうち、どれか。（改）

㈠　委任による代理人によって供託金の取戻しを請求する場合において、供託物払渡請求書に添付された当該代理人の権限を証する書面に、供託金の受領に関する権限を委任する旨の記載があるときは、当該代理人の預金又は貯金に振り込む方法により払渡しを受けることができる。

㈡　同一人が数個の供託について同時に供託金の還付を請求しようとする場合においては、払渡請求の事由が同一であるときであっても、一括してその請求をすることができない。

㈢　被供託者が供託を受諾しないことを理由として、供託者が供託金の取戻しを請求する場合においては、供託書上の供託者の住所及び氏名と供託物払渡請求書上の払渡請求者の住所及び氏名とが同一であっても、供託物払渡請求書に取戻しをする権利を有することを証する書面を添付しなければならない。

㈣　破産者である法人の破産管財人が供託金の還付を請求する場合には、供託物払渡請求書に市町村長又は登記所の作成した印鑑証明書のいずれかを添付しなければならない。

㈤　登記されている支配人が代理人として供託金の還付を請求する場合には、供託物払渡請求書に代理人の権限を証する書面を添付することを要せず、代理人であることを証する登記事項証明書を提示すれば足りる。

⑴　㈠㈡　　⑵　㈠㈣　　⑶　㈡㈢　　⑷　㈢㈤　　⑸　㈣㈤

学習記録	／	／	／	／	／	／	／	／	／

重要度 A | **知識型** | **要 *Check!*** | **正解 (3)**

(ア) 正　供託金の払渡しを受けようとする場合においては、請求者本人の預金口座だけでなく、当該代理人の預金口座に振り込む方法により供託金の払渡しを受けることができる（供託規22Ⅱ⑤）。

(イ) 誤　同一人が数個の供託について同時に供託物の還付を受け、又は取戻しをしようとする場合において、払渡請求の事由が同一であるときは、一括してその請求をすることができる（供託規23）。

(ウ) 誤　取戻請求の際に供託物払渡請求書には、取戻しをする権利を有することを証する書面を添付しなければならない（供託規25Ⅰ本文）が、副本ファイルの記録により、取戻しをする権利を有することが明らかである場合は除かれる（供託規25Ⅰ但書）。そして、供託不受諾を理由として供託者が取戻請求をするとき（民496Ⅰ）は、上記の例外に当たるので、取戻しをする権利を有することを証する書面は添付することを要しない。

(エ) 正　供託物の払渡しを請求する者は、供託物払渡請求書又は委任による代理人の権限を証する書面に押された印鑑につき市町村長又は登記所の作成した証明書を供託物払渡請求書に添付しなければならない（供託規26Ⅰ本文）。そして、破産管財人が供託物払渡請求書に添付すべき印鑑証明書は、市町村長の作成した破産管財人個人の印鑑証明書である（昭59.2.27民四1122号）。しかし、破産手続開始決定を受けた者が法人である場合には、破産管財人の氏名又は名称及び住所が登記事項であり（破257Ⅰ・Ⅱ参照）、当該法人の破産管財人は登記所に印鑑を提出して、登記所の作成した印鑑証明書の交付を請求することができる（商登12Ⅰ）。そのため、破産手続開始決定を受けた者が法人である場合における破産管財人が、供託物払渡請求書に添付すべき印鑑証明書については、市町村長又は登記所の作成したもののいずれでも差し支えない（平20.4.7民商1178号）。

(オ) 正　代理人によって供託物の払渡しを請求する場合には、代理人の権限を証する書面を供託物払渡請求書に添付しなければならない（供託規27Ⅰ本文）。しかし、支配人その他登記のある代理人が供託物の払渡しを請求する場合には、代理人であることを証する登記事項証明書を提示すれば足りる（供託規27Ⅰ但書）。

以上から、誤っているものは(イ)(ウ)であり、正解は(3)となる。

5b−24(29−9)　供託物払渡手続

供託物の払渡請求に関する次の(ア)から(オ)までの記述のうち、誤っているものの組合せは、後記(1)から(5)までのうち、どれか。

(ア)　登記された法人が、供託物の取戻請求をする場合において、官庁又は公署から交付を受けた供託の原因が消滅したことを証する書面を供託物払渡請求書に添付したときは、当該請求書に押された印鑑につき登記所の作成した証明書を添付することを要しない。

(イ)　委任による代理人によって供託物の払渡請求をする場合には、代理人の権限を証する書面はこれを提示すれば足り、供託物払渡請求書にこれを添付することを要しない。

(ウ)　被供託者は、供託官から供託通知書の送付を受けていた場合であっても、当該供託の供託物の還付請求をするに当たっては、供託物払渡請求書に当該供託通知書を添付することを要しない。

(エ)　供託物の払渡請求をする者が、供託物払渡請求書に利害関係人の承諾書を添付する場合には、当該承諾書に押された印鑑につき市町村長又は登記所の作成した証明書であって、当該承諾書の作成前３か月以内又はその作成後に作成されたものを併せて添付しなければならない。

(オ)　供託物の払渡請求をする者は、供託物が有価証券である場合には、供託物払渡請求書２通を提出しなければならない。

(1)　(ア)(イ)　　(2)　(ア)(オ)　　(3)　(イ)(ウ)　　(4)　(ウ)(エ)　　(5)　(エ)(オ)

学習記録	／	／	／	／	／	／	／	／	／

重要度 A | **知識型** | **要 *Check!*** | **正解 (1)**

(ア) 誤　　供託物取戻請求において、官庁又は公署から交付を受けた供託原因が消滅したことを証する書面を供託物払渡請求書（当該請求書に委任による代理人の預金又は貯金に振り込む方法による旨の記載がある場合を除く。）に添付したときは、当該請求書に押された印鑑につき登記所の作成した証明書の添付を省略できるが、これは法令の規定に基づき印鑑を登記所に提出することができる者以外の者が供託物の取戻しを請求する場合に限られ、登記された法人には適用されない（供託規26Ⅲ④・Ⅰ）。

(イ) 誤　　代理人によって供託物の払渡しを請求する場合には、代理人の権限を証する書面を供託物払渡請求書に添付しなければならない（供託規27Ⅰ本文）。なお、支配人その他登記のある代理人が供託物の払渡しを請求する場合には、代理人であることを証する登記事項証明書を提示すれば足りる（供託規27Ⅰ但書）。そして、この場合においては、支配人その他登記のある代理人の権限につき登記官の確認を受けた供託書を提出して、代理人であることを証する登記事項証明書の提示に代えることができる（供託規27Ⅱ・14Ⅰ後段・簡易確認手続）。

(ウ) 正　　供託物の還付請求の添付書類として供託通知書を添付する旨の規定は存在しない（供託規24参照）。

(エ) 正　　供託物払渡請求書に利害関係人の承諾書を添付する場合には、当該承諾書に押印された印鑑につき市町村長又は登記所の作成した印鑑証明書を添付しなければならないが、この利害関係人の印鑑証明書は当該承諾書の作成前３か月以内又は当該承諾書の作成後に作成されたものに限られる（供託規24Ⅱ①）。

(オ) 正　　供託物が有価証券又は振替国債であるときは、供託物払渡請求者は、供託物払渡請求書２通を提出しなければならない（供託規22Ⅰ括弧書）。

以上から、誤っているものは(ア)(イ)であり、正解は(1)となる。

5b－25(31－10)　供託物払渡手続

供託金の払渡請求手続に関する次の(ア)から(オ)までの記述のうち、誤っているものの組合せは、後記(1)から(5)までのうち、どれか。(改)

(ア)　登記された法人が営業保証供託に係る供託金について官庁から交付を受けた支払証明書を添付して還付請求をする場合には、その額が10万円未満であっても、供託物払渡請求書に、供託物払渡請求書又は委任による代理人の権限を証する書面に押された印鑑に係る印鑑証明書を添付しなければならない。

(イ)　登記されている支配人が代理人として供託金の払渡請求をする場合には、供託物払渡請求書に代理人の権限を証する書面を添付することを要せず、代理人であることを証する登記事項証明書を提示すれば足りる。

(ウ)　債権者不確知を原因とする弁済供託に係る供託金の還付請求をする場合には、供託者の承諾書及び当該承諾書に押された印鑑に係る印鑑証明書をもって、還付を受ける権利を有することを証する書面とすることができる。

(エ)　所有権の移転の登記を反対給付の内容として土地の売買代金が供託されている場合において、供託金の還付請求をするときは、その売買を原因とする所有権の移転の登記がされている当該土地の登記事項証明書をもって、反対給付を履行したことを証する書面とすることができる。

(オ)　電子情報処理組織を使用して供託金の払渡請求をする場合には、日本銀行宛ての記名式持参人払の小切手の交付を受ける方法によっても、払渡しを受けることができる。

(1)　(ア)(エ)　　(2)　(ア)(オ)　　(3)　(イ)(ウ)　　(4)　(イ)(エ)　　(5)　(ウ)(オ)

学習記録	／	／	／	／	／	／	／	／	／

重要度　A	知識型	要 *Check!*	正解　(5)

(ア)　正　　供託物の払渡しを請求する者は、原則として、供託物払渡請求書又は委任による代理人の権限を証する書面に押された印鑑につき市町村長又は登記所の作成した証明書を供託物払渡請求書に添付しなければならない（供託規26Ⅰ本文)。なお、法令の規定に基づき印鑑を登記所に提出することができる者以外の者が供託金の払渡しを請求する場合（その額が10万円未満である場合に限る。）において、供託規則30条1項に規定する証明書を供託物払渡請求書に添付したときは、当該供託物払渡請求書に委任による代理人の預金又は貯金に振り込む方法による旨の記載がない限り、印鑑証明書の添付を省略することができる（供託規26Ⅲ⑤・④)。

(イ)　正　　代理人によって供託物の払渡しを請求する場合には、代理人の権限を証する書面を供託物払渡請求書に添付しなければならない（供託規27Ⅰ本文)。しかし、支配人その他登記のある代理人が供託物の払渡しを請求する場合には、代理人であることを証する登記事項証明書を提示すれば足りる（供託規27Ⅰ但書)。

(ウ)　誤　　債権者不確知（民494Ⅱ）を原因とする弁済供託において供託物の還付を請求するには、供託物払渡請求書に還付を受ける権利を有することを証する書面を添付しなければならず（供託規24Ⅰ①本文)、他の被供託者の同意書又は確定判決書、和解調書などがこの書面に該当する。しかし、供託者の承諾書及び印鑑証明書をもって還付を受ける権利を有することを証する書面として取り扱うことはできない（昭36.4.4民甲808号)。

(エ)　正　　被供託者が反対給付をしなければ還付請求をすることができない場合には、供託物払渡請求書に供託者が作成した書面又は裁判、公正証書その他公正の書面によりその反対給付があったことを証する書面を添付しなければならない（10、供託規24Ⅰ②)。そして、この書面は、供託書に記載された反対給付の内容（供託規13Ⅱ⑧）を満足するものでなければならず、不動産の所有権移転登記を反対給付の内容とする場合には、当該不動産の登記事項証明書がこれに該当する。

(オ)　誤　　オンラインによる供託金又は供託金利息の払渡しが請求された場合には、その払渡しは、預貯金振込みの方法又は国庫金振替の方法によらなければならない（供託規43Ⅰ・38②)。

以上から、誤っているものは(ウ)(オ)であり、正解は(5)となる。

5b−26(R3−11)　供託物払渡手続

供託金の利息の払渡しに関する次の㈠から㈤までの記述のうち、正しいものの組合せは、後記(1)から(5)までのうち、どれか。

㈠　令和元年５月10日に保証として金銭を供託した場合には、供託者の請求により、令和２年４月１日以降に、令和元年６月１日から令和２年３月31日までの供託金利息が払い渡される。

㈡　供託金還付請求権に対して差押えをした債権者の債権及び執行費用の額が供託金額を下回る場合において、差押債権者から払渡請求があったときは、当該債権及び執行費用の額に差押命令の送達の日から払渡しの前月までの利息を付して払い渡される。

㈢　執行供託における供託金の払渡しの場合には、執行裁判所の配当の実施後に生じた利息については、配当実施以後払渡しの前月までの利息が配当金の割合に応じて払い渡される。

㈣　供託物払渡請求権の譲渡がされた場合において、債権譲渡の通知に利息請求権の譲渡について明記されていなかったときは、譲受人の請求により、元金に当該通知の送達があった日から払渡しの前月までの利息を付して払い渡される。

㈤　債務の弁済として供託された8000円の供託金について還付請求がされた場合には、同額に供託金受入れの翌月から払渡しの前月までの利息を付して払い渡される。

(1)　㈠㈡　　(2)　㈠㈢　　(3)　㈡㈤　　(4)　㈢㈣　　(5)　㈣㈤

学習記録	／	／	／	／	／	／	／	／	／

供託の手続

重要度 A	知識型	要 *Check!*		正解 (4)

(ア) 誤　保証として金銭を供託した場合には、毎年、供託した月に応当する月の末日後に、同日までの利息を請求することができる（供託規 34 Ⅱ）。本肢においては、令和２年６月１日以降に、令和元年６月１日から令和２年５月 31 日までの１年分の利息の払渡請求をすることができる。

(イ) 誤　供託金払渡請求権が差し押さえられた場合、差押命令が第三債務者（供託官）に送達された日から払渡しの月の前月までの期間の利息は、差押債権者が払渡請求権者となる。しかし、差押債権者の債権及び執行費用の額が供託金額を下回る場合、供託金元金及びその利息の合計金額のうち差押債権者の債権及び執行費用の額を超える金額は払い渡すことはできない（民執 155 Ⅰ但書）。

(ウ) 正　配当原資に繰り入れられる供託金利息は供託後配当実施時点までの間に生じた利息であって、配当実施によって債権額が確定した後に生じた利息については、配当債権者の財産であり、別に支払委託を要することなく、配当債権者の請求により、配当期日以後支払の前月までの利息が配当金の割合に応じて支払われる（大 14.7.2 民 5815 号）。

(エ) 正　供託物払渡請求権が譲渡された場合において、供託所に送達された譲渡通知書に利息請求権の譲渡について明記されていないときは、譲渡通知書が送達された日の前日までの利息は譲渡人に払い渡され、以後の利息は譲受人に払い渡される（昭 33.3.18 民甲 592 号）。

(オ) 誤　供託金の全額が１万円未満であるとき、又は供託金に１万円未満の端数があるときは、その全額又はその端数金額に対して利息は付されない（供託規 33 Ⅱ後段）。

以上から、正しいものは(ウ)(エ)であり、正解は(4)となる。

5b－27(R5－9)　供託物払渡手続

供託金の払渡請求手続に関する次の(ア)から(オ)までの記述のうち、誤っているものの組合せは、後記(1)から(5)までのうち、どれか。

(ア)　同一人が数個の供託について同時に供託金の還付を受けようとする場合において、還付請求の事由が同一であるときは、一括してその請求をすることができる。

(イ)　供託物払渡請求書に記載した払渡しを請求する供託金の額については、訂正、加入又は削除をしてはならない。

(ウ)　委任による代理人によって供託金の払渡しを請求する場合には、代理人の権限を証する書面はこれを提示すれば足り、供託物払渡請求書にこれを添付することを要しない。

(エ)　執行供託における供託金の払渡しをすべき場合において、裁判所から供託所に送付された支払委託書の記載から供託金の払渡しを受けるべき者であることが明らかとならないときは、供託金の払渡しを受けるべき者は、供託物払渡請求書に裁判所から交付された証明書を添付しなければならない。

(オ)　電子情報処理組織を使用して供託金の払渡しの請求をするときは、預貯金振込みの方法又は国庫金振替の方法によらなければならない。

(1)　(ア)(ウ)　　(2)　(ア)(オ)　　(3)　(イ)(ウ)　　(4)　(イ)(エ)　　(5)　(エ)(オ)

学習記録	／	／	／	／	／	／	／	／	／

重要度　A	知識型	要 *Check!*	正解　(3)

(ア)　正　　同一人が数個の供託について同時に供託物の還付を受け、又は取戻しをしようとする場合において、払渡請求の事由が同一であるときは、一括してその請求をすることができる（供託規23)。

(イ)　誤　　供託金払渡請求書に記載した供託金額については、訂正、加入又は削除をすることができる（供託規6Ⅵ参照)。なぜなら、供託金払渡請求書は払渡請求をする際に供託所に対して１通提出すれば足り（供託規22Ⅰ)、一定の手続後、供託所に保管される関係上、供託金額が不正に訂正、加入又は削除されるおそれがないからである。

(ウ)　誤　　代理人によって供託物の払渡しを請求する場合には、代理人の権限を証する書面を供託物払渡請求書に添付しなければならない（供託規27Ⅰ本文)。なお、支配人その他登記のある代理人については、代理人であることを証する登記事項証明書を提示すれば足りる（供託規27Ⅰ但書)。そして、この場合においては、支配人その他登記のある代理人の権限につき登記官の確認を受けた供託書を提出して、代理人であることを証する登記事項証明書の提示に代えることができる（供託規27Ⅱ・14Ⅰ後段・簡易確認手続)。

(エ)　正　　執行供託における供託金の払渡しは、執行裁判所の配当等の実施としての支払委託に基づいてされる。そのため、配当その他官庁又は公署の決定によって供託物の払渡しをすべき場合には、当該官庁又は公署は、供託物の種類に従い、供託所に支払委託書を送付し、払渡しを受けるべき者に証明書を交付しなければならない（供託規30Ⅰ)。そして、支払委託書の記載から供託物の払渡しを受けるべき者であることが明らかとならないときは、供託物の払渡しを受けるべき者は、供託物払渡請求書に当該証明書を添付しなければならない（供託規30Ⅱ)。

(オ)　正　　電子情報処理組織を使用して供託金又は供託金利息の払渡しの請求をするときは、預貯金振込みの方法又は国庫金振替の方法によらなければならない（供託規43Ⅰ)。

以上から、誤っているものは(イ)(ウ)であり、正解は(3)となる。

5c－1(57－11)　供託手続全般

供託の手続に関する次の記述のうち、誤っているものはどれか。(改)

(1)　供託者が被供託者に対してする弁済供託の通知を供託所に請求する場合、その通知は適宜の様式の書面ですることができる。

(2)　供託官の処分に対する審査請求は、監督法務局又は地方法務局の長にするが、審査請求書は、供託官を経由して提出しなければならない。

(3)　供託官の有価証券供託の受理の決定は、供託者が指定された納入期日までに供託物を日本銀行に納入しないときは、その効力を失う。

(4)　供託者は、供託官が相当と認めるときは、当事者又は供託原因が異なる数個の供託を１通の供託書ですることができる。

(5)　裁判上の保証は、裁判所が相当と認める有価証券を供託する方法によってすることができる。

学習記録	／	／	／	／	／	／	／	／	／

重要度 A	知識型		正解 (1)

⑴ 誤　弁済供託の通知に関し、供託者は被供託者に供託通知書を自ら発送するか、又は供託時に、供託の種類に従い、19号から21号までの書式の供託通知書を添付して供託所に対し供託通知書の発送請求をするかの選択をすることができる（供託規16）。したがって、必ずしも適宜の様式の書面ですることができるわけではないので、本肢を誤りとしておく。なお、供託規則の平成20年改正により、原則としてＯＣＲ用供託書の提出が要求され、供託通知書の添付は不要となった。そして、供託通知書の添付が問題となるのは、ＯＣＲ用供託書の提出によることができないやむを得ない事情があるときに正副２通の供託書を提出する場合であり、かつ、供託者が供託官に対し供託通知書の発送を請求する場合という極めて例外的な場面のみとなった。

⑵ 正　審査請求は、供託官の処分に不服ある者又は供託官の不作為に係る処分の申請をした者が、監督法務局長又は地方法務局長に対してすることができる（１ノ４）。しかし、その審査請求書は、処分をした供託官を経由して提出することを要するのであって（１ノ５）、監督法務局長又は地方法務局長に直接提出することは認められていない。

⑶ 正　金銭供託については、供託金の直接受入れを取り扱う供託所と取り扱わない供託所とがあるが、有価証券供託については、全ての供託所が直接受入れを取り扱っていないため、供託官が供託を受理すべきものと認めるときは、指定した期日までに有価証券を日本銀行又はその代理店に納入しなければならない。そして、その納入期日までに供託物を納入しないときは、受理の決定は効力を失うものとされている（供託規18Ⅱ）。

⑷ 正　供託の申請は、原則として、当事者又は供託原因たる事実が異なるごとに各別にしなければならないが、供託原因たる事実に共通性が認められるため１通の供託書に記載するのが便宜であること等により供託官が相当と認めるときは、当事者又は供託原因が異なる数個の供託を一括して１通の供託書で供託することができる（供託準26の２）。なお、払渡請求の場合には、請求者・払渡請求の事由が同一でないときは一括払渡請求は認められない（供託規23）。

⑸ 正　裁判上の保証としての担保は、当事者の間で特別の契約をした場合を除き、金銭又は裁判所が相当と認める有価証券を供託する方法、その他最高裁判所規則で定める方法（原告が裁判所の許可を得て、銀行等の金融機関との間で支払保証委託契約を締結する方法、民訴規29、民執規10、民保規２）によらなければならない（民訴76、民執15Ⅰ、民保４Ⅰ等）。

5c−2(58−12)　供託手続全般

供託に関する書類に関する次の記述のうち、正しいものはどれか。(改)

(1)　供託に関する書類の閲覧申請書には、その供託につき利害関係があることを証する書面を添付しなければならない。

(2)　被供託者が受領拒否を理由とする供託金の還付を受ける場合の払渡請求書には、供託通知書のほかに、還付を受ける権利を有することを証する書面を添付しなければならない。

(3)　弁済供託金の受領が反対給付にかかっている場合の払渡請求書には、反対給付を履行した旨を証する書面を添付しなければならない。

(4)　弁済供託金の取戻しを請求する場合の払渡請求書に、供託書正本と供託通知書を添付したときは、請求者の印鑑証明書を添付することを要しない。

(5)　供託物の払渡しを請求する場合において法人の代表者の資格を証する書面及び委任による代理人の権限を証する書面を提出又は提示するときは、いずれもその作成後３か月以内のものでなければならない。

学習記録	／	／	／	／	／	／	／	／	／

重要度　A	知識型		正解　(3)

⑴ 誤　供託に関する書類の閲覧申請書（供託規48Ⅱ）には、包括承継人の場合を除き、利害関係を有することを証する書面を添付することを要しない（昭35全国供託課長会同決議）。利害関係人であるか否かは、通常の場合（すなわち、包括承継人の場合を除き）、供託関係書類上明らかだからである。

⑵ 誤　供託物の還付を請求する者は、還付を受ける権利を有することを証する書面を供託物払渡請求書に添付しなければならない（８Ⅰ、供託規24Ⅰ①本文）。ただし、副本ファイルの記録により、還付を受ける権利を有することが明らかである場合は除かれる（供託規24Ⅰ①但書）。したがって、必ずしも添付を要するわけではない。また、還付請求の際の供託通知書又は供託書正本の添付を要求する規定は存在しないため、この点においても、本肢は誤りとなる。

⑶ 正　弁済供託金の受領が反対給付にかかっている場合の払渡請求書には、反対給付をしたことを証する書面を添付しなければならない（10、供託規24Ⅰ②）。弁済供託金の受領が反対給付にかかっている場合において、供託金の還付を請求する者が供託者に対して反対給付をしたことを供託官に証明するためである。

⑷ 誤　弁済供託をした供託者が供託金の取戻請求をする場合において、供託物払渡請求書に供託書正本及び供託通知書を添付することにより印鑑証明書の添付を省略できる旨の規定は存在しない。したがって、原則として、供託物払渡請求書に押された印鑑につき市町村長又は登記所の作成した証明書を添付することを要する（供託規26Ⅰ本文）。

⑸ 誤　供託所に提出又は提示すべき登記事項証明書その他の代表者の資格を証する書面であって、官公署作成に係るものは、作成後３か月以内のものに限られるが（供託規９）、供託所に提出又は提示すべき代理権限証書は、私文書であるときは、有効期限はない。

5c−3(59−12)　供託手続全般

供託の申請に関する次の記述のうち、正しいものは幾つあるか。(改)

(ア)　平成 17 年法改正により削除

(イ)　裁判上の保証供託は、執行裁判所の所在地を管轄する地方裁判所の管轄区域内の供託所以外の供託所には、することができない。

(ウ)　権利能力のない社団は、その代表者個人の名義でなければ供託をすることができない。

(エ)　代理人によって供託をしようとする場合には、代理人の権限を証する書面を供託書に添付しなければならない。

(オ)　金銭債権の一部について滞納処分による差押えがされている場合において、その残余の部分を超えて発せられた仮差押命令の執行がされたときは、第三債務者は、その金銭債権の全額に相当する金銭を供託しなければならない。

(1)　0 個　　(2)　1 個　　(3)　2 個　　(4)　3 個　　(5)　4 個

学習記録	／	／	／	／	／	／	／	／	／

重要度　A	知識型		正解　(1)

(ア)　平成17年法改正により削除

(イ)　誤　　民事執行法上の規定による裁判上の保証供託は、執行裁判所の所在地を管轄する地方裁判所の管轄区域内の供託所だけでなく、担保を立てるべきことを命じた裁判所を管轄する地方裁判所の管轄区域内の供託所にもすることができる（民執15Ⅰ）。当事者及び裁判所の便宜を図るためである。

(ウ)　誤　　権利能力のない社団であっても、代表者又は管理人の定めがあるものについては、その社団名義で供託することができる（供託規13Ⅱ①・14Ⅲ参照）。法人格を有しない社団であっても、社会的・経済的活動をしている団体は少なくない。そこで、このような社団が供託をする必要性が生じた場合において、当該社団の名において供託をすることができなければ、不都合が生ずるからである。

(エ)　誤　　代理人によって供託をしようとする場合には、代理人の権限を証する書面を「提示」すれば足りる（供託規14Ⅳ前段）。そして、この場合においては、代理人の権限につき登記官の確認を受けた供託書を提出して、代理人の権限を証する書面の提示に代えることができる（供託規14Ⅳ後段・14Ⅰ後段・簡易確認手続）。

(オ)　誤　　金銭債権の一部について滞納処分による差押えがされている場合において、その残余の部分を超えて仮差押えの執行がされたときは、第三債務者は、その全額に相当する金銭を債務履行地の供託所に供託することが「できる」（滞調20の9Ⅰ・20の6Ⅰ）。この場合には、徴収職員は取立権を有するので（滞納処分は仮差押え又は仮処分によりその執行を妨げられない、税徴140）、第三債務者に供託義務を課すことなく供託する権利を認めることで、当該第三債務者に債務の免責を認めれば足りるからである。

以上から、正しいものはなく、正解は(1)となる。

5c－4(元－11)

供託手続全般

被供託者に対する供託の通知に関する次の記述のうち、正しいものはどれか。

⑴　営業保証金の供託においては、供託の通知をすることを要しない。

⑵　供託者が被供託者に供託の通知をしなければならない場合にこれを欠くときは、供託は無効となる。

⑶　供託者が被供託者に供託の通知をしなければならない場合には、供託者自ら供託通知書を発送しなければならない。

⑷　供託の通知は、供託の成立の時よりも前にしなければならない。

⑸　供託通知書は、書留郵便により発送しなければならない。

学習記録	／	／	／	／	／	／	／	／	／

重要度　A	知識型		正解　(1)

⑴　正　　営業保証供託は、将来の取引によって生じた損害を担保するためのものである。すなわち、供託時には被供託者は存在しないので、被供託者に対して供託の旨を知らせる供託通知書は発送する必要はない（供託準33Ⅰ参照）。

⑵　誤　　供託者が被供託者に供託の通知をしなければならない場合（民495Ⅲ、供託規16、供託準33）において、その通知を欠いたときであっても、当該供託は無効とはならない（大判大13.4.2）。供託通知は、被供託者に供託がされた旨を了知させることで被供託者が供託物還付請求権を行使できるようにするためにされるものであり、供託の効力要件ではないからである。

⑶　誤　　供託者が被供託者に供託の通知をしなければならない場合には、供託者が、①供託所に供託通知書の発送を請求する、②自ら供託通知書を発送する、のいずれかを選択することができる（供託規16Ⅰ）。したがって、常に供託者自ら供託通知書を発送しなければならないとする点で、本肢は誤りである。

⑷　誤　　供託所に供託通知書の発送を請求する場合には、供託が有効に成立した後において、供託官が被供託者に供託通知書を発送するものとされている。したがって、供託の通知は、供託の成立の時よりも前にしなければならないとする点で、本肢は誤りである。

⑸　誤　　供託通知書（供託規16・18Ⅲ・20Ⅱ・20の2Ⅳ）は、被供託者に供託がされたことを了知させることを目的とするものであるから（⑵の解説参照）、被供託者のもとに確実に到達すればよい。そこで、供託通知書は、供託者の選択に従い、普通郵便・書留郵便・配達証明等の方法によって郵送すればよいとされている（供託準45Ⅰ）。

5c−5(4−14)　供託手続全般

供託の申請又は供託物の払渡請求に必要な書類に関する下記の記述のうち、正しいものはどれか。(改)

(1) 登記された法人が供託する場合には、代表者の資格を証する登記事項証明書を添付しなければならない。

(2) 法人格なき社団で代表者の定めのあるものが供託する場合には、定款及び代表者の資格を証する書面を添付しなければならない。

(3) 代理人によって供託する場合には、代理人の権限を証する書面を添付しなければならない。

(4) 委任による代理人によって供託物の払渡しを請求する場合には、供託物払渡請求書に押印された当該代理人の印鑑につき登記所又は市町村長が作成した証明書を添付しなければならない。

(5) 登記された支配人が、供託物の払渡請求をする場合には、代理人の権限を証する登記事項証明書を添付しなければならない。

学習記録	／	／	／	／	／	／	／	／	／

重要度　A	知識型		正解　(2)

(1)　誤　　登記された法人が供託する場合には、代表者の資格を証する登記事項証明書を「提示」すれば足りる（供託規14Ⅰ前段）。そして、この場合においては、その記載された代表者の資格につき登記官の確認を受けた供託書を提出して、代表者の資格を証する登記事項証明書の提示に代えることができる（供託規14Ⅳ後段・14 Ⅰ後段・簡易確認手続）。

(2)　正　　法人格なき社団で代表者の定めのあるものが供託する場合には、定款及び代表者の資格を証する書面を添付しなければならない（供託規14Ⅲ）。代表者の定めがあることを証するために当該社団の定款を添付させることに加え、供託の申請を行う者の権限を明確にするとともに、後日、代表権の有無をめぐる紛争が生ずることを防止するために、代表者の資格を証する書面を添付させるものとしているのである。

(3)　誤　　代理人によって供託をしようとする場合には、代理人の権限を証する書面を「提示」すれば足りる（供託規14Ⅳ前段）。そして、この場合においては、代理人の権限につき登記官の確認を受けた供託書を提出して、代理人の権限を証する書面の提示に代えることができる（供託規14Ⅳ後段・14Ⅰ後段・簡易確認手続）。

(4)　誤　　委任による代理人によって供託物の払渡請求をする場合には、「委任による代理人の権限を証する書面」に押された印鑑につき、市町村長又は登記所の作成した証明書を添付しなければならない（供託規26Ⅰ本文）。供託物の還付又は取戻しにおいては、ともに請求者が供託物を受領するという利益を得るため、無権代理人による払渡しを防止し、真正な供託の払渡しを担保する必要性があるからである。

(5)　誤　　登記された支配人が供託物の払渡請求をする場合には、代理人の権限を証する登記事項証明書を「提示」すれば足りる（供託規27Ⅰ但書）。この場合においては、支配人その他登記のある代理人の権限につき登記官の確認を受けた供託書を提出して、代理人であることを証する登記事項証明書の提示に代えることができる（供託規27 Ⅱ・14 Ⅰ後段・簡易確認手続）。

5c−6(8−10)　供託手続全般

供託又は払渡請求の際の添付書類に関する次の記述のうち、正しいものの組合せは、後記(1)から(5)までのうちどれか。なお、委任による代理人が払渡請求しようとする場合に、委任による代理人の権限を証する書面に押された印鑑につき、登記官の確認があるときの手続（簡易確認手続）については、考慮しないものとする。(改)

(ア)　法人が供託の申請をする場合は、その代表者についての市町村長の作成に係る印鑑証明書を添付しなければならない。

(イ)　弁済供託をした供託者が供託金の取戻請求をする場合において、供託物払渡請求書に供託書正本と供託通知書を添付するときは、印鑑証明書を添付する必要はない。

(ウ)　登記された法人以外の法人の職員の給与債権が差し押さえられた場合において、当該法人が供託をするときは、関係官庁の作成した代表者の資格を証する書面を添付しなければならない。

(エ)　破産管財人が供託をする場合は、裁判所書記官が作成した破産管財人の選任を証する書面を添付しなければならない。

(オ)　委任による代理人によって供託物の払渡しを請求しようとする場合は、委任による代理人の権限を証する書面に押された印鑑につき市町村長又は登記所の作成した印鑑証明書を添付しなければならない。

(1)　(ア)(イ)(ウ)　　(2)　(ア)(イ)(オ)　　(3)　(ア)(ウ)(エ)　　(4)　(イ)(エ)(オ)　　(5)　(ウ)(エ)(オ)

学習記録	／	／	／	／	／	／	／	／	／

重要度　A	知識型		正解　(5)

(ア) 誤　法人が供託をする場合には、原則として代表者の資格を証する書面を提示又は添付することを要するが（供託規14Ⅰ・Ⅱ）、印鑑証明書の添付は供託物払渡請求の場合（供託規26Ⅱ）と異なり要求されていない。

(イ) 誤　弁済供託をした供託者が供託金の取戻請求をする場合において、供託物払渡請求書に供託書正本及び供託通知書を添付することにより印鑑証明書の添付を省略できる旨の規定は存在しない。したがって、原則として、供託物払渡請求書に押された印鑑につき市町村長又は登記所の作成した証明書を添付することを要する（供託規26Ⅰ本文）。

(ウ) 正　登記された法人以外の法人が供託をしようとするときは、代表者の資格を証する書面を供託書に添付しなければならない(供託規14Ⅱ)。これは、登記されていない法人について、後日供託当時の代表者の資格の確認が必要となった場合であっても、登記簿等による調査をすることができないため、供託時に本肢の書面の添付を要求しているものである。

(エ) 正　破産管財人が供託をする場合（破202)、破産管財人の資格を証する書面を添付しなければならない。そして、この場合には、裁判所書記官が作成・交付する「選任を証する書面」（破規23Ⅲ）が、その資格を証する書面に当たる（昭59.2.27民四1122号参照)。

(オ) 正　委任による代理人によって供託物の払渡請求をする場合には、原則として、委任による代理人の権限を証する書面に押された印鑑につき、市町村長又は登記所の作成した証明書を添付しなければならない（供託規26Ⅰ本文)。なお、供託所が法務大臣が指定した法務局若しくは地方法務局若しくはこれらの支局又はこれらの出張所である場合を除き、その印鑑につき登記官の確認があるときは、この限りでない（供託規26Ⅰ但書)。

以上から、正しいものは(ウ)(エ)(オ)であり、正解は(5)となる。

5c−7(10−11)　供託手続全般

　供託に関する書類の閲覧又は供託に関する事項についての証明に関する記述のうち、誤っているものはどれか。

(1)　供託に関する事項についての証明申請書には、証明申請の目的を記載しなければならない。

(2)　供託物の還付請求権者の相続人は、供託に関する事項の証明を請求することができる。

(3)　供託物の取戻請求権を差し押さえようとする者は、供託に関する書類の閲覧を請求することができない。

(4)　供託に関する事項についての証明申請書には、証明を請求する事項を記載した書面を証明の請求数に応じて添付しなければならない。

(5)　供託に関する書類の閲覧を請求する場合において、閲覧申請書に供託書正本を添付したときは、印鑑証明書を添付することを要しない。

学習記録	／	／	／	／	／	／	／	／	／

重要度　A	知識型		正解　(5)

(1) 正　供託につき利害の関係がある者は、供託に関する事項につき証明を請求することができる（供託規49Ⅰ）。そして、その証明を申請しようとする者は、第34号書式による申請書を提出しなければならず（供託規49Ⅱ）、その申請書には、証明申請の目的を記載しなければならない。

(2) 正　供託につき利害関係がある者は、供託所に対して当該供託に関する事項についての証明を請求することができる（供託規49Ⅰ）。この「利害関係人」とは、当該供託物につき法律上直接の利害関係を有する者、すなわち、供託当事者（還付請求権者・取戻請求権者）及びその包括承継人、その請求権の譲受人・質権者・差押債権者（その通知又は送達が供託所に送付されていなければならない。）等である（昭38.5.22民甲1452号参照）。したがって、還付請求権者の相続人も供託に関する事項の証明を請求することができる。

(3) 正　供託物の取戻請求権をこれから差し押さえようとする者は、供託物払渡請求権の一般債権者であり、実体上の債権者として利害関係を有していても、当該供託物につき法律上直接の利害関係を有していない。したがって、一般債権者は供託規則48条の利害関係人には該当せず、供託関係書面の閲覧を請求することはできない。

(4) 正　供託に関する事項についての証明申請書には、証明を請求する事項を記載した書面を、証明の請求数に応じて添付しなければならない（供託規49Ⅲ）。

(5) 誤　供託に関する書類の閲覧を請求する場合には、閲覧申請書又は代理人の権限を証する書面に押されている申請人本人の印鑑につき、市町村長又は登記所の作成した証明書を添付しなければならない（供託規48Ⅲ・26）。したがって、本肢のように供託書正本をもって印鑑証明書に代えることはできない。

5c−8(15−10)　供託手続全般

担保（保証）供託に関する次の(ア)から(オ)までの記述のうち、誤っているものの組合せは、後記(1)から(5)までのうちどれか。

(ア)　判決に仮執行の免脱宣言が付された場合にする供託は、当該判決をした裁判所の所在地を管轄する地方裁判所の管轄区域内のいずれの供託所にもすることができる。

(イ)　裁判上の保証供託は、金銭のほか、裁判所が相当と認める有価証券によりすることもできる。

(ウ)　営業により損害を受けたとして、営業保証金として供託された金銭の還付を請求する者は、供託金利息も合わせて払渡しを受けることができる。

(エ)　法令の規定により営業保証金として供託した供託金の保管替えが認められる場合であっても、当該供託金の取戻請求権が差し押さえられているときは、営業者は、供託金の保管替えを請求することはできない。

(オ)　供託された営業保証金について官庁又は公署が債権者に対する配当を実施するときは、官庁又は公署は、配当金の支払をするため、供託金の還付を請求することができる。

(1)　(ア)(ウ)　　(2)　(ア)(エ)　　(3)　(イ)(エ)　　(4)　(イ)(オ)　　(5)　(ウ)(オ)

学習	／	／	／	／	／	／	／	／	／
記録									

重要度　A	知識型		正解　(5)

(ア) 正　裁判所は、申立てにより又は職権で、担保提供を条件として、仮執行を免れることを宣言することができる（民訴259Ⅲ）。この場合にする供託は、民事訴訟法上の担保供託であり、担保を立てることを命じた裁判所の所在地を管轄する地方裁判所の管轄区域内のいずれかの供託所にしなければならない（民訴259Ⅵ・76）。

(イ) 正　裁判上の保証供託は、金銭のほか、裁判所が相当と認める有価証券（社債等の振替に関する法律129条1項に規定する振替社債等を含む。）によりすることができる（民訴76）。

(ウ) 誤　4条ただし書の保証金に代えて有価証券を供託した場合においては、担保の効力は、その有価証券にのみ及ぶ。保証供託として金銭を供託した場合にも、この規定の類推解釈により、担保の効力は、その目的物である供託金の元金にのみ及び、供託金の利息には及ばない（昭7.5.3民事局会議決定）。

(エ) 正　払渡請求権について差押え等がされている場合には、差押えの効力により第三債務者（供託所）は、弁済を禁止されている（民執145Ⅰ）ので、差替えをすることはできない（昭36.7.19民甲1717号）とされているが、保管替えも同様であると解されている。これは、差押えの第三債務者が甲供託所から乙供託所に変わってしまうと、甲供託所に対して発せられた差押命令の効力が乙供託所に対して及ばないので、差押債権者の権利行使が事実上不可能になってしまうからである。

(オ) 誤　供託された営業保証金について、官庁又は公署が債権者に対する配当を実施する場合は、債権者は、供託所に還付請求をする（供託規30）。したがって、官庁又は公署は、配当金の支払をするために、供託金の還付を請求することはできない。

以上から、誤っているものは(ウ)(オ)であり、正解は(5)となる。

5c−9(16−10)　供託手続全般

担保（保証）供託に関する次の(ア)から(オ)までの記述のうち、誤っているものの組合せは、後記(1)から(5)までのうちどれか。

(ア) 訴訟費用の担保として原告が供託した供託物に対する権利の実行については、被告は、裁判所の配当手続によらず、供託所に対し直接還付を請求することができる。

(イ) 法令の規定に基づき配当により供託物を払い渡すこととされている場合であっても、営業保証のため供託した供託物に対して権利を有することの確認判決を得た者は、配当によらないで当該供託物の還付を請求することができる。

(ウ) 営業保証のため供託した国債証券の償還期限が到来したときは、供託者は、供託所が国債の償還金を受け取り、これを国債証券に代わる供託物として保管することを求めることができる。

(エ) 営業保証のため有価証券を供託している事業者は、その主たる事務所の移転により最寄りの供託所が変更したときは、移転後の主たる事務所の最寄りの供託所への供託物の保管替えを請求することができる。

(オ) 従たる事務所の廃止により、営業保証のため供託した供託金の一部を取り戻すことができるようになったときは、当該供託金の一部に係る取戻請求権について消滅時効が進行する。

(1) (ア)(ウ)　(2) (ア)(エ)　(3) (イ)(エ)　(4) (イ)(オ)　(5) (ウ)(オ)

学習記録	／	／	／	／	／	／	／	／	／

重要度　A	知識型		正解　(3)

(ア)　正　　裁判上の保証供託の被供託者が、権利の実行として供託物の払渡しを受ける方法としては、供託所に対して直接還付を請求する方法によらなければならない（平 9.12.19 民四 2257 号）。なお、供託物払渡請求書には、還付を受ける権利を有することを証する書面（供託規 24 I ①）として、被担保債権の存在を証する書面を添付しなければならない（同通達例）。

(イ)　誤　　営業保証金について担保権者が還付を受ける方法として、根拠法令に特別の定めがない場合には、取引から生じた債権の存在を証して個別に還付請求をすることができる。しかし、法令の規定に基づき配当により供託物を払い渡すこととされている場合には、上記の方法によることはできない。すなわち、債権者の権利実行の申立て等に基づいて主務官庁等が配当表を作成の上、供託所に対しては、支払委託書を送付して支払委託をするとともに、債権者には配当を受けるべき者である旨の支払証明書を交付し、債権者が支払証明書を添付して（支払委託書の記載から供託物の払渡しを受けるべき者であることが明らかである場合を除く。）還付請求をする（供託規 30 I・II）。

(ウ)　正　　供託有価証券の償還期限が到来した場合に、当該有価証券を供託した状態でその同一性を維持しながら供託目的物を有価証券からその償還金に変更する手続（4 本文）を代供託といい、本肢はこれに該当する。

(エ)　誤　　供託物の保管替えとは、営業保証供託において、営業者が供託後にその営業所又は住所を移転し、管轄供託所に変更を生じた場合において、供託物が金銭又は振替国債であることを条件として、供託所の内部手続によりその供託物を、新営業所又は新住所の管轄供託所に移管する手続である（供託規 21 の 3 ～ 21 の 6）。供託目的物が金銭又は振替国債に限定されるのは、有価証券の移送の場合、紛失等の危険性が高く、費用もかさむからである。

(オ)　正　　営業保証金を供託した者が、①当該事業を廃止した場合、②事業の許可、免許又は登録等が取り消された場合、③一部の営業所等を廃止したため営業保証金の額が法定の額を超えることとなった場合、④その他営業保証金の全部又は一部について供託をしておく必要性がなくなったときは、供託した営業保証金の全部又は一部を取り戻すことができる。そして、供託者が、営業保証金を取り戻す場合には、当該営業保証金によって担保される債権を有する者が存するとも考えられるので、その債権者を保護するために、当該営業保証金につき権利を有する者は、原則として 6 か月を下らない一定期間内にその債権額及び債権発生の原因たる事実並びに住所及び氏名又は名称を記載した申出書を主務官庁等に提出すべき旨を官報等に公告し、担保権者の有無を確認した上で、営業保証金を取り戻すことを定めている。そして、その期間が経過した日、つまり供託金の一部を取り戻すことができるようになったときは、そのときから当該一部の取戻請求権について消滅時効が進行する(昭 52.8.31 民四 4448 号)。

以上から、誤っているものは(イ)(エ)であり、正解は(3)となる。

MEMO

5c－10(17－10)

供託手続全般

供託官の審査等に関する次の(ア)から(オ)までの記述のうち、誤っているものの組合せは、後記(1)から(5)までのうちどれか。

(ア)　供託者からの発送請求を受けて供託官が行う供託通知書の送付は、行政訴訟の対象となる処分ではない。

(イ)　供託の申請についての供託官の審査権限は、形式的審査の範囲にとどまり、供託書に記載されている供託原因及び供託根拠法令に照らし当該供託が実体法上有効なものであるか否かという実体的要件には及ばない。

(ウ)　供託官が供託物払渡請求書に払渡しを認可する旨の記載をした後においては、請求者への小切手の交付前に当該払渡請求権に対して差押えがあった場合でも、当該請求者は払渡しを受けることができる。

(エ)　供託官は、供託物払渡請求書に利害関係人の承諾書を添付しなければならない場合には、当該承諾書に押された利害関係人の印鑑について印鑑証明書の添付を求めることができ、その添付がなければ払渡請求を却下することができる。

(オ)　登記された法人が代理人によって供託物の払渡請求をした場合には、供託官は、当該代理人について、その印鑑証明書の提出又は運転免許証等の提示を求めることにより本人確認を行う必要はない。

(1)　(ア)(イ)　(2)　(ア)(オ)　(3)　(イ)(ウ)　(4)　(ウ)(エ)　(5)　(エ)(オ)

学習記録	／	／	／	／	／	／	／	／	／

重要度　A	知識型		正解　(3)

(ア)　正　　行政訴訟の対象となる供託官の処分（行訴３Ⅱ）として考えられるものとしては供託の申請、代供託及び附属供託の申請及び供託金保管替請求の受理又は却下、供託物払渡請求、供託金利息払渡請求及び供託有価証券利札払渡請求の認可又は却下、供託に関する書類の閲覧請求及び供託に関する事項の証明請求の却下等が挙げられる。供託官が行う供託通知書の送付は、行政訴訟の対象となる供託官の処分には該当しない。

(イ)　誤　　供託の申請について、供託官の審査権限は、供託書・添付書類のみに基づいてする、いわゆる形式的審査権限の範囲にとどまるが、その審査の対象は、供託書の適式性、添付書類の存否等の手続的要件に限られず、供託原因の存否等実体的要件にも及ぶ（最判昭 59.11.26）。

(ウ)　誤　　供託金払渡請求があった場合、供託官が払渡請求を理由ありと認めた場合、原則として小切手を振り出して、請求者に交付することとなるが（供託規 28Ⅰ）、この小切手の交付があれば、払渡請求権は消滅する（最判平 10.7.14）。したがって、請求者へ小切手が交付された後は差押えをすることはできないが、小切手の交付前であれば差押えは可能であり、差押えがされた後はもはや請求者が払渡しを受けることはできない（民執 145Ⅰ）。

(エ)　正　　供託物払渡請求に際して、払渡請求権者は原則として、当該払渡請求権を証する書面を添付しなければならない（供託規 24Ⅰ・25Ⅰ）。そして、その払渡請求権を証する書面に利害関係人の承諾書の添付を要する場合、真正担保のために印鑑証明書の添付を要し（供託規 24Ⅱ①・25Ⅱ）、当該印鑑証明書の添付がない場合は、供託官の形式的審査権限（最判昭 59.11.26）に基づき、払渡請求を却下することができる。

(オ)　正　　登記された法人が、委任による代理人によって供託物の払渡しを請求する場合には、真正な払渡手続の実現のため、請求者が真の代理人であることを証明させる必要がある。そこで、原則として、代理人の権限を証する書面を供託物払渡請求書に添付するほか（供託規 27Ⅰ本文）、その代理人の権限を証する書面の真正を証明させるため、当該書面に押された当該法人の印鑑につき登記所の作成した証明書を供託物払渡請求書に添付する（供託規 26Ⅰ本文）。したがって、供託官は、代理人の印鑑証明書の添付等を求めることにより代理人について本人確認を行う必要はない。

以上から、誤っているものは(イ)(ウ)であり、正解は(3)となる。

5c−11(19−10)　供託手続全般

供託の受諾に関する次の(ア)から(オ)までの記述のうち、正しいものの組合せは、後記(1)から(5)までのうちどれか。

(ア)　供託物還付請求権の仮差押債権者は、当該供託を受諾する旨の意思表示をすることができる。

(イ)　供託所に対してする供託受諾の意思表示は、口頭によってすることはできない。

(ウ)　被供託者は、供託金の還付請求をするまでは、供託所に対してした供託受諾の意思表示を撤回することができる。

(エ)　供託物還付請求権の譲渡通知が供託所に送達された場合において、その記載内容により供託を受諾する旨の意思表示があったものと認められたときは、供託者は、供託物の取戻しを請求することができない。

(オ)　債務者が債務の全額に相当するものとして弁済供託をしたときは、債権者は、債権の一部弁済として受領する旨の留保を付して当該供託を受諾することはできない。

(1)　(ア)(イ)　(2)　(ア)(オ)　(3)　(イ)(エ)　(4)　(ウ)(エ)　(5)　(ウ)(オ)

学習記録	／	／	／	／	／	／	／	／	／

重要度 A | **知識型** | | **正解 (3)**

㋐ 誤　供託物還付請求権の仮差押債権者は、供託受諾の意思表示をすることはできない（昭 38.2.4 民甲 351 号）。供託受諾の意思表示をするには、本執行としての差押命令を得た上でしなければならない。

㋑ 正　供託所に対してする供託受諾の意思表示は供託を受諾する旨を記載した書面の提出による（供託規 47）。口頭によってすることはできない（昭 36.4.4 民甲 808 号）。

㋒ 誤　供託物取戻請求権は、供託受諾の意思表示が書面でされたことによって（供託規 47）、確定的に消滅する（民 496 Ⅰ）。そして、その後において供託受諾の意思表示の撤回を許すと、債務者その他の第三者に対して多大な影響を及ぼすため、かかる意思表示の撤回は許されない（昭 37.10.22 民甲 3044 号）。

㋓ 正　供託所に対する供託受諾の意思表示は供託を受諾する旨を記載した書面の提出による（供託規 47）。しかし、この書面には特に様式に定めがないので、供託受諾の体裁をなしていなくても書面上からその要求が満たされていると判断できるときは、供託受諾の効果が与えられる。そして、供託物還付請求の譲渡は、譲渡人（被供託者）がその意思に基づいて当該債権の譲渡をするものであるため、供託受諾の意思表示が譲渡行為の中に含まれていると解される。したがって、供託物還付請求権の譲渡通知が供託所に送達された場合には、供託者は供託不受諾を理由として取戻請求権を行使することができなくなる（昭 36.10.20 民甲 2611 号）。

㋔ 誤　留保付還付請求は、債務全額として弁済供託された供託金につき、被供託者が、債権の一部として受諾して還付請求する場合に認められる（昭 38.6.6 民甲 1675 号、昭 42.1.12 民甲 175 号等）。裁判等で債権額が確定しない間は供託金活用利益が阻害されるため、債権者に不当に不利益を及ぼすことを防止するためである。また、このような還付請求を認めても、その供託金額の範囲内では債務者の債務は消滅するため、債務者に不当な不利益を及ぼすこともないからである。

以上から、正しいものは㋑㋓であり、正解は⑶となる。

5c−12(19−11)

供託手続全般

民事保全法の保全命令に係る担保供託に関する次の㈠から㈥までの記述のうち、誤っているものの組合せは、後記(1)から(5)までのうちどれか。

㈠　保全命令に係る担保供託は、債務者の住所地の供託所に供託しなければならない。

㈡　保全命令に係る担保供託は、振替国債によってすることはできない。

㈢　保全命令に係る担保供託は、第三者が当事者に代わってすることができる。

㈣　保全命令に係る担保供託につき被供託者が還付請求をするときは、供託物払渡請求書に被担保債権の存在を証する書面を添付しなければならない。

㈤　保全命令に係る担保供託につき担保の事由が消滅した場合には、供託者は、供託物払渡請求書に担保取消決定の正本及びその確定証明書を添付して供託物の取戻しを請求することができる。

(1)　㈠㈡　　(2)　㈠㈤　　(3)　㈡㈢　　(4)　㈢㈣　　(5)　㈣㈤

学習記録	／	／	／	／	／	／	／	／	／

重要度 A	知識型		正解 (1)

(ア) 誤　保全命令の担保として供託をする場合、その供託場所は、担保を立てることを命じた裁判所又は保全執行裁判所の所在地を管轄する地方裁判所の管轄区域内の供託所が原則である（民保４Ⅰ）。また、緊急性を有する保全執行を円滑に実施する目的で、遅滞なくこの供託所に供託することが困難な事由があるときは、裁判所の許可を得て、債権者の住所地又は事務所の所在地その他裁判所が相当と認める地を管轄する地方裁判所の管轄区域内の供託所にも供託することができる（民保14Ⅱ）。しかし、「債務者の住所地」の供託所に供託しなければならないという規定はない。

(イ) 誤　保全命令の担保を立てる方法としては、①金銭又は担保を立てるべきことを命じた裁判所が相当と認める有価証券を供託する方法、②最高裁判所規則で定める方法（民保規２）及び、③当事者間の特別の契約の３種類がある（民保４Ⅰ）。この裁判所が相当と認める有価証券には振替国債も含まれる（社債株式振替 278Ⅰ）。したがって、保全命令に係る担保供託は、振替国債によってすることができる。なお、振替国債とは、証券（国債証書）が発行されず、振替えによって流通する国債であり（社債株式振替 88・89）、振替国債を供託する場合には、証券の提出に代えて、供託所の口座への振替手続をすることになる。

(ウ) 正　保全命令に係る担保供託における担保提供義務者は、担保を立てることを命じた決定（立担保命令）によって担保提供を命じられた者をいい、この者が供託者となるのが原則である。しかし、この者自身が現実に担保を提供すべきであると規定しているわけではない（民保４Ⅰ）。なぜなら、第三者による担保提供を許したとしても、第三者が物上保証をしたことになり、担保提供義務者が供託した場合と同様に、被供託者が供託物について他の債権者に先立って弁済を受ける権利を有するのであれば（民訴 77、民保４Ⅱ）、担保権者にとって特段の不利益が生ずることもないからである。したがって、保全命令に係る担保供託は、第三者が当事者に代わってすることができる。

(エ) 正　保全命令に係る担保供託につき被供託者が還付請求するときは、供託物払渡請求書に、「還付を受ける権利を有することを証する書面」を添付しなければならない（供託規 24Ⅰ①）。この場合、「還付を受ける権利を有することを証する書面」として「被担保債権の存在を証する書面」を添付してしなければならない。

㈹　正　　保全命令に係る担保供託につき供託者が取戻請求をするときは、供託物払渡請求書に、供託原因の消滅を証する書面又は錯誤を証する書面などを「取戻しをする権利を有することを証する書面」として添付しなければならない（供託規25Ⅰ）。供託原因の消滅を証する書面としては、担保取消決定の正本及びその確定証明書、供託原因消滅証明書、供託物取戻しの許可書等が当たる。したがって、供託者は供託物払渡請求書に担保取消決定の正本及びその確定証明書を添付して供託物の取戻しを請求することができる。

以上から、誤っているものは㈠㈡であり、正解は⑴となる。

MEMO

5c－13(20－10)　供託手続全般

担保（保証）供託に関する次の(ア)から(オ)までの記述のうち、誤っているものの組合せは、後記(1)から(5)までのうちどれか。

(ア)　担保（保証）供託においては、担保の効力は、その目的物である供託金の元本のみに及び、供託金利息には及ばない。

(イ)　訴訟費用の担保供託は、担保を立てるべきことを命じた裁判所の所在地を管轄する地方裁判所の管轄区域内の供託所にしなければならない。

(ウ)　訴訟費用の担保として有価証券を供託している場合には、供託者は、裁判所の許可を得た上で、供託物を当該有価証券から金銭に換えることができる。

(エ)　強制執行停止の担保供託をしている場合において、供託原因が消滅したため、供託者が取戻請求をするときは、当該供託者が個人であっても法人であっても、担保取消決定書及び確定証明書のほか、印鑑証明書の添付をしなければならない。

(オ)　営業上の保証供託は、営業主以外の第三者もすることができる。

(1)　(ア)(イ)　(2)　(ア)(オ)　(3)　(イ)(ウ)　(4)　(ウ)(エ)　(5)　(エ)(オ)

学習記録	／	／	／	／	／	／	／	／	／

重要度 A　知識型　　　**正解　(5)**

(ア) 正　　担保（保証）供託においては、担保権の目的は供託物そのものであって、その効力は、供託物の果実（利息及び利札）には及ばない（昭 37.6.7 民甲 1483 号)。

(イ) 正　　訴訟法上の供託は、担保を供すべきことを命じた裁判所の所在地を管轄する地方裁判所の管轄区域内の供託所に金銭・有価証券を提供する方法によってしなければならない（民訴 76)。なお、その管轄区域内であれば、いずれの供託所にもすることができる。

(ウ) 正　　裁判所は、担保を立てた者の申立てにより、決定でその担保の変換を命ずることができる（民訴 80)。裁判上の担保供託の供託物の差替えをする場合には、事前に裁判所の担保変換決定を受け、その決定に基づいて新たな供託を行った後、従前の供託物を取り戻すこととなる（大 11.9.4 民事 3313 号)。

(エ) 誤　　「法令の規定に基づき印鑑を登記所に提出することができる者以外の者」が供託物の取戻しを請求する場合において、官庁又は公署から交付を受けた供託の原因が消滅したことを証する書面を供託物払渡請求書に添付したときには、供託物払渡請求書に印鑑証明書を添付する必要はない（供託規 26 Ⅲ④)。法人でない個人は「法令の規定に基づき印鑑を登記所に提出することができる者以外の者」であるため、印鑑証明書の添付を省略することができる。

(オ) 誤　　営業保証供託においては、営業者自身の信用を社会的に保証するという目的があるので、営業をしようとする者以外の第三者が供託者となることはできない（昭 38.5.27 民甲 1569 号、昭 39 全国供託課長会同決議)。

以上から、誤っているものは(エ)(オ)であり、正解は(5)となる。

5c−14(22−10)　供託手続全般

担保（保証）供託に関する次の記述のうち、正しいものの組合せは、後記(1)から(5)までのうちどれか。

(ア)　民事訴訟において原告が供託する方法により訴訟費用の担保を立てる場合には、被告の同意がない限り、原告以外の第三者が供託者となることはできない。

(イ)　供託された営業保証金について官庁の決定によって供託物の払渡しをすべき場合には、官庁は、供託官に対し、自ら、被供託者として、当該供託物の払渡しを請求することができる。

(ウ)　民事訴訟において被告が訴訟費用の担保として供託された金銭の払渡しを受ける場合には、当該民事訴訟の被告は、裁判所の配当手続によらなければ、当該金銭の払渡しを請求することができない。

(エ)　供託された営業保証金について還付を受ける場合には、供託金の元本の還付を受けることができるだけであり、供託金の利息の還付は受けることができない。

(オ)　民事訴訟において当事者が供託する方法により仮執行免脱の担保を立てる場合には、裁判所が相当と認める有価証券を当該供託の目的物とすることができる。

(1)　(ア)(ウ)　　(2)　(ア)(エ)　　(3)　(イ)(ウ)　　(4)　(イ)(オ)　　(5)　(エ)(オ)

学習記録	／	／	／	／	／	／	／	／	／

重要度 A	知識型		正解 (5)

(ア) 誤　裁判上の保証供託においては、法令又は裁判所等の命令により担保提供を命じられた者が供託者となるのが原則であるが、第三者も本人に代わって供託することができるものとされている(大判大2.1.30、昭18.8.13民甲511号)。第三者が裁判上の保証供託をする場合、第三者が供託をする旨を供託書に記載すれば足り、相手方の同意は要しない（昭35全国供託課長会同決議）。

(イ) 誤　供託された営業保証金を取戻す場合、原則として、供託者が一定の期間を定めて公告を行い、主務官庁等にその旨を届け出た上で取戻請求をすることとなる。これに対して、還付請求をする場合は、個々の債権者が、随時還付請求権の存在を証明して行う方法と、主務官庁等の行う特別の配当手続を経た上で、債権者が供託金の還付を請求する方法がある。特別の配当手続による還付請求の場合、債権者の権利実行の申立てに基づいて、主務官庁等が配当表を作成の上、供託所に対して支払委託をするとともに、債権者に配当証明書を交付し、債権者がこの証明書を添付して（支払委託書の記載から供託物の払渡しを受けるべき者であることが明らかである場合を除く。）供託所に還付請求することになる（供託規30Ⅰ・Ⅱ）。いずれの方法であっても官庁が自ら被供託者として払渡請求をすることはできない。

(ウ) 誤　裁判上の担保として供託された金銭又は有価証券の被供託者は、権利の実行として供託物の払渡しを受ける場合には、供託所に対して直接還付を請求する方法によらなければならない（平9.12.19民四2257号）。なお、この場合における供託物払渡請求書には、供託規則24条1項1号の書面として、被保全債権の存在を証する書面を添付しなければならない。

(エ) 正　保証供託においては、担保権の目的は供託物そのものであって、その効力は、供託物の果実である利息には及ばないと解されている（昭37.6.7民事甲1483号）。したがって、保証供託の場合の供託金の利息は、常に供託者が払渡請求をすることになり、還付を受ける場合には、供託金利息の還付は受けることができない。

(オ) 正　民事訴訟において担保を立てるには、原則として金銭又は裁判所が相当と認める有価証券を供託する方法によらなければならない（民訴76）。なお、当事者が特別の契約をしたときは、その契約による。

以上から、正しいものは(エ)(オ)であり、正解は(5)となる。

5c－15(25－10)　供託手続全般

営業保証供託に関する次の(ア)から(オ)までの記述のうち、正しいものの組合せは、後記(1)から(5)までのうち、どれか。

(ア)　登記された法人が営業保証供託に係る供託金について供託物払渡請求書に官庁から交付を受けた支払証明書を添付して還付請求をする場合において、その額が10万円未満であるときは、供託物払渡請求書又は委任状に押された印鑑につき登記所の作成した証明書を供託物払渡請求書に添付することを要しない。

(イ)　営業主以外の第三者が営業保証供託をすることは、できない。

(ウ)　供託根拠法令において主たる事務所の最寄りの供託所に営業保証供託をしなければならないとされている場合において、有価証券を供託している事業者がその主たる事務所を移転したために主たる事務所の最寄りの供託所に変更が生じたときは、当該事業者は、移転後の主たる事務所の最寄りの供託所への供託物の保管替えを請求することができる。

(エ)　営業保証供託に係る供託金の差替えは、供託金の取戻請求権が差し押さえられているときは、することができない。

(オ)　営業保証供託の供託者は、その供託金全額についての払渡しと同時に、又はその後でなければ、当該供託金の供託金利息の払渡請求をすることができない。

(1)　(ア)(イ)　　(2)　(ア)(ウ)　　(3)　(イ)(エ)　　(4)　(ウ)(オ)　　(5)　(エ)(オ)

学習記録	／	／	／	／	／	／	／	／	／

重要度　A	知識型		正解　(3)

(ア)　誤　　法令の規定に基づき印鑑を登記所に提出することができる者以外の者が供託規則30条1項に規定する支払証明書を供託物払渡請求書に添付して、供託金の払渡しを請求する場合であって、その供託金の額が10万円未満であるときは、印鑑証明書の添付を省略することができる（供託規26Ⅲ⑤）が、登記された法人は印鑑を登記所に提出できる者以外の者に該当しない。

(イ)　正　　営業保証供託の場合は、営業者の信用を社会的に保証するという目的があるので、第三者が営業者に代わって供託することは許されず、第三者は当事者適格を有しない（昭38.5.27民甲1569号）。

(ウ)　誤　　保管替えができる供託物は、金銭又は振替国債に限定されている。

(エ)　正　　取戻請求権について譲渡・質入れ・差押え・その他の処分の制限がなされている場合には供託金の差替えをすることができない（昭36.7.19民甲1717号）。

(オ)　誤　　供託金利息は、原則として元金と同時に払い渡されるが、元金の受取人と供託金利息の受取人が異なるなど、元金と供託金利息を同時に払い渡すことができない場合は、元金を払い渡した後に供託金利息を払い渡す（供託規34Ⅰ）。しかし、保証供託においては、担保の効力はその目的物である供託金元金にのみ及び、利息には及ばないと解されているので、当該利息は、常に供託者が払渡請求することができる（昭29.12.6民甲第2573号）。そして、保証として金銭を供託した場合には、供託規則第34条1項の規定にかかわらず、毎年、供託した月に応当する月の末日後において、その日までの利息を払い渡すことができる（供託規34Ⅱ）。したがって、営業保証供託の供託者は、その供託金全額についての払渡しと同時に、又はその後でなければ、当該供託金の供託金利息の払渡請求をすることができないとする点で、本肢は誤っている。

以上から、正しいものは(イ)(エ)であり、正解は(3)となる。

5c－16(29－11)　供託手続全般

供託に関する書類の閲覧又は供託に関する事項の証明に関する次の(ア)から(オ)までの記述のうち、正しいものの組合せは、後記(1)から(5)までのうち、どれか。

(ア)　供託に関する書類の閲覧を請求する者が法人である場合において、閲覧申請書に押された印鑑につき登記所の作成した証明書を添付したときは、代表者の資格を証する書面を提示することを要しない。

(イ)　供託に関する書類の閲覧の請求は、委任による代理人によってはすることができない。

(ウ)　供託物の取戻請求権を差し押さえようとする者は、その供託に関する書類の閲覧を請求することができる。

(エ)　供託につき利害の関係がある者がその供託に関する事項の証明を請求する場合には、その申請書には、証明を請求する事項を記載した書面を、証明の請求数に応じて添付しなければならない。

(オ)　供託につき利害の関係がある者がその供託に関する事項の証明を請求する場合には、手数料を納付することを要しない。

(1)　(ア)(ウ)　　(2)　(ア)(オ)　　(3)　(イ)(ウ)　　(4)　(イ)(エ)　　(5)　(エ)(オ)

学習記録	／	／	／	／	／	／	／	／	／

重要度 A	知識型		正解 (5)

(ア) 誤　供託に関する書類の閲覧を請求する場合、閲覧申請書には、①印鑑証明書、②請求者が法人であるときは、代表者の資格を証する書面（登記された法人にあっては、代表者の資格を証する登記事項証明書を提示すれば足りる。）、③代理人による申請の場合は、代理人の権限を証する書面（支配人その他登記のある代理人については、代理人であることを証する登記事項証明書を提示すれば足りる。）、④代表者又は管理人の定めのある権利能力なき社団又は財団が請求するときは、当該社団又は財団の定款又は寄附行為及び代表者又は管理人の資格を証する書面を添付しなければならない（供託規48Ⅲ・26・27・14）。

(イ) 誤　供託に関する書類の閲覧の請求は、委任による代理人によってもすることができる（供託規48Ⅲ・26・27参照）。

(ウ) 誤　供託につき利害の関係がある者は、供託に関する書類（電磁的記録を用紙に出力したものを含む。）の閲覧を請求することができる（供託規48Ⅰ）。そして、この利害の関係がある者とは、当該供託物につき直接の利害関係を有する者をいう。この点、供託物の取戻請求権をこれから差し押さえようとする者は、供託者の一般債権者であり、実体上の債権者として利害関係を有していても、当該供託物につき法律上直接利害関係を有していない（昭38.5.22民甲1452号）。したがって、供託物の取戻請求権を差し押さえようとする者は、その供託に関する書類の閲覧を請求することができない。

(エ) 正　供託につき利害の関係がある者は、供託に関する事項につき証明を請求することができる（供託規49Ⅰ）。そして、供託に関する事項についての証明申請書には、証明を請求する事項を記載した書面を、証明の請求数に応じて添付しなければならない（供託規49Ⅲ）。

(オ) 正　供託につき利害の関係がある者は、供託に関する事項につき証明を請求することができる（供託規49Ⅰ）。そして、供託に関する事項につき証明を請求しようとする者は、証明申請書を提出しなければならないが（供託規49Ⅱ）、手数料を納付することは要しない。

以上から、正しいものは(エ)(オ)であり、正解は(5)となる。

5c－17(30－11)　供託手続全般

担保（保証）供託に関する次の(ア)から(オ)までの記述のうち、正しいものの組合せは、後記(1)から(5)までのうち、どれか。

(ア)　民事訴訟における当事者が供託する方法により仮執行免脱の担保を立てる場合には、当事者が特別の契約をしたときを除き、裁判所が相当と認める有価証券を供託物とすることができる。

(イ)　民事訴訟における被告が訴訟費用の担保として供託された金銭の払渡しを受けるには、裁判所の配当手続によらなければならない。

(ウ)　営業保証供託については、担保官庁の承認があれば、営業主以外の第三者が供託者となることができる。

(エ)　営業保証供託の供託者は、供託金全額の払渡しと同時又はその後でなければ、その供託金利息の払渡請求をすることができない。

(オ)　営業保証金として供託した供託金の保管替えが法令の規定により認められる場合であっても、供託金の取戻請求権に対する差押えがされているときは、供託者は、その供託金の保管替えを請求することができない。

(1)　(ア)(ウ)　　(2)　(ア)(オ)　　(3)　(イ)(ウ)　　(4)　(イ)(エ)　　(5)　(エ)(オ)

学習記録	／	／	／	／	／	／	／	／	／

重要度 A	知識型		正解 (2)

(ア) 正　仮執行免脱の担保（民訴 259 Ⅲ・Ⅵ）のように、民事訴訟において担保を立てる場合、当事者が特別の契約をしたときを除き、金銭又は裁判所が相当と認める有価証券を供託する方法によらなければならない（民訴 76）。

(イ) 誤　裁判上の担保として供託された保証金に対し、担保権利者（被供託者）がその権利を行使するためには、供託所に対して直接還付請求をする方法による（平 9.12.19 民四 2257 号）。

(ウ) 誤　営業保証供託において、担保官庁の承認がある場合であっても、第三者が供託者となることはできない（昭 39 全国供託課長会同決議）。なぜなら、営業保証供託には、営業者の債務の弁済を担保するという目的のほかに、営業者の信用力を確認するという目的もあり、第三者が代わって供託することは相当でないからである。

(エ) 誤　供託金利息は、原則として元金と同時に払い渡されるが、元金の受取人と供託金利息の受取人が異なるなど、元金と供託金利息を同時に払い渡すことができない場合は、元金を払い渡した後に供託金利息を払い渡す（供託規 34 Ⅰ）。しかし、保証供託においては、担保の効力はその目的物である供託金元金にのみ及び、利息には及ばないと解されているので、当該利息は、常に供託者が払渡請求することができる（昭 29.12.6 民甲 2573 号）。そして、保証として金銭を供託した場合には、供託規則 34 条 1 項の規定にかかわらず、毎年、供託した月に応当する月の末日後において、その日までの利息を払い渡すことができる（供託規 34 Ⅱ）。

(オ) 正　供託金払渡請求権について差押えがされている場合には、供託物の保管替えをすることはできない（昭 36.7.19 民甲 1717 号参照）。なぜなら、差押えの第三債務者である供託所が変わってしまうと、変更前の供託所に対して発せられた差押命令の効力が変更後の供託所に対して及ばないこととなるため、差押債権者の権利行使が事実上不可能となってしまい、差押えの目的を達することができなくなってしまうからである。

以上から、正しいものは(ア)(オ)であり、正解は(2)となる。

5c−18(R2−11)

供託手続全般

担保（保証）供託に関する次の(ア)から(オ)までの記述のうち、正しいものの組合せは、後記(1)から(5)までのうち、どれか。

(ア)　営業上の保証供託における担保の効力は、その目的物である供託金の元本のほか、供託金利息にも及ぶ。

(イ)　裁判上の担保供託は、担保を立てるべきことを命じた裁判所の所在地を管轄する地方裁判所の管轄区域内のいずれの供託所にもすることができる。

(ウ)　営業上の保証供託において有価証券を供託している事業者が主たる事務所を移転したときは、当該事業者は、移転前の主たる事務所の最寄りの供託所に対して営業上の保証供託に係る保管替えの請求をすることができる。

(エ)　供託された営業保証金について、官庁又は公署が配当を実施するときは、当該官庁又は公署は、配当金の支払をするため、被供託者として供託金の還付請求をすることができる。

(オ)　保全命令に係る担保供託について、担保の事由が消滅し、その供託物の取戻請求をするときは、供託者は、供託物払渡請求書に担保取消決定正本及びその確定証明書又はこれに代えて供託原因の消滅を証する裁判所の証明書を添付しなければならない。

(1)　(ア)(イ)　　(2)　(ア)(ウ)　　(3)　(イ)(オ)　　(4)　(ウ)(エ)　　(5)　(エ)(オ)

学習記録	／	／	／	／	／	／	／	／	／

重要度 A	知識型			正解 (3)

(ア) 誤　保証供託においては、担保の効力はその目的物である供託金の元金のみに及び、供託金の利息に及ぶことはない（昭37.6.7民甲1483号）。

(イ) 正　裁判上の担保供託は、担保を立てるべきことを命じた裁判所の所在地を管轄する地方裁判所の管轄区域内のいずれの供託所にもすることができる（民訴76、民執15Ⅰ、民保4Ⅰ）。

(ウ) 誤　供託物の保管替えとは、営業保証供託において、事業者が、営業所又は住所を移転したため、管轄供託所に変更を生じた場合に、供託物が金銭又は振替国債のときに限り、供託者である事業者の請求により、新たな営業所又は新住所の最寄りの供託所に供託物を移管する手続である（供託規21の3・21の6Ⅰ参照）。したがって、有価証券を供託している場合には、保管替えは認められない。

(エ) 誤　供託された営業保証金について、官庁又は公署が債権者に対する配当を実施する場合は、債権者の権利実行の申立てなどに基づいて主務官庁などが配当表を作成の上、供託所に対して支払委託書を送付して支払委託をするとともに、債権者に支払証明書を交付し、債権者が供託所に還付請求をする（供託規30Ⅰ）。したがって、供託された営業保証金について、官庁又は公署が債権者に対する配当を実施する場合であっても、官庁又は公署は、供託金の還付を請求することはできない。

(オ) 正　裁判上の保証供託における供託物の取戻しを請求するには、供託原因が消滅していなければならないので、供託物払渡請求書には、取戻しをする権利を有することを証する書面（供託規25Ⅰ本文）として供託原因消滅証明書を添付しなければならない。この点、担保の事由が消滅した場合などに、担保提供者の申立てにより、裁判所が担保取消決定をしたとき（民訴79、民執15Ⅱ、民保4Ⅱ）における担保取消決定書正本及びその確定証明書が、供託原因消滅証明書となる。また、これらの書面に代わるものとして、供託原因の消滅を証する裁判所の証明書も、供託原因消滅証明書として認められている（昭38.1.21民甲45号）。

以上から、正しいものは(イ)(オ)であり、正解は(3)となる。

5c−19(R5−10)　供託手続全般

供託の通知に関する次の(ア)から(オ)までの記述のうち、判例の趣旨に照らし正しいものの組合せは、後記(1)から(5)までのうち、どれか。

(ア)　供託者が被供託者に供託の通知をしなければならない場合において、これを欠くときは、供託は無効となる。

(イ)　金銭債権の一部が差し押さえられた場合において、第三債務者が当該金銭債権の全額に相当する金銭を供託したときは、第三債務者は、執行債務者に供託の通知をしなければならない。

(ウ)　供託官から供託通知書の送付を受けた被供託者が供託物の還付請求をするときは、供託物払渡請求書に当該供託通知書を添付しなければならない。

(エ)　供託官に対し、被供託者に供託通知書を発送することを請求するときは、供託者は、被供託者の数に応じて、供託書に供託通知書を添付しなければならない。

(オ)　供託者が被供託者に供託の通知をしなければならない場合において、供託者からの請求を受けて供託官が行う供託通知書の発送は、行政訴訟の対象となる処分ではない。

(1)　(ア)(ウ)　　(2)　(ア)(エ)　　(3)　(イ)(エ)　　(4)　(イ)(オ)　　(5)　(ウ)(オ)

学習記録	／	／	／	／	／	／	／	／	／

重要度　A	知識型		正解　(4)

㈠ 誤　供託の通知は供託の有効要件ではなく、供託通知がされない場合の弁済供託についても、通知がされないことをもってその効力に影響を及ぼすものではない（大判大13.4.2）。したがって、これを欠くときは、供託は無効となるとする点で、本肢は誤っている。

㈡ 正　第三債務者が、債権の一部につき差押えを受け、債権全額を供託した場合、その差押えの効力の及んでいない部分の供託は、弁済供託としての性質を有し、被供託者を特定することができることから、供託者は、遅滞なく被供託者に供託の通知をしなければならない（民495Ⅲ）。

㈢ 誤　供託物払渡請求書の添付書類として供託通知書を添付する旨の規定は存在しない（供託規24参照）。したがって、供託通知書を添付しなければならないとする点で、本肢は誤っている。

㈣ 誤　金銭又は有価証券の供託をしようとする者が提出すべき供託書は、すべての供託所において原則として、ＯＣＲ用供託書でなければならないとされている（供託規13Ⅰ）。そして、ＯＣＲ用供託書を提出する方法で供託申請をする場合において、供託者が供託官に対し被供託者に供託通知書を発送することを請求するとき（供託規16Ⅰ）は、供託者は、被供託者の数に応じて、供託書に、送付に要する費用に相当する郵便切手などを付した封筒を添付しなければならないが（供託規16Ⅱ）、供託通知書を添付することを要しない（供託規16Ⅱ参照）。したがって、供託書に供託通知書を添付しなければならないとする点で、本肢は誤っている。

㈤ 正　行政訴訟の対象となる供託官の処分（行訴３Ⅱ）として考えられるものとしては、供託の申請、代供託及び附属供託の申請及び供託金保管替請求の受理又は却下、供託物払渡請求、供託金利息払渡請求及び供託有価証券利札払渡請求の認可又は却下、供託に関する書類の閲覧請求及び供託に関する事項の証明請求の却下等が挙げられる。この点、供託官が行う供託通知書の送付は、行政訴訟の対象となる供託官の処分には該当しない。

以上から、正しいものは㈡㈤であり、正解は(4)となる。

5c−20(R5−11)

供託手続全般

弁済供託の受諾に関する次の(ア)から(オ)までの記述のうち、誤っているものの組合せは、後記(1)から(5)までのうち、どれか。

(ア)　供託物還付請求権の仮差押債権者は、供託所に対し、供託を受諾する旨の意思表示をすることができない。

(イ)　被供託者が供託物還付請求権を譲渡し、供託所に対し書面によりその旨の通知をした場合であっても、当該書面に供託を受諾する旨が積極的に明示されていない限り、供託者は、供託物の取戻請求をすることができる。

(ウ)　被供託者が供託所に対し書面により供託を受諾する旨の意思表示をする場合には、当該書面に記名押印すれば足り、当該書面に押された印鑑に係る印鑑証明書を添付することを要しない。

(エ)　被供託者は、供託所に対し供託を受諾する旨の意思表示をした後は、当該意思表示を撤回することができない。

(オ)　債権者を確知することができないことを理由として、被供託者をＡ又はＢとする弁済供託がされた場合において、Ａが供託所に対し、自己の債権額に相当する部分につき、当該供託を受諾する旨の意思表示をするときは、Ａは、自らが債権者であることを証明しなければならない。

(1)　(ア)(ウ)　　(2)　(ア)(エ)　　(3)　(イ)(エ)　　(4)　(イ)(オ)　　(5)　(ウ)(オ)

学習記録	／	／	／	／	／	／	／	／	／

重要度 A	知識型		正解 (4)

(ア) 正　　供託物還付請求権の仮差押債権者は、供託受諾の意思表示をすることはできない（昭 38.2.4 民甲 351 号）。なぜなら、仮差押債権者は、単に供託物払渡請求権の処分を禁ずる地位にとどまり、第三債務者（供託所）に対して直接取立権を有していないからである（民保 50 Ⅴは民執 155 を準用していない）。

(イ) 誤　　供託物還付請求権の譲渡は、元の被供託者（譲渡人）の自由意思により行われるものであるから、特別の事情のない限り、譲渡行為自体に供託受諾の意思表示も含まれていると解される余地がある。そのため、供託所に送付された債権譲渡通知書中に供託を受諾する旨の記載がない場合であっても、当該書面中に供託を受諾したものでない旨の積極的な記載がある等特別の事情のない限り、債権譲渡通知の到達と同時に供託受諾の意思表示があったものと認めることができる。

(ウ) 正　　供託受諾書には、被供託者の印鑑証明書の添付は必ずしも必要ではない（昭 41.12.8 民甲 3321 号）。

(エ) 正　　供託受諾の法的性質は、被供託者がいまだ還付請求の要件を備えることができない場合に、供託者の取戻しを妨げる意思表示であり、供託受諾の意思表示は、撤回することはできない（昭 37.10.22 民甲 3044 号）。

(オ) 誤　　債権者不確知供託において、供託書に記載された債権者中の一人が供託金のうち自己の債権額に相当する部分につき供託を受諾する旨の供託受諾書を提出したときは、これを受理すべきである（昭 31.4.10 民甲 767 号）。したがって、Aは、自らが債権者であることを証明しなければならないとする点で、本肢は誤っている。

以上から、誤っているものは(イ)(オ)であり、正解は(4)となる。

5c－21(R6－9)　供託手続全般

担保（保証）供託に関する次の(ア)から(オ)までの記述のうち、正しいものの組合せは、後記(1)から(5)までのうち、どれか。

(ア)　民事訴訟における原告が供託所に金銭を供託する方法により訴訟費用の担保を立てる場合には、被告の同意がない限り、原告以外の第三者が供託者となることはできない。

(イ)　民事訴訟における被告が訴訟費用の担保として供託された供託金の払渡しを受けようとする場合には、裁判所の配当手続によらず、供託所に対して還付を請求する方法によらなければならない。

(ウ)　民事訴訟における当事者が供託する方法により仮執行免脱の担保を立てる場合には、有価証券を供託物とすることができない。

(エ)　営業保証供託として供託した供託金の差替えは、当該供託金取戻請求権が差し押さえられている場合であっても、することができる。

(オ)　営業保証供託については、担保官庁の承認があっても、営業主以外の第三者が供託者となることはできない。

(1)　(ア)(ウ)　　(2)　(ア)(エ)　　(3)　(イ)(エ)　　(4)　(イ)(オ)　　(5)　(ウ)(オ)

学習記録	／	／	／	／	／	／	／	／	／

重要度 A	知識型		正解 (4)

(ア) 誤　裁判上の保証供託は、裁判所の立担保命令等によって、担保提供を命ぜられた当事者が供託者となるのが原則であるが、第三者も本人に代わって供託することができる（大判大2.1.30、昭18.8.13民甲511号）。そして、第三者が裁判上の保証供託をする場合であっても、相手方の同意は要しない（昭35全国供託課長会同決議）。

(イ) 正　訴訟費用の担保として供託された金銭又は有価証券について、担保権者たる被告等が払渡しを受けるには、供託所に対して直接還付を請求する方法によらなければならない（平9.12.19民四2257号）。

(ウ) 誤　担保供託の目的物は、金銭又は裁判所が相当と認める有価証券（社債株式振替法278条1項に規定する振替債を含む。）によらなければならない（民訴76本文）。

(エ) 誤　供託金取戻請求権に対し、既に差押等の処分の制限がされた後は、供託物の差替えを行うことはできない（昭36.7.19民甲1717号）。

(オ) 正　営業保証供託において、担保官庁の承認がある場合であっても、第三者が供託者となることはできない（昭39全国供託課長会同決議）。

以上から、正しいものは(イ)(オ)であり、正解は(4)となる。

6a－1(57－13)　金銭債権に対して強制執行等がされた場合

金銭債権に対する差押え等に係る供託に関する次の記述のうち、正しいものはどれか。

(1)　強制執行による金銭債権の差押えを原因として第三債務者がする供託は、執行裁判所の所在地を管轄する地方裁判所の管轄区域内の供託所にしなければならない。

(2)　金銭債権について強制執行による差押えがされた場合には、第三債務者はその金銭債権の全額に相当する金銭を供託しなければならない。

(3)　金銭債権について仮差押えの執行が競合した場合には、第三債務者はその金銭債権の全額に相当する金銭を供託しなければならない。

(4)　金銭債権について滞納処分による差押えのみがされたとしても、第三債務者はその差押えを原因として供託することができない。

(5)　執行裁判所の配当に基づき供託金の払渡しを請求するには供託金払渡請求書に供託書正本を添付しなければならない。

学習記録	／	／	／	／	／	／	／	／	／

重要度 A | **知識型** | **要 *Check!*** | **正解 (4)**

(1) 誤　民事執行法上の第三債務者がする執行供託は、債務履行地の供託所にしなければならない（民執156Ⅰ・Ⅱ）。この債務履行地とは、第三債務者と執行債務者との関係で定まる債務履行地であり、すなわち、被差押債権の債務履行地である。

(2) 誤　金銭債権について強制執行による差押えがされた場合には、第三債務者は、金銭債権の全額に相当する金銭を債務履行地の供託所に供託することができる（民執156Ⅰ）。この場合には、差押えの効力が及んでいる部分については、第三債務者は、債権者からの取立てに応じて支払うこともできる（民執155Ⅰ）。しかし、債権者の取立てがない場合には、差押えの効力が及んでいる部分については、第三債務者は、債権者にも債務者にも支払うことができない（民執145Ⅰ）。そこで、金銭債権の全額に相当する金銭の供託を認めることで、第三債務者が差押えの効力が及んでいる部分の免責を受けることができるようにするとともに、その残余の部分（差押えの効力が及んでいない部分）についての免責をも一度に受けることができるようにしたものである。

(3) 誤　金銭債権について仮差押えの執行が競合した場合には、第三債務者は、金銭債権の全額に相当する金銭を債務履行地の供託所に供託することができる（民保50Ⅴ、民執156Ⅰ、平2.11.13民四5002号）。仮差押えの競合によっても、いずれの仮差押債権者にも取立権はなく、単に第三債務者に支払を禁止する命令が発せられるだけであることから（民保50Ⅰ）、第三債務者に二重払いの危険性はない。この場合には、第三債務者の権利供託を認めることで、その第三債務者が仮差押債務者に負っている債務の免責を図れば足りるからである。

(4) 正　金銭債権について滞納処分による差押えのみがされたとしても、第三債務者は、その差押えを原因として供託することができない。国税は原則として全ての公課その他の債権に先立って徴収され（税徴8）、滞納処分による差押えがされている部分については、徴収職員が直接取立てをすることができる（税徴67Ⅰ）。すなわち、この場合には、第三債務者は直接取立てに来た徴収職員に支払えば免責されることになる。

(5) 誤　裁判所の支払委託に基づき供託金の払渡しを受けるべき者は、支払委託書の記載から供託物の払渡しを受けるべき者であることが明らかとならないときは、供託物払渡請求書に執行裁判所が交付した支払証明書を添付しなければならない（供託規30Ⅰ・Ⅱ）。供託書正本は執行裁判所に保管されているので添付する必要はない。

6a−2(60−13)　金銭債権に対して強制執行等がされた場合

執行供託に関する次の記述のうち、誤っているものはどれか。

(1)　金銭債権に対し強制執行による差押えが競合しても、第三債務者は弁済期が到来するまでは、供託する必要はない。

(2)　金銭債権に対し滞納処分による差押えと仮差押えの執行が競合したときは、第三債務者はその債権の全額に相当する金銭を供託することができる。

(3)　金銭債権に対する仮差押えの執行の競合を原因として第三債務者が供託するときは、供託者は被供託者として仮差押債務者の住所・氏名を記載しなければならない。

(4)　金銭債権に対し強制執行による差押えがされたことを原因として第三債務者が供託した後、当該差押命令の申立てが取り下げられたときは、第三債務者は、「供託原因消滅」を事由として供託金を取り戻すことができる。

(5)　退職手当債権に対し、その４分の１を差し押さえる旨の複数の差押命令が相次いで送達されたときは、第三債務者はその退職手当債権の４分の１に相当する金銭を供託しなければならない。

学習記録	／	／	／	／	／	／	／	／	／

重要度 A | 知識型 | 要 *Check!* | 正解 (4)

⑴ 正　金銭債権に対して差押えが競合した場合、第三債務者はその債権全額に相当する金銭を債務履行地の供託所に供託しなければならない（民執156Ⅱ）。被差押債権について権利を主張する複数の債権者に対して、差押債権を換価した配当金を平等に分配できるようにする趣旨である。しかし、第三債務者が執行債務者に対して負っている債務の弁済期が未到来である場合には、執行債務者に対する債務の履行義務は生じていないため、第三債務者に供託義務が生ずることもない。

⑵ 正　金銭債権に対し滞納処分による差押えと仮差押えの執行が競合した場合には、その先後を問わず、第三債務者はその債権の全額に相当する金銭を債務履行地の供託所に供託することができる（滞調20の9Ⅰ・36の12Ⅰ・20の6Ⅰ）。滞納処分による差押えが仮差押えの執行に優先する場合であっても、劣後する場合であっても、徴収職員は取立権を有するので（滞納処分は仮差押え又は仮処分によりその執行を妨げられない、税徴140）、第三債務者に供託義務を課すことなく、供託する権利を認めることで当該第三債務者に債務の免責を認めているのである。

⑶ 正　金銭債権に対する仮差押えの執行の競合を原因として第三債務者が供託をする場合には、供託者は、被供託者として仮差押債務者の住所・氏名を記載しなければならない（平2.11.13民四5002号）。仮差押えは将来における金銭債権の執行を保全するためにするものであって、その執行がされても直ちに金銭債権を換価して債権者に配当されるものではないことから、仮差押えの執行が競合した場合であっても、第三債務者には、供託の方法による免責を得る権利を認めるだけで足りる（民保50Ⅴ、民執156Ⅰ、平2.11.13民四5002号）。このことから、金銭債権に対する仮差押えの執行の競合を原因として第三債務者のする供託は、弁済供託の性質を有するものと解されているからである。

⑷ 誤　金銭債権に対する差押えを原因とする第三債務者による供託（民執156Ⅰ）がされた後に、差押命令の申立てが取り下げられた場合であっても、差押金額に相当する供託金の払渡しは、原則として、執行裁判所の支払委託によって差押債務者に払い渡され（昭55.9.6民四5333号）、第三債務者が取戻しを請求することはできない。第三債務者はその供託によって既に債務免責の効果を受けているからである。なお、当該供託が錯誤により無効であるときは、第三債務者は、取戻請求をすることができる（8Ⅱ）。

(5)　正　　退職手当債権に対し、その４分の１を差し押さえる旨の複数の差押命令が相次いで送達されたときは、第三債務者（使用者）は、その退職手当債権の４分の１に相当する金銭を供託しなければならない（民執156Ⅱ）。退職手当債権のような生活費としての意味を持つ債権の場合には、その生活保障という社会政策的配慮から、当該給付の４分の３に相当する部分は差し押さえてはならないため（民執152Ⅱ）、退職手当債権に対して複数の差押えが競合した場合であっても、その４分の１の範囲内においてのみ第三債務者に供託義務が生ずるからである。なお、この場合には、法令条項として「民事執行法156条２項」のみを記載して退職手当金の全額につき供託をすることはできないが、「民事執行法156条１項及び２項」を記載して退職手当金の全額につき供託することはできる（昭58.11.22民四6653号）。

〈金銭債権に対して強制執行等がされた場合〉

<table>
<tr><th colspan="2"></th><th colspan="2">供託金額</th><th>法的性質</th><th>権利・義務の別</th></tr>
<tr><td colspan="2" rowspan="3">(1)単発の差押え又は複数の差押えが競合しない場合</td><td colspan="2">①差押金額</td><td>執行供託</td><td rowspan="3">権利</td></tr>
<tr><td rowspan="2">②債権全額</td><td>差押え部分</td><td>執行供託</td></tr>
<tr><td>他の部分</td><td>弁済供託</td></tr>
<tr><td colspan="2">(2)複数の差押えが競合する場合</td><td colspan="2">債権全額</td><td>執行供託</td><td>義務</td></tr>
<tr><td colspan="2" rowspan="3">(3)差押え後に配当要求があった場合</td><td colspan="2">①差押金額</td><td>執行供託</td><td>義務</td></tr>
<tr><td rowspan="2">②債権全額</td><td>差押え部分</td><td>執行供託</td><td>義務</td></tr>
<tr><td>他の部分</td><td>弁済供託</td><td>権利</td></tr>
<tr><td colspan="2">(4)転付命令があった場合（確定前に限る）</td><td colspan="4">差押えの状態により、上述の場合と同様の供託となる</td></tr>
<tr><td rowspan="4">(5)仮差押えの執行</td><td rowspan="2">イ　単発又は複数の仮差押えが競合しない場合</td><td colspan="2">①仮差押金額</td><td rowspan="2">機能面で弁済供託</td><td rowspan="2">権利</td></tr>
<tr><td colspan="2">②債権全額</td></tr>
<tr><td>ロ　複数仮差押えが競合する場合</td><td colspan="2">債権全額</td><td>同　上</td><td>権利</td></tr>
<tr><td>ハ　仮差押えの執行と差押えとが競合する場合</td><td colspan="2">債権全額</td><td>執行供託</td><td>義務</td></tr>
</table>

MEMO

6a−3(63−14)　金銭債権に対して強制執行等がされた場合

金銭債権に対する強制執行及び仮差押えの執行における供託に関する次の記述のうち、正しいものはどれか。

⑴　債権の一部が差し押さえられ、第三債務者が差押えに係る債権の全額に相当する金銭を供託する場合には、供託書には法令条項として民事執行法第156条第１項のほか、民法第494条をも記載しなければならない。

⑵　民事執行法第156条第１項による供託においては、弁済期経過後でも遅延損害金を付することを要しない。

⑶　債権について仮差押えの執行が競合した場合には、第三債務者はその債権の全額に相当する金銭を供託しなければならない。

⑷　差押えに係る債権について供託がされた後、差押命令の申立てが取り下げられた場合には、第三債務者は供託原因消滅を原因として供託金の取戻請求をすることができる。

⑸　債権の一部が差し押さえられた場合において、その債権の全額に相当する金銭を供託したときは、第三債務者は差押金額を超える部分につき、供託不受諾を原因として供託金の取戻請求をすることができる。

学習記録	／	／	／	／	／	／	／	／	／

重要度 A	知識型	要 *Check!*		正解 (5)

⑴ 誤　金銭債権の一部が差し押さえられ、第三債務者が差押えに係る債権の全額に相当する金銭を供託する場合であっても、供託書には法令条項として「民事執行法第156条第1項」のみを記載すれば足りる。本肢の供託は、あくまで金銭債権が差し押さえられたことを理由とする執行供託であり（民執156Ⅰ）、弁済供託の要件（民494）が充足されたことによる供託ではないからである。

⑵ 誤　金銭債権の一部が差し押さえられ、第三債務者が差押えに係る債権の全額に相当する金銭を供託する場合（民執156Ⅰ）であっても、弁済期経過後においては、遅延損害金を付さなければならない。本肢の供託は、金銭債権が差し押さえられた場合において、第三債務者が弁済期に供託することを認め、執行債務者に対する債務の免責を得させるためのものである。すなわち、第三債務者は、差押えの執行があっても、弁済期が到来すれば直ちに供託して債務の免責を受けることができ、当該執行の効果として弁済期後の遅滞の責任を免れさせる必要はないからである。

⑶ 誤　金銭債権について仮差押えの執行が競合した場合には、第三債務者は、金銭債権の全額に相当する金銭を債務履行地の供託所に供託することが「できる」（民保50Ⅴ、民執156Ⅰ、平2.11.13民四5002号）。仮差押えの競合によっても、いずれの仮差押債権者にも取立権はなく、単に第三債務者に支払を禁止する命令が発せられるだけであることから（民保50Ⅰ）、第三債務者に二重払いの危険性はない。この場合には、第三債務者の権利供託を認めることで、その第三債務者が仮差押債務者に負っている債務の免責を図れば足りるからである。

⑷ 誤　金銭債権に対する差押えを原因とする第三債務者による供託（民執156Ⅰ）がされた後に、差押命令の申立てが取り下げられた場合であっても、差押金額に相当する供託金の払渡しは、原則として、執行裁判所の支払委託によって差押債務者に払い渡され（昭55.9.6民四5333号）、第三債務者が取戻しを請求することはできない。第三債務者はその供託によって既に債務免責の効果を受けているからである。

⑸ 正　債権の一部が差し押さえられた場合において、その債権の全額に相当する金銭を供託したときは、第三債務者は差押金額を超える部分については、（執行債務者が受諾するまでは）供託不受諾を原因として供託金の取戻請求をすることができる（昭55.9.6民四5333号）。この場合において、供託金のうち差押金額を超える部分については、第三債務者が執行債務者のためにする弁済供託（民494）の性質を有するからである。

6a−4(元−14)　金銭債権に対して強制執行等がされた場合

　金銭債権について差押え等がされた場合に第三債務者がする供託に関する次の記述のうち、誤っているものはどれか。

(1)　金銭債権の一部が差し押さえられた場合、第三債務者は、その債権の全額に相当する金銭を供託することができる。

(2)　金銭債権の一部が差し押さえられた場合、第三債務者は、差し押さえられた金額に相当する金銭を供託することができる。

(3)　金銭債権について仮差押えの執行が競合した場合、第三債務者は、その債権の全額に相当する金銭を供託しなければならない。

(4)　金銭債権について差押えが競合したことを原因としてする供託は、債務の履行地の供託所にしなければならない。

(5)　第三債務者は、金銭債権について差押えが競合したことを原因として供託したときは、その事情を執行裁判所に届け出なければならない。

学習記録	／	／	／	／	／	／	／	／	／

重要度 A　知識型　要 *Check!*　　正解　(3)

(1)　正　　金銭債権について強制執行による差押えがされた場合には、第三債務者は、金銭債権の全額に相当する金銭を債務履行地の供託所に供託することができる（民執156Ⅰ）。この場合には、差押えの効力が及んでいる部分については、第三債務者は、債権者からの取立てに応じて支払うこともできる（民執155Ⅰ）。しかし、債権者の取立てがない場合には、差押えの効力が及んでいる部分については、第三債務者は、債権者にも債務者にも支払うことができない（民執145Ⅰ）。そこで、金銭債権の全額に相当する金銭の供託を認めることで、第三債務者が差押えの効力が及んでいる部分の免責を受けることができるようにするとともに、その残余の部分（差押えの効力が及んでいない部分）についての免責をも一度に受けることができるようにしたものである。

(2)　正　　金銭債権について強制執行による差押えがされた場合には、第三債務者は、差し押さえられた金額に相当する金銭のみを債務履行地の供託所に供託することができる（昭55.9.6民四5333号）。この場合には、第三債務者は、金銭債権の全額に相当する金銭を債務履行地の供託所に供託することもできる（民執156Ⅰ、(1)の解説参照）。すなわち、第三債務者が差し押さえられた金額に相当する金銭のみを供託し、その残余の部分（差押えの効力が及んでいない部分）については執行債務者に直接弁済をするというように、二度の免責行為を認めても、債権者や執行債務者を害することにはならないからである。

(3)　誤　　金銭債権について仮差押えの執行が競合した場合には、第三債務者は、金銭債権の全額に相当する金銭を債務履行地の供託所に供託することができる（民保50Ⅴ、民執156Ⅰ、平2.11.13民四5002号）。仮差押えの競合によっても、いずれの仮差押債権者にも取立権はなく、単に第三債務者に支払を禁止する命令が発せられるだけであることから（民保50Ⅰ）、第三債務者に二重払いの危険性はない。この場合には、第三債務者の権利供託を認めることで、その第三債務者が仮差押債務者に負っている債務の免責を図れば足りるからである。

(4)　正　　金銭債権について差押えが競合したことを原因としてする供託は、第三債務者の債務履行地の供託所にしなければならない（民執156Ⅱ）。執行供託は専ら執行債務者側の事情によるものであり、第三債務者に何ら帰責性がないことから、第三債務者に供託手続上の過重な負担を強いるべきではないからである。

(5)　正　　第三債務者は、金銭債権について差押えが競合したことを原因として供託したときは、その事情を執行裁判所に届け出なければならない（民執156Ⅳ）。この場合には、各差押債権者に供託金を平等に配当することができるようにするために、供託金の払渡しは、先に送達された差押命令を発した執行裁判所の配当等の実施としての支払委託に基づいてする（民執166Ⅰ、民執規138Ⅲ、昭55.9.6 民四5333号）。したがって、執行裁判所に対して供託した旨を確知させる必要があるからである。

MEMO

6a－5(2－14)　金銭債権に対して強制執行等がされた場合

金銭債権について仮差押えの執行がされた場合の供託又は仮差押解放金の供託に関する次の(ア)から(オ)までの記述のうち、誤っているものは幾つあるか。(改)

(ア)　第三債務者が仮差押えの執行がされた債権の額に相当する金額を供託した場合には、仮差押債務者が仮差押命令に記載された仮差押解放金の額の限度で、その額を供託したものとみなされる。

(イ)　仮差押解放金を供託したことにより、仮差押えの執行が取り消された場合、仮差押えの執行の効力は、仮差押債務者の有する仮差押解放金の取戻請求権の上に及ぶ。

(ウ)　仮差押解放金を供託したことにより、仮差押えの執行が取り消された場合、仮差押債権者以外の者は、仮差押債務者の有する仮差押解放金の取戻請求権を差し押さえることはできない。

(エ)　金銭債権の一部に仮差押えの執行がされ、第三債務者が仮差押えの執行に係る債権の全額に相当する金銭を供託した場合には、第三債務者は仮差押金額を超える額について供託不受諾を原因として取戻請求をすることができる。

(オ)　第三債務者が仮差押えの執行がされた債権の額に相当する金銭を供託する場合、仮差押債務者には供託通知がなされる。

(1)　0個　　(2)　1個　　(3)　2個　　(4)　3個　　(5)　4個

学習記録	／	／	／	／	／	／	／	／	／

重要度 A | **知識型** | **要 *Check!*** | **正解 (2)**

(ア) 正　金銭債権に対して仮差押えの執行がされた場合において、第三債務者が債権全額を供託したときは、仮差押金額に相当する部分につき債務者が仮差押解放金（民保22Ⅰ）の供託をしたものとみなされる（民保50Ⅲ、平2.11.13民四5002号・みなし解放金）。本肢の供託は、もともと第三債務者が仮差押債務者の債権に対して支払うべき金銭の供託であることから、実質的には仮差押債務者が供託したものと同視することができるからである。

(イ) 正　仮差押解放金（民保22Ⅰ）は、仮差押えの目的物に代わるものであるから、仮差押債務者が仮差押解放金を供託したことを証明したときは、保全執行裁判所は仮差押えの執行を取り消さなければならない（民保51）。この場合において、仮差押えの効力は、その限度で仮差押債務者が取得する仮差押解放金の取戻請求権の上に移行する（平2.11.13民四5002号）。

(ウ) 誤　仮差押債務者が仮差押解放金に相当する金銭を供託したことを証明したときは、保全執行裁判所は、仮差押えの執行を取り消さなければならない（民保51Ⅰ、平2.11.13民四5002号）。そして、この場合には、仮差押債務者の有する仮差押解放金の供託金取戻請求権には、仮差押解放金の限度で仮差押えの執行の効力が及ぶことになるが、これに対しては、仮差押債権者以外の債権者も差押え又は仮差押えの執行をすることができる（平2.11.13民四5002号）。したがって、当該仮差押債権者が本執行として取戻請求権を差し押さえることができるほか、他の債権者も差押え又は仮差押えの執行をすることが認められている。

(エ) 正　金銭債権の一部に仮差押えの執行がされ、第三債務者が仮差押えの執行に係る債権の全額に相当する金銭を供託したときは、第三債務者は差押金額を超える部分については、（仮差押債務者が受諾するまでは）供託不受諾を原因として供託金の取戻請求をすることができる（平2.11.13民四5002号）。この場合において、供託金のうち仮差押金額を超える部分については、第三債務者が仮差押債務者のためにする弁済供託（民494）の性質を有するからである。

(オ) 正　仮差押えの執行に基づく供託により、執行債務者は供託金還付請求権を取得し、その上に仮差押えの効力、及びその他の債権者の差押え・仮差押えの効力が及ぶとされる。このように、仮差押債務者に直ちに還付請求権を取得させることから、仮差押えの執行による供託は、その機能面において一種の弁済供託と同様の性質を有するものと解されている。したがって、第三債務者が仮差押えの執行がされた債権の額に相当する金銭を供託した場合には、仮差押債務者には供託通知がされる（民2.11.13民四5002号参照）。

以上から、誤っているものは(ウ)の１個であり、正解は(2)となる。

6a－6(3－14)　金銭債権に対して強制執行等がされた場合

金銭債権に対する強制執行における供託に関する次の記述のうち、正しいものはどれか。

(1)　差押禁止債権である給料について差押えがあった場合には、第三債務者は差押えに係る給料全額に相当する金銭の供託をすることができない。

(2)　金銭債権の全額について差押命令及び転付命令が送達された場合には、第三債務者は、当該転付命令が確定した後においても、差押えに係る金銭債権の全額に相当する金額の供託をすることができる。

(3)　金銭債権について差押えがされ、さらに強制執行による差押えがされて差押えが競合した場合には、弁済期が未到来であっても、第三債務者は、直ちに差押えに係る金銭債権の全額に相当する金銭を供託しなければならない。

(4)　金銭債権の一部について差押えがされ、次いで他の債権者から配当要求があった場合には、第三債務者は、差押金額に相当する金銭を供託しなければならない。

(5)　金銭債権の一部について滞納処分による差押えがされ、更に強制執行による差押えがされて差押えが競合した場合には、第三債務者は、差押えに係る金銭債権の全額に相当する金銭を供託しなければならない。

学習記録	／	／	／	／	／	／	／	／	／

重要度　A	知識型	要 *Check!*	正解　(4)

(1) 誤　　給料債権のような生活費としての意味を持つ債権の場合には、その生活保障という社会政策的配慮から、原則として当該給付の4分の3に相当する部分は、差し押さえてはならないとされている（民執152Ⅰ②）。したがって、給料債権に対する差押えは債権の一部に対する差押えとなるから、第三者債務者は、民事執行法156条1項により、債権全額に相当する金銭を供託することができる（昭55全国供託課長会同決議）。なお、扶養義務等に係る金銭債権（民執151の2）を請求する場合においては、その2分の1に相当する部分を差し押さえることができる（民執152Ⅲ）。

(2) 誤　　金銭債権の全額について差押命令及び転付命令が送達された場合、第三債務者は、当該転付命令が確定した後には、差押えに係る金銭債権の全額に相当する金銭の供託をすることができない。転付命令が確定してその効力が生じた場合には（民執159Ⅴ）、単に差押債務者から差押債権者に被差押債権が譲渡されたのと同様の状態になる（民執159Ⅰ）。転付命令確定後においては、第三債務者は差押債権者に弁済すればよく、供託することによって免責を受けるという利益は存しなくなるからである。

(3) 誤　　金銭債権に対して差押えが競合した場合、第三債務者はその債権全額に相当する金銭を債務履行地の供託所に供託しなければならない（民執156Ⅱ）。被差押債権について権利を主張する複数の債権者に対して、差押債権を換価した配当金を平等に分配できるようにする趣旨である。しかし、第三債務者が執行債務者に対して負っている債務の弁済期が未到来である場合には、執行債務者に対する債務の履行義務は生じていないため、第三債務者に供託義務が生ずることもない。

(4) 正　　金銭債権の一部について差押えがされ、次いで他の債権者から配当要求があった場合には、第三債務者は、差押金額に相当する金銭を債務履行地の供託所に供託しなければならない（民執156Ⅱ）。金銭債権の一部に対して差押えがされているところへ配当要求がされると、差押えがされた部分については配当等の実施がされるため、その部分についての供託が義務付けられるからである。

(5) 誤　　金銭債権の一部について滞納処分による差押えがされ、更に強制執行による差押えがされて差押えが競合した場合には、第三債務者は、差押えに係る金銭債権の全額に相当する金銭を債務履行地の供託所に供託することが「できる」（滞調20の6Ⅰ）。

6a−7(4−12)　金銭債権に対して強制執行等がされた場合

仮差押解放金又は仮処分解放金に関する次の記述のうち、誤っているものはどれか。

(1)　仮差押解放金の供託をする場合には、裁判所の許可を得て、仮差押債権者の住所地を管轄する地方裁判所の管轄区域内の供託所にすることができる。

(2)　仮差押解放金が供託された後に、本案訴訟で仮差押債権者が敗訴した場合において、債務者（供託者）が供託金の取戻しをしようとするときは、本案判決が確定したことを証する書面を供託金払渡請求書に添付することを要する。

(3)　金銭債権の一部に対して仮差押えの執行がされ、第三債務者が金銭債権の全額に相当する金銭を供託した場合には、その供託金のうち仮差押金額を超える部分については、債務者（被供託者）は、供託を受諾して還付請求をすることができる。

(4)　仮処分解放金の供託をする場合には、金銭でしなければならず、金銭に替えて有価証券ですることはできない。

(5)　所有権に基づく引渡請求権を被保全権利としてされた占有移転禁止の仮処分につき、仮処分解放金が供託され、仮処分の執行が取り消された場合において、本案の勝訴判決が確定したときは、被供託者である仮処分債権者は、執行文を要せず、還付請求権を行使して直接供託金の還付を請求することができる。

学習記録	／	／	／	／	／	／	／	／	／

重要度 A | **知識型** | **要 *Check!*** | **正解 (1)**

⑴ 誤　仮差押解放金の供託は、仮差押命令を発した裁判所又は保全執行裁判所の所在地を管轄する地方裁判所の管轄区域内の供託所にしなければならない（民保22Ⅱ）。民事保全手続における担保のための供託については、原則として担保を立てるべきことを命じた裁判所又は保全執行裁判所の所在地を管轄する地方裁判所の管轄区域内の供託所にしなければならず（民保４Ⅰ）、例外的に、前記の供託所に遅滞なく供託することが困難な事由があるときは、裁判所の許可を得て、債権者の住所地又は事務所の所在地その他裁判所が相当と認める地を管轄する地方裁判所の管轄区域内の供託所に供託することができる（民保14Ⅱ）。しかし、仮差押解放金の供託は、担保供託とは性質を異にするので（平2.11.13民四5002号）、民事保全法14条２項の規定は適用されない。

⑵ 正　仮差押解放金が供託された後に、仮差押えの執行が効力を失った場合における供託金の払渡しは、供託者（債務者）の取戻請求によってするが、この場合には、取戻しをする権利を有することを証する書面（供託規25Ⅰ）として、供託原因消滅証明書を添付しなければならない（平2.11.13民四5002号）。そして、本案訴訟で仮差押債権者が敗訴した場合には、本案判決が確定したことを証する書面がこれに当たる。

⑶ 正　金銭債権の一部に仮差押えの執行がされ、第三債務者が仮差押えの執行に係る債権の全額に相当する金銭を供託したときは、仮差押債務者（被供託者）は差押金額を超える部分については、供託受諾を原因として供託金の還付請求をすることができる（平2.11.13民四5002号）。供託金のうち仮差押金額を超える部分については、第三債務者が仮差押債務者のためにする弁済供託（民494）の性質を有するからである。

⑷ 正　仮処分解放金の供託をする場合には、金銭でしなければならず、金銭に代えて有価証券ですることはできない。仮処分解放金は、係争物に関する仮処分のうちで保全すべき権利が金銭の支払を受けることをもってその行使の目的を達成することができるものであるときに限り、裁判所が仮処分債権者の意見を聴いて、債務者が供託すべき「金銭」の額を定めることができるとされているからである（民保25Ⅰ、平2.11.13民四5002号）。

⑸ 正　仮処分解放金（民保25Ⅰ）は、民法424条１項の規定による詐害行為取消権以外の権利を保全する一般型仮処分解放金（平2.11.13民四5002号）と、民法424条１項の規定による詐害行為取消権を保全する特殊型仮処分解放金（平2.11.13民四5002号）とに分けることができる。占有移転禁止の仮処分（民保62）は、民法424条１項の規定による詐害行為取消権以外の権利

を保全するものであるため、これを保全するためにされる仮処分解放金は、一般型仮処分解放金に当たる。そして、この仮処分解放金が供託され、仮処分の執行が取り消された（民保 57Ⅰ）後に、仮処分の本案の勝訴判決が確定したときは、供託金還付請求権について停止条件が成就するので、仮処分債権者は、執行文を要せず、還付請求権を行使して直接供託所に対して供託金の還付請求をすることができる（平 2.11.13 民四 5002 号）。

〈各種供託の土地管轄〉

<table>
<tr><th colspan="2">供託の種類</th><th colspan="3">土地管轄供託所</th></tr>
<tr><td colspan="2" rowspan="2">弁済供託</td><td>原則</td><td colspan="2">債務履行地の供託所（民 495Ⅰ）
→債務履行地の属する最小行政区画（市区町村）内にある供託所をいう（朝鮮高判大 14.3.3）</td></tr>
<tr><td>例外</td><td colspan="2">債務履行地の属する最小行政区画内に供託所がない場合は、その最小行政区画を包摂する行政区画（都道府県）内の最寄りの供託所（昭 23.8.20 民甲 2378 号）
→時間的、経済的にみて被供託者の供託物の受領に最も便利な供託所をいう（昭 40.1.7 民甲 67 号）</td></tr>
<tr><td rowspan="5">保証供託</td><td>営業保証供託</td><td>旅行業者
許可割賦販売業者
宅建取引業者
家畜商</td><td colspan="2">主たる営業所（事務所、住所）の最寄りの供託所
（旅行業８Ⅶ、割賦 16Ⅰ、宅建業 25Ⅰ、家畜商 10の２）</td></tr>
<tr><td rowspan="4">裁判上の担保供託</td><td>民事訴訟法上の担保供託</td><td colspan="2">発令裁判所の所在地を管轄する地方裁判所の管轄区域内の供託所（民訴 76・259・405Ⅰ）</td></tr>
<tr><td>民事執行法上の担保供託</td><td colspan="2">発令裁判所又は執行裁判所の所在地を管轄する地方裁判所の管轄区域内の供託所（民執 15Ⅰ）</td></tr>
<tr><td rowspan="2">民事保全法上の担保供託</td><td>原則</td><td>発令裁判所又は保全執行裁判所の所在地を管轄する地方裁判所の管轄区域内の供託所（民保４Ⅰ）</td></tr>
<tr><td>例外</td><td>保全命令については、裁判所の許可により、裁判所が相当と認める地を管轄する地方裁判所の管轄区域内の供託所（民保 14Ⅱ）</td></tr>
<tr><td rowspan="2">執行供託</td><td>民事保全法上の解放金供託</td><td colspan="3">発令裁判所又は保全執行裁判所の所在地を管轄する地方裁判所の管轄区域内の供託所（民保 22Ⅱ・25Ⅱ）</td></tr>
<tr><td>債権に関する執行供託</td><td colspan="3">差押えに係る金銭債権の債務履行地の供託所（民執 156Ⅰ・Ⅱ、民保 50Ⅴ）</td></tr>
<tr><td colspan="2">譲渡制限株式の指定買取人の供託</td><td colspan="3">会社の本店所在地の供託所（会社 142Ⅱ）</td></tr>
</table>

MEMO

6a−8(5−11)　金銭債権に対して強制執行等がされた場合

金銭債権に対して差押え又は仮差押えの執行がされた場合の供託に関する次の記述のうち、誤っているものはどれか。(改)

(1)　金銭債権の一部が差し押さえられた場合には、第三債務者は、差押え金額を超え債権全額に満たない額の金銭を供託することができる。

(2)　金銭債権に対して仮差押えの執行のみがされた場合にする供託は、仮差押債務者を被供託者としてする。

(3)　金銭債権に対して差押えの競合を生じた場合であっても、債務者に対して同時履行の抗弁事由を有するときは、第三債務者は供託をすることを要しない。

(4)　金銭債権に対して仮差押えの執行がされた場合において、第三債務者が債権全額を供託したときは、仮差押金額に相当する部分につき債務者が仮差押解放金の供託をしたものとみなされる。

(5)　金銭債権の一部が差し押さえられた場合において、第三債務者がその債権全額を供託したときは、差押債務者には供託通知がなされる。

学習記録	／	／	／	／	／	／	／	／	／

重要度 A	知識型	要 *Check!*		正解 (1)

⑴ 誤　金銭債権の一部が差し押さえられた場合においては、第三債務者は差押えに係る金銭債権の全額に相当する金銭を債務履行地の供託所に供託することができる（民執156Ⅰ）。また、この場合、第三債務者の便宜を考慮して差押金額に相当する金銭のみを供託することもできる（昭55.9.6民四5333号）。しかし、差押金額と債権全額の範囲内で第三債務者が任意に算定した金額を供託することはできない。

⑵ 正　金銭債権に対して仮差押えの執行のみがされた場合にする供託は、仮差押債務者を被供託者としてする（平2.11.13民四5002号）。仮差押えは将来における金銭債権の執行を保全するためにするものであって、その執行がされても直ちに金銭債権を換価して債権者に配当されるものではないことから、金銭債権に対する仮差押えの執行を原因として第三債務者のする供託は、弁済供託の性質を有するものと解されているからである（平2.11.13民四5002号参照）。

⑶ 正　金銭債権に対して差押えが競合した場合、第三債務者はその債権全額に相当する金銭を債務履行地の供託所に供託しなければならない（民執156Ⅱ）。しかし、第三債務者が執行債務者に対して同時履行の抗弁権（民533）を有する場合、第三債務者は、執行債務者に対する債務の履行を拒むことができるのであるから、供託義務が生ずることもない。

⑷ 正　金銭債権に対して仮差押えの執行がされた場合において、第三債務者が債権全額を供託したときは、仮差押金額に相当する部分につき債務者が仮差押解放金（民保22Ⅰ）の供託をしたものとみなされる（民保50Ⅲ、みなし解放金、平2.11.13民四5002号）。本肢の供託は、もともと第三債務者が仮差押債務者の債権に対して支払うべき金銭の供託であることから、実質的には仮差押債務者が供託したものと同視することができるからである。

⑸ 正　金銭債権の一部が差し押さえられた場合においては、第三債務者は差押えにかかる金銭債権の全額に相当する金銭を債務履行地の供託所に供託することができる（民執156Ⅰ）が、この場合、差押金額を超える部分については、差押えの効力は及ばず弁済供託の性質を有するので、執行債務者は還付請求権を取得する。したがって、当該部分については、執行債務者が被供託者となるので、執行債務者には供託通知がされることになる。

6a−9(6−11)　金銭債権に対して強制執行等がされた場合

金銭債権又は供託物払渡請求権に対する差押え又は仮差押えの執行がされた場合に関する次の記述のうち、誤っているものはどれか。

(1) 金銭債権の一部が差し押さえられ、第三債務者がその全額に相当する金銭を供託した場合には、第三債務者は、供託金のうち差押金額を超える部分については、供託不受諾を原因として供託金の取戻しを請求することができる。

(2) 供託金還付請求権について転付命令を得た場合であっても、その還付請求権に対してほかに差押え又は仮差押えの執行がされていないときは、転付命令の確定前であれば、その債権者は、差押命令に基づく取立権を行使して供託金の払渡しを請求することができる。

(3) 仮差押債権者が本執行として仮差押解放金の取戻請求権の差押えをした場合において、その取戻請求権に対してほかに差押え又は仮差押えの執行がされていないときは、差押債権者は、差押命令に基づく取立権を行使して供託金の払渡しを請求することができる。

(4) 民法第 424 条第１項の規定による詐害行為取消権以外の権利を保全するための仮処分命令が発せられた後、仮処分解放金の供託がされたことにより仮処分の執行が取り消されたときは、仮処分債権者は、供託金の還付請求をすることができる。

(5) 金銭債権が差し押さえられてその全額に相当する金銭が供託された後、差押命令が取り消され、その決定の効力が生じた場合には、債務者は、直接供託金の払渡しを請求することができる。

学習記録	／	／	／	／	／	／	／	／	／

重要度 A	知識型	要 *Check!*		正解 (4)

⑴ 正　債権の一部が差し押さえられた場合において、その債権の全額に相当する金銭を供託したときは、第三債務者は差押金額を超える部分については、(執行債務者が受諾するまでは) 供託不受諾を原因として供託金の取戻請求をすることができる (昭 55.9.6 民四 5333 号)。この場合において、供託金のうち差押金額を超える部分については、第三債務者が執行債務者のためにする弁済供託 (民 494) の性質を有するからである。

⑵ 正　転付命令は、執行裁判所の決定により、券面額で、差し押さえられた金銭債権を差押債権者に移転するものである (民執 159 I)。転付命令は、第三債務者に送達される時までに転付命令に係る金銭債権について他の債権者が差押え、仮差押えの執行又は配当要求をすると効力を失う (民執 159 III)。更に、転付命令は、確定しなければその効力を生じない (民執 159 V)。したがって、供託金還付請求権に対してほかに差押え又は仮差押えの執行がされておらず、転付命令が確定していなければ、単に金銭債権に差押えがされているのみであるので、差押債権者は、差押命令が債務者に送達された日から１週間経過したことを証する書面を添付して差押命令に基づく取立権 (民執 155 I) を行使することによって、供託金の払渡しを請求することができる (昭 55.9.6 民四 5333 号)。

⑶ 正　仮差押債権者が本執行として仮差押解放金の取戻請求権の差押えをした場合において、その取戻請求権に対してほかに差押え又は仮差押えの執行がされていないときは、差押債権者は、差押命令に基づく取立権 (民執 155 I) を行使して、供託所 (第三債務者) に対して直接供託金の払渡しを請求することができる (平 2.11.13 民四 5002 号)。なお、この場合には、供託金払渡請求書にその差押命令が債務者に送達された日から１週間を経過したことを証する書面を添付しなければならない。

⑷ 誤　民法 424 条１項の規定による詐害行為取消権以外の権利を保全するための仮処分命令が発せられた後、仮処分債務者によって仮処分解放金の供託がされたことにより、当該仮処分の執行が取り消されたときであっても、仮処分債権者は、本案の勝訴判決を得るまでは供託金の還付請求をすることができない。この仮処分解放金 (「一般型仮処分解放金」という。) を仮処分債務者が供託し、仮処分の執行が取り消されると (民保 57 I)、仮処分の効力は、仮処分の目的物に代わるものとして仮処分解放金の上に及ぶ。すなわち、仮処分債権者は、本案の勝訴判決を停止条件とする還付請求権を取得することになるからである (平 2.11.13 民四 5002 号)。

⑸　正　　金銭債権が差し押さえられてその全額に相当する金銭が供託された後、差押命令が取り消され、その決定の効力が生じた場合であっても、供託金の払渡しは、原則として執行裁判所の支払委託によってされる（昭55.9.6民四5333号）。ただし、債務者から、供託金払渡請求書に差押命令を取り消す決定が効力を生じたことを証する書面を添付して、直接供託金の払渡しを請求することもできる（同上通達参照）。

MEMO

6a－10(7－10)　金銭債権に対して強制執行等がされた場合

金銭債権について差押え等がされた次の各場合のうち、第三債務者が差押え等に係る金銭債権の全額に相当する金銭を供託しなければならないものは幾つあるか。

(ア)　金銭債権の一部に対して差押えがされた場合。

(イ)　金銭債権の一部に対して仮差押えの執行がされた場合。

(ウ)　金銭債権について、差押えと差押えとが競合した場合。

(エ)　金銭債権について、差押えと仮差押えの執行とが競合した場合。

(オ)　金銭債権について、仮差押えの執行と仮差押えの執行とが競合した場合。

(1)　1個　　(2)　2個　　(3)　3個　　(4)　4個　　(5)　5個

学習記録	／	／	／	／	／	／	／	／	／

重要度 A	知識型	要 *Check!*		正解 (2)

(ア) 供託することができる　金銭債権について強制執行による差押えがされた場合には、第三債務者は、金銭債権の全額に相当する金銭を債務履行地の供託所に供託することができる（民執156Ⅰ）。この場合には、差押えの効力が及んでいる部分については、第三債務者は、債権者からの取立てに応じて支払うこともできる（民執155Ⅰ）。しかし、債権者の取立てがない場合には、差押えの効力が及んでいる部分については、第三債務者は、債権者にも債務者にも支払うことができない（民執145Ⅰ）。そこで、金銭債権の全額に相当する金銭の供託を認めることで、第三債務者が差押えの効力が及んでいる部分の免責を受けることができるようにするとともに、その残余の部分（差押えの効力が及んでいない部分）についての免責をも一度に受けることができるようにしたものである。

(イ) 供託することができる　金銭債権について仮差押えの執行がされた場合には、第三債務者は、金銭債権の全額に相当する金銭を債務履行地の供託所に供託することができる（民保50Ⅴ、民執156Ⅰ）。この場合には、仮差押えの効力が及んでいる部分については、第三債務者は、仮差押債務者に弁済をすることができない（民保50Ⅰ）。そこで、金銭債権の全額に相当する金銭の供託を認めることで、第三債務者が仮差押えの効力が及んでいる部分の免責を受けることができるようにするとともに、その残余の部分（仮差押えの効力が及んでいない部分）についての免責をも一度に受けることができるようにしたものである。

(ウ) 供託しなければならない　金銭債権に対して差押えが競合した場合、第三債務者はその債権全額に相当する金銭を債務履行地の供託所に供託しなければならない（民執156Ⅱ）。

(エ) 供託しなければならない　金銭債権に対して差押えと仮差押えの執行とが競合した場合、第三債務者はその債権全額に相当する金銭を債務履行地の供託所に供託しなければならない（民執156Ⅱ）。この場合には、差押債権者は直接取立権を有するが（民執155Ⅰ）、仮差押債権者はこれを有しない。しかし、差押債権者のほかに仮差押債権者が存する以上、特定の債権者（差押債権者）のみに取立権を認めるのは適当でない。そこで、第三債務者に供託義務を課し、その後は、執行裁判所の配当手続により、債権者間の公平を図ることにしているものである。

(オ)　供託することができる　　金銭債権について仮差押えの執行が競合した場合には、第三債務者は、金銭債権の全額に相当する金銭を債務履行地の供託所に供託することができる（民保50Ⅰ、民執156Ⅰ、平2.11.13民四5002号）。仮差押えの競合によっても、いずれの仮差押債権者にも取立権はなく、単に第三債務者に支払を禁止する命令が発せられるだけであることから（民保50Ⅰ）、第三債務者に二重払いの危険性はない。この場合には、第三債務者の権利供託を認めることで、その第三債務者が仮差押債務者に負っている債務の免責を図れば足りるからである。

以上から、供託しなければならないものは(ウ)(エ)の２個であり、正解は(2)となる。

MEMO

6a−11(8−11)　金銭債権に対して強制執行等がされた場合

執行供託に関する次の記述のうち、誤っているものはどれか。

(1) 金銭債権に対して仮差押命令が送達され、第三債務者が供託した後、仮差押えの執行が効力を失った場合は、仮差押債務者（被供託者）は、供託金の還付請求をすることができる。

(2) 仮処分解放金の供託後本案の勝訴判決が確定する前に仮処分の申請が取り下げられた場合、債務者（供託者）は、供託金の取戻請求をすることができる。

(3) 金銭債権の一部に対する差押命令の送達後、配当要求があった旨を記載した文書の送達を受けた第三債務者は、差押えに係る金銭債権の全額を供託しなければならない。

(4) 金銭債権について仮差押えの執行がされ、次いで滞納処分による差押えがされて競合したときは、第三債務者はその債権の全額に相当する金銭を供託することができる。

(5) 給与債権が差し押さえられた場合において、第三債務者が供託をするときは、差押禁止部分を含め給与の全額を供託することができる。

学習記録	／	／	／	／	／	／	／	／	／

重要度 A	知識型	要 *Check!*	正解 (3)

⑴ 正　金銭債権に対して仮差押命令が送達され、第三債務者が供託した後、仮差押えの執行が効力を失った場合は、仮差押債務者（被供託者）は、供託金の還付請求をすることができる（平2.11.13民四5002号）。仮差押えの執行については配当手続は行われないため、仮差押えの取下げ又は取消決定により、仮差押債務者の還付請求権の上に及んでいた仮差押えの効力は失われているからである。

⑵ 正　仮処分解放金の供託後、本案の勝訴判決が確定する前に仮処分の申請が取り下げられた場合には、債務者（供託者）は、供託金の取戻請求をすることができる（平2.11.13民四5002号）。この場合には、仮処分の申請が取り下げられたことにより、供託原因が消滅することになるからである。

⑶ 誤　金銭債権の一部に対する差押命令の送達後、他の債権者から配当要求があった旨を記載した文書の送達を受けた場合には、第三債務者は、「差し押さえられた部分に相当する」金銭を債務履行地の供託所に供託しなければならない（民執156Ⅱ）。金銭債権の一部に対して差押えがされているところへ配当要求がされると、差押えがされた部分については配当等の実施がされるからである。しかし、この場合には、差押えの効力は拡大せず、差押債権者と配当要求権者は、被差押部分各々の債権額の割合に応じて配当にあずかるのみであるため、金銭債権の全額については供託義務が生ずることはない。

⑷ 正　金銭債権に対し滞納処分による差押えと仮差押えの執行が競合した場合には、その先後を問わず、第三債務者はその債権の全額に相当する金銭を債務履行地の供託所に供託することができる（滞調20の9Ⅰ・36の12Ⅰ・20の6Ⅰ）。滞納処分による差押えが仮差押えの執行に優先する場合であっても、劣後する場合であっても、徴収職員は取立権を有するので（税徴140）、第三債務者に供託義務を課すことなく、供託する権利を認めることで当該第三債務者に債務の免責を認めている。

⑸ 正　給与債権のような生活費としての意味を持つ債権の場合には、その生活保障という社会政策的配慮から、原則として当該給付の4分の3に相当する部分は、差し押さえてはならない（民執152Ⅰ②）。したがって、給料債権に対する差押えは債権の一部に対する差押えとなるから、第三債務者は、民事執行法156条1項により、債権全額に相当する金銭を供託することができる（昭55全国供託課長会同決議）。

6a−12(9−10)　金銭債権に対して強制執行等がされた場合

事情届に関する次の記述のうち、誤っているものはどれか。

(1)　金銭債権に対する仮差押えの執行に基づき第三債務者が供託した供託金還付請求権に対して他の債権者から差押えがされ、仮差押えの執行と差押えとが競合した場合には、供託官は、執行裁判所に事情届をしなければならない。

(2)　金銭債権に対する差押えがされたことを原因として供託をした第三債務者は、執行裁判所に事情届をしなければならない。

(3)　弁済供託の還付請求権に対して差押えがされた後、他の債権者から仮差押えの執行がされ、差押えと仮差押えの執行とが競合した場合において、当該差押債権者から還付請求権の行使のための供託金払渡請求があったときは、供託官は、執行裁判所に事情届をしなければならない。

(4)　金銭債権に対する滞納処分による差押えがされた後、強制執行による差押えがされ、差押えが競合したため、第三債務者が金銭債権の全額に相当する金銭を供託したときは、第三債務者は、執行裁判所に事情届をしなければならない。

(5)　執行官は、配当を実施するにあたり、仮差押債権者に配当すべき額に相当する金銭を供託したときは、執行裁判所に事情届をしなければならない。

学習記録	／	／	／	／	／	／	／	／	／

重要度 A	知識型	要 *Check!*	正解 (4)

⑴ 正　金銭債権に対する仮差押えの執行に基づき第三債務者が供託した供託金還付請求権に対して他の債権者から差押えがされ、仮差押えの執行と差押えとが競合した場合には、供託官は、執行裁判所に事情届をしなければならない（民保50Ⅴ、民執156Ⅱ・Ⅳ、民保規41、民執規138Ⅰ、平2.11.13民四5002号）。仮差押債権者がする本執行は、仮差押債務者が有する供託物還付請求権に対する差押えの方法によることになるが、他の債権者もこの供託物還付請求権に対して差押えをすることができる。仮差押債権者は、優先弁済を受ける権利を有するものではないので、当該仮差押債権者が本執行として還付請求権を差し押さえることができるほか、他の債権者も差押えをすることが認められている。そして、この場合には、供託の性質は第三債務者（供託者）の仮差押債務者（被供託者）に対する債務の弁済としての効果を伴う弁済供託から執行供託に変わることになり、執行裁判所が配当等の実施としての支払委託に基づき供託金の払渡しをすることになることから、供託官に執行裁判所への事情届を義務付けているものである。

⑵ 正　第三債務者は、金銭債権に対する差押えがされたことを原因として供託をしたときは、供託書正本を添付して執行裁判所に事情届をしなければならない（民執156Ⅰ・Ⅳ、民執規138Ⅱ）。執行裁判所が、本肢の供託がされたことに基づき配当等を実施するためには、当該供託がされた事実を知る必要があるからである。

⑶ 正　供託金払渡請求権について、差押えと差押えの競合若しくは差押えと仮差押えの執行とが競合し、又は差押えと配当要求があった旨を記載した文書の送達があった場合には、第三債務者である供託所は供託義務を負い、差押債権者の取立て（民執155Ⅰ）に応ずることはできない（民執156Ⅱ）。しかし、供託義務を負うといっても、既にされている供託金について、改めて供託所が供託するというのは無意味であるから、そのまま供託を維持した上で、供託官は民事執行法156条２項、４項に基づき執行裁判所に事情届出をする（昭55.9.6民四5333号）。

⑷ 誤　第三債務者は滞納処分による差押えがされた金銭について、更に強制執行による差押えがされ差押えが競合した場合には、その債権の全額について債務の履行地に供託することができる（滞調20の６Ⅰ）。そして、第三債務者が供託したときは、その事情を「徴収職員等」に届け出なければならない（滞調20の６Ⅱ）。この場合、滞納処分による差押えに相当する部分の払渡しについては徴収職員等の還付請求によってされるため（昭55.9.6民四5333号）、徴収職員等に供託がされたことを了知させる必要があるからである。

⑸　正　　執行官が配当等を実施する場合において（民執139)、配当等を受けるべき債権者の債権が仮差押債権者の債権であるときは、当該債権については、債権者に配当金を交付することはできないため（民保49Ⅳにおいて民執139Ⅰの準用なし)、執行官はその額に相当する金銭を供託し、供託書正本及び事件の記録を添付してその事情を執行裁判所に届け出なければならない（民執141Ⅰ、民執規131Ⅱ)。

MEMO

6a−13(12−10)　金銭債権に対して強制執行等がされた場合

執行供託に関する次の(ア)から(オ)までの記述のうち、正しいものの組合せは、後記(1)から(5)までのうちどれか。

(ア)　金銭債権に対して差押えの執行がされた場合において、債務の履行地に供託所がないときは、裁判所の指定する供託所に供託しなければならない。

(イ)　給与債権の一部に対して差押えの執行がされたときは、第三債務者は、差押禁止部分を含む給与全額を供託することができる。

(ウ)　金銭債権に対して差押えの執行が競合し、第三債務者が債権の全額に相当する金銭を供託するときは、供託書の「被供託者の住所氏名」欄には執行債務者の住所氏名を記載しなければならない。

(エ)　金銭債権に対する仮差押えの執行が競合したときは、第三債務者は、債権の全額に相当する金銭を供託しなければならない。

(オ)　金銭債権の一部に対して滞納処分による差押えの執行がされている場合において、その残余の範囲内で強制執行による差押えがされたときは、第三債務者は、当該金銭債権のうち、滞納処分による差押えがされていない部分の全額に相当する金銭を供託することができる。

(1)　(ア)(イ)　(2)　(ア)(エ)　(3)　(イ)(オ)　(4)　(ウ)(エ)　(5)　(ウ)(オ)

学習記録	／	／	／	／	／	／	／	／	／

重要度 A | **知識型** | **要 *Check!*** | **正解 (3)**

(ア) 誤　金銭債権が差し押さえられた場合における第三債務者による供託は民法上の弁済供託の性質を有しているので、その申請は「債務の履行地の供託所」に対して行う（民執156Ⅰ・Ⅱ）。「債務の履行地の供託所」とは、債務の履行の場所である最小行政区画（市区町村）内に存在する供託所のことである。そして、当該最小行政区画内に供託所がない場合には、これを包括する行政区画（都道府県）内の最寄りの供託所に対して行うのであり（昭23.8.20民甲2378号）、裁判所の指定する供託所に対して行うのではない。

(イ) 正　給与債権のような生活費としての意味を持つ債権の場合には、その生活保障という社会政策的配慮から、原則として当該給付の4分の3に相当する部分は、差し押さえてはならない（民執152Ⅰ②）。したがって、給料債権に対する差押えは債権の一部に対する差押えとなるから、第三債務者は、民事執行法156条1項により、債権全額に相当する金銭を供託することができる（昭55全国供託課長会同決議）。

(ウ) 誤　金銭債権に対して差押えの執行が競合した場合、第三債務者は、債権の全額に相当する金銭を債務の履行地の供託所に供託しなければならない（民執156Ⅱ）。この場合、供託書の「被供託者の住所氏名」欄に執行債務者の住所氏名を記載することはできない。当該供託は執行供託であり、供託金について差押債権者又は執行債務者は当然には還付請求権を有せず、執行裁判所の配当等の実施としての支払委託によって初めて還付請求権が発生するからである。

(エ) 誤　金銭債権に対する仮差押えの執行が競合した場合、第三債務者は、仮差押えの執行に係る金銭債権の全額に相当する金銭を債務の履行地の供託所に供託することが「できる」（民保50Ⅴ、民執156Ⅰ、平2.11.13民四5002号）。仮差押債権者は被差押債権の取立権を有せず、また仮差押えの執行により配当等の手続が実施されることもないことから、第三債務者に供託義務を課す必要がないからである。

(オ) 正　金銭債権の一部に対して滞納処分による差押えの執行がされている場合において、その残余の範囲内で強制執行による差押えがされたときは、「滞納処分と強制執行等との手続の調整に関する法律」の適用がないため、第三債務者は滞納処分による差押金額に相当する金銭については供託することができない。この場合、第三債務者は、滞納処分による差押えがされていない部分に相当する金銭又は強制執行による差押金額に相当する金銭を供託することができる（民執156Ⅰ、昭55.9.6民四5333号）。

以上から、正しいものは(イ)(オ)であり、正解は(3)となる。

6a－14（16－11）　金銭債権に対して強制執行等がされた場合

執行供託に関する次の(ア)から(オ)までの記述のうち、誤っているものの組合せは、後記(1)から(5)までのうちどれか。（改）

(ア)　金銭債権の一部が差し押さえられた場合において、第三債務者がその債権全額を供託したときは、執行債務者には、供託通知がなされる。

(イ)　滞納処分による差押えがされた金銭債権に対して、その後、強制執行による差押えがされた場合であっても、第三債務者は、供託をしないで徴収職員の取立てに応じて弁済することができる。

(ウ)　給与債権のうち差押えが許容される部分に対して差押えがされ、その給与債権の全額について供託がされた後、当該差押部分につき差押債権者に払渡しがされたときは、他の債権者は、その残部に係る供託物還付請求権を差し押さえ、払渡しを受けることができる。

(エ)　金銭債権に対して仮差押えの執行がされたため、第三債務者が当該金銭債権の額に相当する金銭を供託したときは、仮差押えの債務者は、供託金のうち仮差押解放金の額を超える部分については、還付を請求することができる。

(オ)　金銭債権の一部に対して仮差押えの執行がされた後、当該金銭債権の全額に対して仮差押えの執行がされ、仮差押えが競合した場合には、第三債務者は、当該金銭債権について供託をしなければならない。

(1)　(ア)(ウ)　　(2)　(ア)(エ)　　(3)　(イ)(エ)　　(4)　(イ)(オ)　　(5)　(ウ)(オ)

学習記録	／	／	／	／	／	／	／	／	／

重要度　A	知識型	要 *Check!*		正解　(5)

(ア)　正　　金銭債権の一部が差し押さえられた場合においては、第三債務者は差押えにかかる金銭債権の全額に相当する金銭を債務履行地の供託所に供託することができる（民執156Ⅰ）が、この場合、差押金額を超える部分については、差押えの効力は及ばず弁済供託の性質を有するので、執行債務者は還付請求権を取得する。したがって、当該部分については、執行債務者が被供託者となるので、執行債務者へ供託通知がされることになる。

(イ)　正　　第三債務者は、滞納処分による差押えがされた金銭債権について、更に強制執行による差押えがされ、差押えが競合したときは、その債権の全額に相当する金銭を債務の履行地の供託所に供託することができる（滞調20の6Ⅰ）。この供託ができる場合でも、滞納処分による差押えがされた部分については、第三債務者は徴収職員等に対して直接弁済することもできる。この場合において、弁済した残余の部分については民事執行法156条1項による供託が可能である。また、滞納処分による差押えと強制執行による差押えが競合していない場合には、第三債務者は、滞納処分による差押えがされている部分の金額について供託は認められず、徴収職員等の取立てに応じて弁済をしなければならない（税徴67Ⅰ）。

(ウ)　誤　　給与債権のうち差押えが許容される部分につき差押えがされ、その給与債権の全部が供託された場合において、差押部分について差押債権者に対する払渡しがされたときは、他の債権者から更に残余の供託金還付請求権についての差押えがされても、その差押えに基づく払渡請求は認可することはできない（昭59全国供託課長会同決議）。給与債権のような生活費としての意味を持つ債権の場合には、その生活保障という社会政策的配慮から、原則として当該給付の4分の3（扶養義務等に係る定期金債権（民執151の2Ⅰ）については、2分の1）に相当する部分は差し押さえてはならない（民執152Ⅰ②・Ⅲ）が、この趣旨は供託がされたからといって失われるものではないからである。

(エ)　正　　金銭債権に対して仮差押えの執行がされた場合、第三債務者が当該金銭債権の額に相当する金銭を供託したときは、債務者が民事保全法22条1項の規定により定められた仮差押解放金を供託したものとみなされるが、仮差押金額を超える部分についてはこの限りではない（民保50Ⅲ）。この場合、仮差押債務者（被供託者）は仮差押金額（仮差押解放金）を超える部分については、供託受諾を原因として供託金の還付請求をすることができる（平2.11.13民四5002号）。供託金のうち仮差押金額を超える部分については、第三債務者が仮差押債務者のためにする弁済供託（民494）の性質を有するからである。

(オ)　誤　　金銭債権について仮差押えの執行が競合した場合には、第三債務者は、金銭債権の全額に相当する金銭を債務履行地の供託所に供託することができる（民保50Ⅴ、民執156Ⅰ、平2.11.13民四5002号）。仮差押えが競合しても、いずれの仮差押債権者にも取立権はなく、単に第三債務者に支払を禁止する命令が発せられるだけであることから（民保50Ⅰ）、第三債務者に二重払いの危険性はない。この場合には、第三債務者の権利供託を認めることで、その第三債務者が仮差押債務者に負っている債務の免責を図れば足りるからである。

以上から、誤っているものは(ウ)(オ)であり、正解は(5)となる。

MEMO

6a－15(18－10)　金銭債権に対して強制執行等がされた場合

金銭債権又は供託物払渡請求権に対する差押え又は仮差押えの執行がされた場合の法律関係に関する次の(ア)から(オ)までの記述のうち、誤っているものの組合せは、後記(1)から(5)までのうちどれか。

(ア)　金銭債権の全部に対して仮差押えの執行がされた後、当該金銭債権の一部に対し差押えがされたときは、第三債務者は、当該金銭債権の全額に相当する金銭を供託しなければならない。

(イ)　給与債権が差し押さえられた場合において、第三債務者が供託するときは、差押禁止部分を含む給与の全額の供託をすることはできない。

(ウ)　金銭債権の一部に対して差押えがされ、第三債務者が当該金銭債権の全額に相当する金銭を供託しているときは、差押債権者は、その取立権に基づき直接払渡請求をすることができる。

(エ)　金銭債権の一部に対して差押えがされ、第三債務者が当該金銭債権の全額に相当する金銭を供託しているときは、執行債務者は、当該差押えに係る金額を超える部分について、供託を受諾して、還付請求をすることができる。

(オ)　弁済供託の供託金還付請求権が被供託者の債権者によって差し押さえられた場合であっても、供託者は、被供託者が供託を受諾しないことを理由として供託金の払渡しを請求することができる。

(1)　(ア)(ウ)　(2)　(ア)(オ)　(3)　(イ)(ウ)　(4)　(イ)(エ)　(5)　(エ)(オ)

学習記録	／	／	／	／	／	／	／	／	／

重要度 A　知識型　要 *Check!*　　正解 (3)

(ア) 正　　金銭債権の全部に対して仮差押えの執行がされた後、当該金銭債権の一部に対し差押えがされたときは、第三債務者は、当該金銭債権の全額に相当する金額を供託しなければならない（民保50Ⅴ、民執156Ⅱ・義務供託）。

(イ) 誤　　給与債権のような生活費としての意味を持つ債権の場合には、その生活保障という社会政策的配慮から、原則として当該給付の4分の3に相当する部分は差し押さえてはならない（民執152Ⅰ②）が、第三債務者は、民事執行法156条1項（権利供託）により、債権全額に相当する金銭を供託することができる（昭55全国供託課長会同決議）。

(ウ) 誤　　金銭債権の一部に対して差押えがされ、第三債務者が当該金銭債権の全額に相当する金銭を供託している（民執156Ⅰ）ときは、供託金の払渡しは執行裁判所の配当等の実施としての支払委託に基づいてされる（民執166Ⅰ①、昭55.9.6民四5333号）。したがって、差押債権者が、その取立権に基づき直接払渡請求をすることはできない。

(エ) 正　　金銭債権の一部に対して差押えがされ、第三債務者が当該金銭債権の全額に相当する金銭を供託している（民執156Ⅰ）ときは、差押債権額を超える部分については弁済供託としての性質を有するので、本来の債権者である執行債務者は、供託を受諾して還付請求をすることができる（昭55.9.6民四5333号）。

(オ) 正　　被供託者が供託を受諾したときは、供託者は供託物を取り戻すことができないが（民496Ⅰ）、供託金還付請求権が被供託者の債権者によって単に差し押さえられた場合には、これを供託受諾の意思表示とみることができないので供託者は取戻請求をすることができる。

以上から、誤っているものは(イ)(ウ)であり、正解は(3)となる。

6a－16(21－10)　金銭債権に対して強制執行等がされた場合

執行供託に関する次の(ア)から(オ)までの記述のうち、正しいものの組合せは、後記(1)から(5)までのうちどれか。

(ア)　第三債務者は、取立訴訟に係る訴状の送達を受ける時までに、差押えに係る金銭債権のうち差し押さえられていない部分を超えて発せられた差押命令の送達を受けたときは、その債権の全額に相当する金銭を債務の履行地の供託所に供託しなければならない。

(イ)　第三債務者は、滞納処分による差押えがされている金銭債権について強制執行による差押命令の送達を受けたときは、その債権の全額に相当する金銭を債務の履行地の供託所に供託しなければならない。

(ウ)　金銭債権の一部について仮差押えの執行がされた場合、第三債務者は、仮差押えの執行に係る額に相当する金銭を債務の履行地の供託所に供託しなければならない。

(エ)　金銭債権について仮差押えの執行がされた場合において、債務者が仮差押解放金を供託したことを証明したときは、保全執行裁判所は、仮差押えの執行を取り消さなければならない。

(オ)　第三債務者は、差し押さえられた部分が差押えに係る金銭債権の一部であっても、当該債権の全額に相当する金銭を債務の履行地の供託所に供託しなければならない。

(1)　(ア)(ウ)　　(2)　(ア)(エ)　　(3)　(イ)(ウ)　　(4)　(イ)(オ)　　(5)　(エ)(オ)

民事執行法にかかわる供託

学習記録	／	／	／	／	／	／	／	／	／

重要度　A	知識型	要 *Check!*	正解　(2)

(ア)　正　　第三債務者は、取立訴訟（民執157Ⅰ）に規定する訴えの訴状の送達を受ける時までに、差押えに係る金銭債権のうち差し押さえられていない部分を超えて発せられた差押命令、差押処分又は仮差押命令の送達を受けたときはその債権の全額に相当する金銭を債務の履行地の供託所に供託しなければならない（民執156Ⅱ）。

(イ)　誤　　滞納処分による差押えがされている金銭債権について強制執行による差押えがされたときは、第三債務者は、その債権の全額に相当する金銭を供託することが「できる」（滞調20の6Ⅰ）。

(ウ)　誤　　金銭債権の一部について仮差押えの執行がされた場合には、第三債務者は、仮差押えの執行に係る額に相当する金銭又は金銭債権の全額に相当する金銭を、債務の履行地の供託所に供託することが「できる」（民保50Ⅴ、民執156Ⅰ）。

(エ)　正　　金銭債権について仮差押えの執行がされた場合において、債務者が仮差押解放金（民保22Ⅰ）に相当する金銭を供託したことを証明したときは、保全執行裁判所は、仮差押えの執行を取り消さなければならない（民保51Ⅰ）。

(オ)　誤　　金銭債権の一部について強制執行による差押えがされた場合には、第三債務者は、金銭債権の全額に相当する金銭を債務の履行地の供託所に供託することができる（民執156Ⅰ）。また、この場合、第三債務者は、差し押さえられた金額に相当する金銭のみを供託することもできる（昭55.9.6民四5333号）。

以上から、正しいものは(ア)(エ)であり、正解は(2)となる。

6a－17(22－11)　金銭債権に対して強制執行等がされた場合

執行供託に関する次の(ア)から(オ)までの記述のうち、誤っているものの組合せは、後記(1)から(5)までのうちどれか。

(ア)　金銭債権の一部が差し押さえられたことを原因として当該金銭債権の全額に相当する金銭を供託するときは、供託者は、供託官に対し、被供託者に供託通知書を発送することを請求することができる。

(イ)　第三債務者が差押えに係る金銭債権の全額に相当する金銭を供託したときは、執行裁判所は、配当の実施又は弁済金の交付をしなければならない。

(ウ)　第三債務者は、金銭債権に対して仮差押えの執行がされた後、当該仮差押えの執行に係る金銭債権のうち仮差押えの執行がされていない部分を超えて発せられた仮差押命令の送達を受けたときは、当該金銭債権の全額に相当する金銭を供託しなければならない。

(エ)　第三債務者は、国税徴収法による滞納処分による差押えがされている金銭債権について強制執行による差押命令の送達を受けたときは、その債権の全額に相当する金銭を供託することができる。

(オ)　第三債務者は、差押えに係る金銭債権が給与に係る債権であるときは、当該給与に係る債権の全額に相当する金銭を供託することはできない。

(1)　(ア)(ウ)　　(2)　(ア)(エ)　　(3)　(イ)(エ)　　(4)　(イ)(オ)　　(5)　(ウ)(オ)

学習記録	／	／	／	／	／	／	／	／	／

重要度 A	知識型	要 *Check!*	正解 (5)

⑺ 正　弁済供託又は弁済供託の性質を有する供託においては、供託者は、自ら被供託者に供託通知書を発送するほか、供託官に対し、被供託者に供託通知書を発送することを請求することができる（供託規16Ⅰ前段）。この点、金銭債権の一部が差し押さえられたことを原因として当該金銭債権の全額に相当する金銭を供託する場合、差押金額を超過する部分は、民法494条に基づく弁済供託の性質を有する。

⑴ 正　第三債務者が差押えに係る金銭債権の全額に相当する金銭を供託した場合、執行裁判所は、債権者が一人である場合又は債権者が二人以上であって供託金で各債権者の債権及び執行費用の全部を弁済することができるときは、債権者に弁済金を交付し、剰余金を債務者に交付する（民執166・84Ⅱ）が、それ以外の場合は、配当表に基づいて配当を実施しなければならない（民執166・84Ⅰ）。

⑼ 誤　金銭債権に対して仮差押えの執行が競合した場合には、第三債務者は、金銭債権の全額に相当する金銭を供託することができるが、供託義務は課されない（民保50Ⅴ、民執156Ⅰ、平2.11.13民四5002号）。

⑴ 正　滞納処分による差押えがされている金銭債権について更に強制執行による差押えがされ、競合が生じたときは、第三債務者は、当該金銭債権の全額に相当する金銭を供託することができる（滞調20の6 Ⅰ）。これに対して、滞納処分による差押えと強制執行による差押えが競合しないときは、第三債務者は、滞納処分による差押えがされている部分の金銭については供託が認められず、徴収職員等の取立てに応じて弁済しなければならない（税徴67Ⅰ）。問題文からは、競合が生じているか否か明らかではないが、他に明らかに誤っている肢があるため、正しい肢とする。

⑶ 誤　給与に係る債権の4分の3に相当する部分は、社会政策的配慮から差押えが禁止されている（民執152Ⅰ②）が、第三債務者は、民事執行法156条1項により、給与債権の全額に相当する金銭を供託することができる（昭55全国供託課長会同決議）。

以上から、誤っているものは⑼⑶であり、正解は⑸となる。

6a−18(24−11)　金銭債権に対して強制執行等がされた場合

執行供託等に関する次の(ア)から(オ)までの記述のうち、正しいものの組合せは、後記(1)から(5)までのうちどれか。

(ア)　ＡがＢに対して有する100万円の金銭債権につき、Ｃからの強制執行による差押え（差押金額60万円）がされた後、Ｄからの当該差押えに係る金銭債権についての配当要求（請求債権額100万円）がされた場合には、Ｂは、100万円を供託しなければならない。

(イ)　仮処分解放金の供託書には、被供託者を記載することを要しない。

(ウ)　ＡがＢに対して有する100万円の金銭債権につき、Ｃ税務署長からの滞納処分による差押え（差押金額50万円）がされた後、Ｄからの強制執行による差押え（差押金額40万円）及びＥからの強制執行による差押え（差押金額30万円）がされた場合には、Ｂは、100万円を供託しなければならない。

(エ)　裁判上の担保供託の取戻請求権に対して差押えが競合した場合であっても、供託官は、供託金取戻請求に応ずることができるときまでは、その事情を裁判所に届け出ることを要しない。

(オ)　仮差押解放金の供託においては、有価証券を供託物とすることができない。

(1)　(ア)(イ)　　(2)　(ア)(ウ)　　(3)　(イ)(オ)　　(4)　(ウ)(エ)　　(5)　(エ)(オ)

学習記録	／	／	／	／	／	／	／	／	／

民事執行法にかかわる供託

重要度 A | 知識型 | 要 *Check!* | 正解 (5)

㋐ 誤　金銭債権の一部に対して差押えがされているところへ配当要求がされると、配当等の実施がされるため、第三債務者は、差押えがされた部分（60万円）については供託が義務付けられる（民執156Ⅱ）が、金銭債権全額について供託義務が生ずることはない。

㋑ 誤　裁判所が仮処分解放金を定める場合には、仮処分命令にその金銭の還付を請求することができる者の氏名又は名称及び住所を掲げなければならない（民保規21、民保25Ⅰ）。そこで、供託規則13条2項6号より、当該仮処分解放金の供託の申請をする場合には、供託書中「被供託者」欄に仮処分命令に記載されている該当者を被供託者として記載することを要する。

㋒ 誤　金銭債権の一部につき滞納処分による差押えがされた後に、同一債権につき強制執行による差押えと強制執行による差押え（又は仮差押え）がされた場合、被差押債権全額を供託することができる（民執156Ⅱ、滞調20の6Ⅰ）。なお、滞納処分による差押えに遅れる強制執行による差押えの合計金額が被差押債権全額から滞納処分による差押金額を控除した額を超える場合には、第三債務者はその滞納処分による差押金額を控除した額（50万円）を供託しなければならない（民執156Ⅱ）。

㋓ 正　裁判上の担保供託の取戻請求権に対して差押えが競合した場合であっても、供託官は、払渡請求に応ずることができるとき（具体的には、担保取消決定が確定したとき）に初めて供託官に供託義務が生ずることになり、事情届を提出しなければならない（昭55.9.6民四5333号）。

㋔ 正　仮差押解放金は、金銭債権の執行保全のための仮差押えの目的物に代わるものであるので、供託物は金銭に限られ、有価証券をもって供託することはできない（民保51Ⅰ・22Ⅰ）。

以上から、正しいものは㋓㋔であり、正解は(5)となる。

6a−19(26−11)　金銭債権に対して強制執行等がされた場合

執行供託に関する次の記述のうち、正しいものは、どれか。(改)

(1) 金銭債権の一部について仮差押えの執行がされた場合において、その残余の部分を超えて滞納処分による差押えがされたときは、第三債務者は、その金銭債権の全額に相当する金銭を供託しなければならない。

(2) 金銭債権が差し押さえられた場合において、第三債務者が差押金額に相当する金銭を供託するときは、執行裁判所の所在地を管轄する地方裁判所の管轄区域内の供託所にしなければならない。

(3) 金銭債権の一部が差し押さえられた場合において、第三債務者が差押えに係る債権の全額に相当する金銭を供託したときは、執行債務者は、供託金のうち、差押金額を超える部分の払渡しを受けることができる。

(4) 金銭債権が差し押さえられ、第三債務者が差押金額に相当する金銭を供託した後、その差押命令の申立てが取り下げられた場合には、第三債務者は、供託原因が消滅したことを払渡請求事由として、供託金を取り戻すことができる。

(5) 金銭債権が差し押さえられ、第三債務者が差押金額に相当する金銭を供託した後、執行裁判所が配当を実施した場合において、配当を受けるべき執行債権者が供託物の還付請求をするときは、供託物払渡請求書に当該裁判所が交付した証明書を添付しなければならない。

学習記録	／	／	／	／	／	／	／	／	／

重要度　A	知識型	要 *Check!*

正解　(3)

(1) 誤　金銭債権について滞納処分による差押えと仮差押えの執行が競合した場合（先後関係は問わない。）は、第三債務者は、その債権の全額に相当する金銭を債務の履行地の供託所に供託することができる（滞調20の6Ⅰ・20の9Ⅰ・36の12Ⅰ）。なぜなら、当該供託は第三債務者保護のために認められた権利供託であり、滞納処分は仮差押えによって執行を妨げられず（税徴140）、滞納処分による差押えがされている部分の金額について、徴収職員等は取立権を行使することができる（税徴67Ⅰ参照）ため、第三債務者に供託義務を課す必要はないからである。

(2) 誤　第三債務者は、差押えに係る金銭債権（差押命令により差し押さえられた金銭債権に限る。）の全額に相当する金銭を債務の履行地の供託所に供託することができる（民執156Ⅰ）。

(3) 正　金銭債権の一部が差し押さえられた場合において、第三債務者が差押えに係る債権の全額に相当する金銭を供託したときは、執行債務者は、供託金のうち、差押金額を超える部分については供託を受諾して還付請求をすることができる（昭55.9.6民四5333号）。これは、差押金額を超える部分については、弁済供託の性質を有するためである。

(4) 誤　金銭債権に対する強制執行による差押えを原因として第三債務者が供託した後、差押命令の申立てが取り下げられた場合又は当該差押命令を取り消す決定が効力を生じた場合、供託原因消滅を原因として当該第三債務者による供託物取戻請求は認められない（昭55.9.6民四5333号）。なぜなら、この供託金は、債務者に払い渡されることが当然のものであり、第三債務者としては、当該供託金額の範囲内で、自己の債権者である執行債務者に対する債務を免れ、その効果を差押債権者に対抗できるからである。

(5) 誤　裁判所の配当等の実施によって供託物の払渡しを受ける者は、供託所に保管されている支払委託書の記載から供託物の払渡しを受けるべきであることが明らかとならないときは、支払証明書の添付が必要である（規30Ⅱ）。したがって、明らかとならないとき以外には添付を要しないため、交付した証明書を添付しなければならないとする点で、本肢は誤っている。

6a−20(29−10)　金銭債権に対して強制執行等がされた場合

執行供託に関する次の(ア)から(オ)までの記述のうち、正しいものの組合せは、後記(1)から(5)までのうち、どれか。なお、住所、氏名等の秘匿決定がされている場合については、考慮しないものとする。(改)

(ア)　第三債務者は、取立訴訟に係る訴状の送達を受ける時までに、差押えに係る金銭債権のうち差し押さえられていない部分を超えて発せられた差押命令の送達を受けたときは、その債権の全額に相当する金銭を供託しなければならない。

(イ)　第三債務者は、金銭債権の一部に対して仮差押えの執行がされた後、当該金銭債権のうち仮差押えの執行がされていない部分を超えて発せられた仮差押命令の送達を受けたときは、その債権の全額に相当する金銭を供託しなければならない。

(ウ)　第三債務者は、金銭債権に対して滞納処分による差押えのみがされたときは、その債権の全額に相当する金銭を供託することができる。

(エ)　第三債務者は、金銭債権である給与に係る債権につき差押可能額の限度で差し押さえられたときは、その債権の全額に相当する金銭を供託することはできない。

(オ)　第三債務者は、金銭債権の一部が差し押さえられたことを原因としてその債権の全額に相当する金銭を供託するときは、供託書の「被供託者の住所氏名」欄には執行債務者の氏名又は名称及び住所を記載しなければならない。

(1)　(ア)(ウ)　　(2)　(ア)(オ)　　(3)　(イ)(ウ)　　(4)　(イ)(エ)　　(5)　(エ)(オ)

学習記録	／	／	／	／	／	／	／	／	／

重要度　A	知識型	要 *Check!*		正解　(2)

(ア)　正　　第三債務者は、取立訴訟（民執157Ⅰ）に規定する訴えの訴状の送達を受ける時までに、差押えに係る金銭債権のうち差し押さえられていない部分を超えて発せられた差押命令、差押処分又は仮差押命令の送達を受けたときは、その債権の全額に相当する金銭を債務の履行地の供託所に供託しなければならない（民執156Ⅱ）。

(イ)　誤　　金銭債権に対して仮差押えの執行が競合した場合には、第三債務者は、金銭債権の全額に相当する金銭を供託することができるが、供託義務は課されない（民保50Ⅴ、民執156Ⅰ、平2.11.13民四5002号）。

(ウ)　誤　　金銭債権について、滞納処分による差押えのみがされた場合には、滞調法の適用はなく、第三債務者の供託は認められていない。なぜなら、滞納処分により債権差押えがされたときは、徴収職員は、当然に差し押さえた債権の取立てをすることができることから（税徴67Ⅰ）、第三債務者は、取立権限を有する滞納処分庁の徴収職員に支払うべき義務を負い、同徴収職員に支払えば債権者（滞納者）との関係でも免責されることになるため、供託を認める必要がないからである。

(エ)　誤　　給与債権については、原則として当該給付の4分の3に相当する部分は、差し押さえてはならない（民執152Ⅰ②）。もっとも、第三債務者は、民事執行法156条1項により、差押えに係る金銭債権の全額に相当する金銭の供託が認められている以上、給与債権のうち差し押さえられた部分のみならず、差押えが禁止されその効力の及んでいない部分についても、全額の供託をすることができる（昭55全国供託課長会同決議）。

(オ)　正　　金銭債権の一部が差し押さえられた場合においては、第三債務者は、差押えに係る金銭債権の全額に相当する金銭を債務履行地の供託所に供託することができる（民執156Ⅰ）。そして、差押金額を超える供託金は弁済供託として扱われるため、供託書には被供託者として被差押債権の債権者（執行債務者）の氏名又は名称及び住所を記載しなければならない（供託規13Ⅱ⑥）。なお、供託者又は被供託者の氏名又は住所につき秘匿決定がされているときは、代替事項の記載をもってこれらに代えることができる（令5.2.2民商27号）。

以上から、正しいものは(ア)(オ)であり、正解は(2)となる。

6a−21(31−11)　金銭債権に対して強制執行等がされた場合

執行供託に関する次の(ア)から(オ)までの記述のうち、誤っているものの組合せは、後記(1)から(5)までのうち、どれか。

(ア)　金銭債権が差し押さえられた場合において、第三債務者が差押金額に相当する金銭を供託するときは、債務の履行地の供託所にしなければならない。

(イ)　金銭債権が差し押さえられた場合において、第三債務者が差押金額に相当する金銭を供託したときは、差押債権者は、その取立権に基づき供託所に直接還付請求をすることができる。

(ウ)　金銭債権の一部が差し押さえられた場合において、第三債務者が当該金銭債権の全額に相当する金銭を供託したときは、第三債務者は、執行債務者に供託の通知をしなければならない。

(エ)　金銭債権の一部が差し押さえられた場合において、第三債務者が当該金銭債権の全額に相当する金銭を供託したときは、執行債務者は、供託金のうち、差押金額を超える部分について供託を受諾して還付請求をすることができる。

(オ)　金銭債権に対する仮差押えの執行と滞納処分による差押えが競合した場合において、第三債務者が当該金銭債権の全額に相当する金銭を供託したときは、第三債務者は、執行裁判所に事情届をしなければならない。

(1)　(ア)(イ)　(2)　(ア)(エ)　(3)　(イ)(オ)　(4)　(ウ)(エ)　(5)　(ウ)(オ)

学習記録	／	／	／	／	／	／	／	／	／

重要度 A	知識型	要 *Check!*	正解 (3)

(ア) 正　金銭債権に対して差押えがされた場合の第三債務者がする供託の管轄供託所は、差し押さえられた金銭債権（被差押債権）の債務履行地の供託所である（民執156Ⅰ）。

(イ) 誤　金銭債権に対して差押えがされ、第三債務者がその差押金額に相当する金銭を供託している（民執156Ⅰ）ときは、供託金の払渡しは、執行裁判所の配当等の実施としての支払委託に基づいてされる（民執166Ⅰ①）。

(ウ) 正　第三債務者が、債権の一部につき差押えを受け、債権全額を供託した場合、その差押えの効力の及んでいない部分の供託は、弁済供託としての性質を有し、被供託者を特定することができることから、供託者は、遅滞なく被供託者に供託の通知をしなければならない（民495Ⅲ）。

(エ) 正　金銭債権の一部が差し押さえられた場合において、第三債務者が差押えに係る債権の全額に相当する金銭を供託したときは、執行債務者は、供託金のうち、差押金額を超える部分について供託を受諾して還付請求をすることができる（昭55.9.6民四5333号）。これは、差押金額を超える部分については、弁済供託の性質を有するからである。

(オ) 誤　金銭債権について仮差押えの執行と滞納処分による差押えとが競合した場合（差押え等の先後関係を問わない。）、第三債務者は、その債権の全額に相当する金銭を債務の履行地の供託所に供託することができる（滞調20の9Ⅰ・36の12Ⅰ・20の6Ⅰ）。そして、この場合、第三債務者は徴収職員等に対してその事情を届け出なければならない（滞調36の12Ⅰ・20の9Ⅰ・20の6Ⅱ）。

以上から、誤っているものは(イ)(オ)であり、正解は(3)となる。

6a－22(R4－11)　金銭債権に対して強制執行等がされた場合

執行供託に関する次の(ア)から(オ)までの記述のうち、誤っているものの組合せは、後記(1)から(5)までのうち、どれか。

(ア)　第三債務者は、金銭債権である給与に係る債権につき差押可能額の限度で差し押さえられた場合であっても、当該金銭債権の全額に相当する金銭を供託することができる。

(イ)　金銭債権の一部に対する差押命令の送達後、配当要求があった旨を記載した文書の送達を受けた第三債務者は、当該金銭債権の全額に相当する金銭を供託しなければならない。

(ウ)　金銭債権の全部に対して仮差押えの執行がされた後、当該金銭債権の一部に対して差押えがされたときは、第三債務者は、当該金銭債権の全額に相当する金銭を供託しなければならない。

(エ)　金銭債権が差し押さえられ、第三債務者が差押金額に相当する金銭を供託した後、その差押命令の申立てが取り下げられた場合には、債務者は、執行裁判所の支払委託に基づかずに直接供託金の払渡しの請求をすることができる。

(オ)　第三債務者は、滞納処分による差押えがされた金銭債権について強制執行による差押命令の送達を受けたときは、当該金銭債権の全額に相当する金銭を供託しなければならない。

(1)　(ア)(イ)　　(2)　(ア)(ウ)　　(3)　(イ)(オ)　　(4)　(ウ)(エ)　　(5)　(エ)(オ)

民事執行法にかかわる供託

学習記録	／	／	／	／	／	／	／	／	／

重要度 A	知識型	要 *Check!*	正解 (3)

(ア) 正　給与債権については、原則として当該給付の４分の３に相当する部分は、差し押さえてはならない（民執152Ⅰ②）。もっとも、第三債務者は、民事執行法156条１項により、差押えに係る金銭債権の全額に相当する金銭の供託が認められている以上、給与債権のうち差し押さえられた部分のみならず、差押えが禁止されその効力の及んでいない部分についても、全額の供託をすることができる（昭55全国供託課長会同決議）。

(イ) 誤　金銭債権に対し差押え及び配当要求がされた場合には、第三債務者は差し押さえられた部分に相当する金銭を債務の履行地の供託所に供託しなければならない（民執156Ⅱ・義務供託）。この点、差押えが競合した場合は、民事執行法149条により各差押えの効力が被差押債権全額に及ぶが、配当要求の場合は、差押効の拡張がないことから、配当財源が差し押さえられた部分（差押金額）に限られ、第三債務者が供託すべき金額もこの差押金額になる。

(ウ) 正　金銭債権に対し差押えと仮差押えが競合した場合には、その先後を問わず、第三債務者はその債権の全額に相当する金銭を債務履行地の供託所に供託しなければならない（民執156Ⅱ、民保50Ⅴ）。これは、債権者間の実質的な公平を確保するために、第三債務者に供託義務を負わせ、配当手続によって執行債権の満足を得られるようにしたものである。

(エ) 正　金銭債権に対して差押えがされて第三債務者が供託した後、差押命令の申立てが取り下げられたり、又は差押命令を取り消す決定が効力を生じた場合には、供託金の払渡しは執行裁判所の支払委託に基づいてする（昭55.9.6民四5333号）。なぜなら、強制執行の目的物である金銭債権は執行裁判所の差押えにより供託され、その管理に服していたのであり、差押えの取下げによってその効力が失われたとしても、これにより直ちに執行裁判所が供託金に対する管理権を喪失するものではなく、あくまで執行裁判所の処分に基づいて払渡しをして事件を完結すべきであると考えられるからである。もっとも、支払委託によることを原則としつつも、執行債務者から供託金払渡請求書に差押命令の申立てが取り下げられたこと等を証する書面を添付して供託金の払渡請求があったときは、これを認可することができる（同先例）。

(オ) 誤　金銭債権について滞納処分による差押えがされた場合において、更に強制執行による差押えがされ、差押えが競合したときは、第三債務者は、その債権の全額に相当する金銭を供託することができる（滞調20の６Ⅰ・権利供託）。なぜなら、この場合、徴収職員等や強制執行による差押債権者は、各別にその取立権の及ぶ範囲で取り立てることができ、第三債務者は、各債権者に対して取立てに応じて差し支えないので、第三債務者に対して供託義務を課す必要がないからである。

以上から、誤っているものは(イ)(オ)であり、正解は(3)となる。

6a−23(R6−10)　金銭債権に対して強制執行等がされた場合

執行供託に関する次の(ア)から(オ)までの記述のうち、正しいものの組合せは、後記(1)から(5)までのうち、どれか。

(ア)　金銭債権が差し押さえられた場合において、第三債務者が差押金額に相当する金銭を供託するときは、債務者の住所地の供託所にしなければならない。

(イ)　金銭債権が差し押さえられた場合において、第三債務者が差押金額に相当する金銭を供託するときは、供託書の「被供託者の住所氏名」欄には、差押債権者の氏名又は名称及び住所を記載しなければならない。

(ウ)　金銭債権が差し押さえられた場合において、第三債務者が差押金額に相当する金銭を供託したときは、供託官は、その事情を執行裁判所に届け出なければならない。

(エ)　金銭債権の一部が差し押さえられた場合において、第三債務者が当該金銭債権の全額に相当する金銭を供託したときは、執行債務者は、当該差押えに係る金額を超える部分について、供託を受諾して、還付請求をすることができる。

(オ)　金銭債権に対して滞納処分による差押えのみがされた場合には、第三債務者は、差押金額に相当する金銭を供託することができない。

(1)　(ア)(ウ)　(2)　(ア)(エ)　(3)　(イ)(ウ)　(4)　(イ)(オ)　(5)　(エ)(オ)

学習記録	／	／	／	／	／	／	／	／	／

重要度 A	知識型	要 *Check!*	正解 (5)

⑺ 誤　金銭債権に対して差押えがされた場合の第三債務者がする供託の管轄供託所は、差し押さえられた金銭債権（被差押債権）の債務履行地の供託所である（民執156 Ⅰ）。

⑴ 誤　金銭債権の一部に差押えがされた場合、第三債務者は、差押金額だけを供託することも、金銭債権の全額を供託することもできる（民執156 Ⅰ）。そして、差押金額を超える供託金は弁済供託として扱われるため、供託書の「被供託者の住所氏名」欄には、被供託者として差押債務者を記載する必要がある（供託規13 Ⅱ⑥）が、差押金額に相当する金額を供託するときは、供託書の被供託者欄の記載を要しない。

⑼ 誤　第三債務者は、金銭債権について差押えが競合したことを原因として供託したときは、その事情を執行裁判所に届け出なければならない（民執156 Ⅳ）。

㈠ 正　金銭債権の一部が差し押さえられた場合において、第三債務者が差押えに係る債権の全額に相当する金銭を供託したときは、執行債務者は、供託金のうち、差押金額を超える部分については供託を受諾して還付請求をすることができる（昭55.9.6 民四5333号）。

㈵ 正　金銭債権について、滞納処分による差押えのみがされた場合には、滞調法の適用はなく、第三債務者の供託は認められていない。

以上から、正しいものは㈠㈵であり、正解は⑸となる。

6b－1(61－11)　金銭債権に対する強制執行と滞納処分とが競合した場合

甲の乙に対する金銭債権（額面100万円）について、甲に対する国税滞納処分に基づく差押え（差押債権額30万円）がされ、さらに甲の他の債権者による差押え（差押債権額60万円）がされている場合について、乙が供託することができる金額の組合せとして正しいものは、次のうちどれか。

(1)　100万円、70万円

(2)　100万円、60万円

(3)　70万円、60万円

(4)　70万円、30万円

(5)　60万円、30万円

学習記録	／	／	／	／	／	／	／	／	／

重要度 C	知識型		正解 (3)

金銭債権の一部について、滞納処分による差押えがされている場合において、その残余の範囲内（70万円以内）で強制執行による差押えがされたときは、「滞納処分と強制執行等との手続の調整に関する法律」の適用がない。そのため、第三債務者は滞納処分に基づく差押えの額については供託することができないが、民事執行法156条1項を根拠として、滞納処分による差押えのされていない額（70万円）、又は強制執行による差押金額（60万円）については供託することができる（昭和55.9.6民四5333号）。

以上から、正解は(3)となる。

〈金銭債権に対して強制執行等と滞納処分による差押えとがされた場合〉

<table>
<tr><th></th><th>態　様</th><th colspan="2">供　託　金　額</th><th>性質</th><th>権利・義務の別</th></tr>
<tr><td rowspan="9">競合する場合</td><td rowspan="2">(1) ①強制執行
＋
②滞納処分</td><td rowspan="2">債権全額</td><td>滞納処分の差押え部分</td><td rowspan="2">執行</td><td rowspan="2">義務</td></tr>
<tr><td>他の部分</td></tr>
<tr><td rowspan="2">(2) ①滞納処分
＋
②強制執行</td><td rowspan="2">債権全額</td><td>滞納処分の差押え部分</td><td>弁済</td><td rowspan="2">権利</td></tr>
<tr><td>他の部分</td><td>執行</td></tr>
<tr><td rowspan="3">(3) ①滞納処分
＋
②強制執行
＋
③強制執行</td><td rowspan="2">イ　債権全額</td><td>滞納処分の差押え部分</td><td>弁済</td><td>権利</td></tr>
<tr><td>他の部分</td><td>執行</td><td>義務</td></tr>
<tr><td colspan="2">ロ　滞納処分の差押え部分を控除した額</td><td>執行</td><td>義務</td></tr>
<tr><td rowspan="2">(4) ①滞納＋②仮差押え
又は
①仮差押え＋②滞納</td><td rowspan="2">債権全額</td><td>滞納処分の差押え部分</td><td rowspan="2">弁済</td><td rowspan="2">権利</td></tr>
<tr><td>他の部分</td></tr>
<tr><td rowspan="3">競合しない場合</td><td rowspan="3">(5) ①滞納＋②強制
又は
①強制＋②滞納</td><td colspan="2">イ　強制執行の差押金額に相当する額</td><td>執行</td><td>権利</td></tr>
<tr><td rowspan="2">ロ　滞納処分の差押え部分を控除した金額</td><td>強制執行の差押え部分</td><td>執行</td><td rowspan="2">権利</td></tr>
<tr><td>他の部分</td><td>弁済</td></tr>
</table>

6b－2(62－13)　金銭債権に対する強制執行と滞納処分とが競合した場合

甲の乙に対する貸金債権（額面100万円）につき、差押命令又は配当要求書の送達を受けた場合に関する次の組合せ（①、②は効力発生の順序である）のうち、第三債務者乙が60万円を供託することができないものはどれか。

(1)　①強制執行による差押え（差押債権額60万円）、②滞納処分による差押え（差押債権額30万円）

(2)　①強制執行による差押え（差押債権額20万円）、②強制執行による差押え（差押債権額40万円）

(3)　①強制執行による差押え（差押債権額60万円）、②配当要求（配当要求額40万円）

(4)　①滞納処分による差押え（差押債権額40万円）、②強制執行による差押え（差押債権額50万円）

(5)　①強制執行による差押え（差押債権額60万円）、②滞納処分による差押え（差押債権額50万円）

学習記録	／	／	／	／	／	／	／	／	／

重要度　C	知識型		正解　(5)

(1)　60万円を供託することができる　　債権の一部について強制執行による差押えがされている場合において、その残余の範囲内で滞納処分による差押えがされ、差押えが競合しないときは、滞調法の規定の適用がなく、第三債務者は、滞納処分による差押えがされている部分の金額については供託が認められず、徴税職員の取立てに応じて弁済しなければならない（税徴67参照、滞調36の6Ⅰ参照）。一方、滞納処分による差押えがされていない部分の額に相当する金銭（70万円）又は強制執行による差押金額に相当する金銭（60万円）については、民事執行法156条1項により供託することができる（昭55.9.6民四5333号）。

(2)　60万円を供託することができる　　債権の一部について強制執行による差押えがされている場合において、その残余の範囲内で更に強制執行による差押えがされたときは、第三債務者は、その合計額に相当する金銭（60万円）について供託することができる（民執156Ⅰ）。

(3)　60万円を供託しなければならない　　金銭債権の一部に対して差押えがされているところへ配当要求がされると、配当等の実施がされるため、第三債務者は、差押えがされた部分（60万円）については供託が義務付けられる（民執156Ⅱ）。

(4)　60万円を供託することができる　　債権の一部について滞納処分による差押えがされている場合において、その残余の範囲内で強制執行による差押えがされ、差押えが競合しないときは、滞調法の規定の適用がなく、第三債務者は、滞納処分による差押えがされている部分の金額については供託が認められず、徴税職員の取立てに応じて弁済しなければならない（税徴67参照、滞調20の6Ⅰ参照）。一方、滞納処分による差押えがされていない部分の額に相当する金銭（60万円）又は強制執行による差押金額に相当する金銭（50万円）については、民事執行法156条1項により供託することができる（昭55.9.6民四5333号）。

(5)　60万円を供託することはできない　　金銭債権について強制執行による差押えがされている場合において、更に滞納処分による差押えがされ、差押えが競合したときは、第三債務者は、その債権の「全額」に相当する金銭（100万円）を債務履行地の供託所に「供託しなければならない」（滞調36の6Ⅰ）。

6b－3(23－11)　金銭債権に対する強制執行と滞納処分とが競合した場合

AがBに対して有する100万円の金銭債権（以下「甲債権」という。）について差押えがされた場合の執行供託に関する次の(ア)から(オ)までの記述のうち、誤っているものの組合せは、後記(1)から(5)までのうちどれか。

(ア)　甲債権につき、Aの債権者Cから仮差押え（仮差押金額80万円）の執行がされた後、D税務署長から滞納処分による差押え（差押金額60万円）がされた場合において、Bが甲債権の全額に相当する100万円を供託したときは、Bは、遅滞なく、Aに供託の通知をしなければならない。

(イ)　甲債権につき、Aの債権者Cから強制執行による差押え（差押金額100万円）がされた後、Cが提起した取立訴訟の訴状の送達を受ける時までに、Aの債権者Eを仮差押債権者とする仮差押命令（仮差押金額60万円）の送達を受けたときは、Bは、甲債権の全額に相当する100万円を供託しなければならない。

(ウ)　甲債権につき、Aの債権者Cから強制執行による差押え（差押金額100万円）がされた場合において、Bが甲債権の全額に相当する100万円を供託するときは、Bは、供託書にAを被供託者として記載しなければならない。

(エ)　甲債権につき、D税務署長から滞納処分による差押え（差押金額100万円）がされた場合には、Bは、甲債権の全額に相当する100万円を供託することができる。

(オ)　甲債権につき、Aの債権者Cから強制執行による差押え（差押金額60万円）がされた場合には、Bは、当該差押金額に相当する60万円を供託することもできるし、甲債権の全額に相当する100万円を供託することもできる。

(1)　(ア)(イ)　　(2)　(ア)(オ)　　(3)　(イ)(ウ)　　(4)　(ウ)(エ)　　(5)　(エ)(オ)

学習記録	／	／	／	／	／	／	／	／	／

重要度　C	知識型		正解　(4)

(ア) 正　　金銭債権について、仮差押えの執行と滞納処分による差押えが競合（差押え等の先後関係を問わない。）した場合において、第三債務者は、その全額に相当する金銭を債務の履行地の供託所に供託することができる（滞調20の9Ⅰ・36の12Ⅰ・20の6Ⅰ）。この場合の供託は、本来の債権者（仮差押債務者）が還付請求権を取得する一種の弁済供託であるので、仮差押債務者を被供託者とし、同人に供託通知をする必要がある（民495Ⅲ・494Ⅰ）。

(イ) 正　　第三債務者は、民事執行法157条1項に規定する訴え（以下「取立訴訟」という。）の訴状の送達を受ける時までに、差押えに係る金銭債権のうち差し押さえられていない部分を超えて発せられた差押命令、差押処分又は仮差押命令の送達を受けたときはその債権の全額に相当する金銭を、配当要求があった旨を記載した文書の送達を受けたときは差し押さえられた部分に相当する金銭を債務の履行地の供託所に供託しなければならない（民執156Ⅱ）。したがって、AのBに対する100万円の金銭債権（甲債権）に対して、Cから強制執行による差押え（差押金額100万円）がされた後、Cが提起した取立訴訟の訴状の送達を受ける時までにEを仮差押債権者とする仮差押命令（仮差押金額60万円）の送達を受けたときは、Bは、甲債権の全額に相当する100万円を供託しなければならない。

(ウ) 誤　　権利供託（民執156Ⅰ）には、①金銭債権の全額の差押えを受けて全額供託する場合又はその一部の差押えを受けて当該差押金額のみを供託する場合と、②債権の一部の差押えを受けて全額を供託する場合がある。①の場合には供託書の被供託者欄の記載は不要であるが、②の場合には、差押金額を超えた部分は弁済供託の性質を有することから、執行債務者を「被供託者」として供託書に記載する必要がある。したがって、100万円の金銭債権につき、強制執行による差押え（差押金額100万円）がされた場合に、その全額に相当する100万円を供託するときは、供託書の被供託者欄の記載は要しない。

(エ) 誤　　第三債務者が滞納処分による差押えのみを受けた場合について、国税徴収法及び滞納処分と強制執行等との手続の調整に関する法律上、権利供託ができるという規定は存在しないので、供託することはできない。この場合、第三債務者は、金銭債権のうち滞納処分による差押えがされた部分については徴収職員等の取立て（税徴67）に応じ、残余金があれば、これを執行債務者（滞納者）に支払うことにより免責される。したがって、Bが滞納処分による差押えのみを受けた場合には、甲債権の全額に相当する100万円を供託することはできない。

(オ)　正　　民事執行法156条１項の規定は、金銭債権が単発で差し押さえられたときは金銭債権の全額に相当する金額を供託することができることを定めているが、この規定は、金銭債権の全額を差し押さえられた場合に限らず、その一部を差し押さえられた場合であっても金銭債権の全額に相当する金額の供託を認めたものである。また、金銭債権の一部が差し押さえられた場合においては、第三債務者は、差押金額に相当する金額のみを供託することもできる（昭55.9.6民四5333号）。

以上から、誤っているものは(ウ)(エ)であり、正解は(4)となる。

MEMO

7a−1(15−9)　供託物払渡請求権の譲渡・質入れ

次の説明文の（　）内に語句群から適切な語句を入れると、弁済供託に関する記述となる。（①）から（⑧）までに入る語句の組合せとして正しいものは、後記４個の組合せの中に何個あるか。

【説明文】

弁済供託は、弁済者の申請により供託官が債権者のために弁済の目的物を受け入れ、管理するもので、民法上の（①）の性質を有する。弁済供託によって被供託者が取得する供託物（②）請求権は、実質的には、弁済供託によって免れることになる債務（③）ものである。したがって、供託が要件を欠き無効な場合、供託の原因となった債務は、（④）。また、家賃債務の供託について、被供託者が、建物の不法占拠に伴う損害金との留保をして供託物（②）請求権を（⑤）。

供託物（②）請求権は、供託者が有する供託物（⑥）請求権（⑦）請求権であるから、例えば、供託物（⑥）請求権が差し押さえられた場合、被供託者は、供託物（②）請求権を（⑧）。

【語句群】

a	委任契約	b	寄託契約	c	給付
d	取戻	e	還付	f	に代わる
g	と別個独立の	h	と一体の	i	消滅する
j	消滅しない	k	行使することができる		
l	行使することはできない				

【組合せ】

［①ｂ②ｅ］　［③ｇ④ｉ］　［⑤ｌ⑥ｄ］　［⑦ｇ⑧ｋ］

(1)　０個　(2)　１個　(3)　２個　(4)　３個　(5)　４個

供託物払渡請求権の変動

学習記録	／	／	／	／	／	／	／	／	／

重要度　C	推論型			正解　(4)

① b　寄託契約　　弁済供託の法律上の性質は、第三者（被供託者）のためにする寄託契約と解されている（最判昭45.7.15、通説）。したがって、①には、寄託契約が入ることになる。

② e　還付　　弁済供託によって被供託者が取得する供託物についての請求権は、還付請求権と呼ばれる。すなわち、弁済供託がされると、被供託者は、供託所に対し、供託物の払渡しを請求する権利である還付請求権を取得する。

③ f　に代わる　　弁済供託は、債務者が弁済の目的物を供託することによって債務を免れることを目的とするため、その供託によって被供託者が供託所に対して取得する供託物還付請求権の内容は、債務者に対する債権と同一のものでなければならない。したがって、供託物還付請求権は、実質的には、弁済供託によって免れることになる債務に代わるものとなる。

④ j　消滅しない　　供託物が不適法な場合など、弁済供託が要件を欠き無効となる場合には、債務者が供託によって債務を免れる（民494 Ⅰ）という効果を認めることができないことから、供託の原因となった債務も消滅しないことになる。

⑤ l　行使することはできない　　家賃債務の供託について、被供託者が、建物の不法占拠に伴う損害金との留保をして供託物還付請求権を行使することはできない（昭38.6.6民甲1669号）。債権の性質を異にして供託を受諾する旨の留保付還付請求を認めると、供託者が弁済の目的を達し得ないにもかかわらず供託金の取戻請求権を失うことになり、債務者に不利益を与えるものになるからである。なお、金額に争いのある債権の供託金について、被供託者が債権額の一部として受領する旨の留保を付した還付請求は認可される（昭42.1.12民甲175号等）。

⑥ d　取戻　⑦ g　と別個独立の　⑧ k　行使することができる　　弁済供託がされると、供託の目的物について、被供託者は供託物還付請求権を取得し、供託者は供託物取戻請求権を取得する。供託物還付請求権は、供託者が有する供託物取戻請求権と別個独立の請求権であることから、一方に差押えがされても、他方に影響を与えないことになる（最判昭37.7.13）。したがって、供託物取戻請求権が差し押さえられた場合でも、被供託者は、供託物還付請求権を行使することができる。

以上から、各（　）内には、①b、②e、③f、④j、⑤l、⑥d、⑦g、⑧kが入り、正しい組合せは［①b②e］［⑤l⑥d］［⑦g⑧k］の3個であり、正解は(4)となる。

7b－1(61－13)　供託物払渡請求権の時効消滅

供託物又は供託金利息の払渡請求権の消滅時効に関する次の記述のうち、正しいものはどれか。(改)

(1) 平成29年法改正により削除

(2) 平成29年法改正により削除

(3) 平成29年法改正により削除

(4) 裁判上の保証供託における供託有価証券の払渡請求権は、担保取消決定が確定した時から10年の経過によって時効により消滅する。

(5) 弁済供託の被供託者が、供託官から供託証明書の交付を受けたときは、供託金還付請求権の消滅時効は更新される。

学習記録	／	／	／	／	／	／	／	／	／

重要度　B	知識型	要 *Check!*

正解　(5)

⑴　平成 29 年法改正により削除

⑵　平成 29 年法改正により削除

⑶　平成 29 年法改正により削除

⑷　誤　　裁判上の保証供託における供託有価証券の払渡請求権は、所有権に基づく返還請求権と解されている。そして、所有権は消滅時効にかからないことから（民 166 Ⅱ）、供託有価証券の払渡請求権も、時効により消滅することはない（昭 4.7.3 民事 5618 号）。

⑸　正　　弁済供託の被供託者が、払渡しの完了していない供託金について供託官から供託証明書の交付を受けたときは、供託金還付請求権について、消滅時効は更新される（昭 34.9.7 民甲 1970 号、昭 10.7.8 民甲 675 号、昭 18.3.15 民甲 131 号）。この場合において、供託所が供託証明書を交付することは、供託所から被供託者に対する債務の承認（民 152 Ⅰ）に当たるからである。

7b−2(3−13)　供託物払渡請求権の時効消滅

供託金の払渡請求権の消滅時効に関する次の記述のうち、正しいものは幾つあるか。

(ア) 債権者が住所不明のために受領不能を供託原因としてされた弁済供託の還付請求権の消滅時効は、債権者が当該供託がされたことを知った日から起算する。

(イ) 建物賃借権の存否について当事者間で紛争がある場合において、賃貸人の受領拒否を供託原因としてされた弁済供託の取戻請求権の消滅時効は、供託の日から起算する。

(ウ) 平成 29 年法改正により削除

(エ) 供託の通知をすることを要する弁済供託における還付請求権の消滅時効は、被供託者に供託の通知が到達した日から起算する。

(オ) 供託が錯誤であった場合における供託金の取戻請求権の消滅時効は、供託者が錯誤であったことを知った日から起算する。

(1) 0個　(2) 1個　(3) 2個　(4) 3個　(5) 4個

学習記録	／	／	／	／	／	／	／	／	／

重要度　B	知識型	要 *Check!*

正解　(1)

(ア)　誤　　受領不能（所在不明）を原因とする弁済供託金の払渡請求権の消滅時効は、供託成立の時を客観的起算点として進行し、10年の経過をもって完成する（昭60.10.11民四6428号）。本肢の消滅時効の起算点については、供託当事者は供託成立後いつでも払渡請求権を行使できるため、供託時と解するのが相当だからである。

(イ)　誤　　弁済供託の当事者間に供託の基礎となった法律関係をめぐる紛争がある場合には、その紛争の解決等により、供託当事者に払渡請求権の行使が期待できることとなった時点が、払渡請求権の消滅時効の客観的起算点とされている（最大判昭45.7.15、昭45.9.25民甲4112号）。当事者間に争いのある場合、特に訴訟が係属している場合には、裁判官に不利な心証を抱かれることをおそれる当事者に、訴訟係属中の払渡請求権の行使を期待することは難しいからである。

(ウ)　平成29年法改正により削除

(エ)　誤　　弁済供託における還付請求権の消滅時効は、供託の通知をすることを要する場合であっても、原則として供託の時がその客観的起算点となる（なお、例外として(イ)の解説参照）。供託通知は、被供託者に供託がされた旨を了知させることで被供託者が供託物還付請求権を行使することができるようにするためにされるものであり、供託の効力要件ではないからである。

(オ)　誤　　錯誤を事由とする取戻請求については、供託時において既に形式的に供託原因の不存在が明白であり、錯誤を証する書面の添付を要せず取戻請求を認可し得る場合には、供託時を供託金の取戻請求権の消滅時効の客観的起算点として取り扱うべきである（昭45.9.25民四723号）。しかし、そのような事案を除いては、供託金払渡請求書に添付された書面により、当該供託が錯誤によるものであることが確定した時点を確認した上、その時点を供託金の取戻請求権の消滅時効の客観的起算点とする（平14.3.29民商803号）。

以上から、正しいものはなく、正解は(1)となる。

7b−3(9−11)　供託物払渡請求権の時効消滅

払渡請求権の消滅時効に関する次の(ア)から(オ)までの記述のうち、誤っているものは幾つあるか。(改)

(ア)　取戻請求権についての時効が更新されても、還付請求権についての時効は更新されない。

(イ)　平成29年法改正により削除

(ウ)　家賃の数か月分につき一括してされた弁済供託の供託金の一部について取戻請求があり、これが払い渡されたときは、供託金の残額の取戻請求権について、時効が更新される。

(エ)　弁済供託の被供託者から供託受諾書が提出されたときは、供託金還付請求権について時効が更新される。

(オ)　賃貸人の所在不明による受領不能を理由としてされた弁済供託の供託金についての取戻請求権の消滅時効は、供託の時から進行する。

(1)　0個　　(2)　1個　　(3)　2個　　(4)　3個　　(5)　4個

学習記録	／	／	／	／	／	／	／	／	／

重要度　B	知識型	要 *Check!*		正解　(3)

(ア)　正　　還付請求権と取戻請求権は別個独立の権利であり、原則として、一方の請求権に生じた事由によって他方の請求権は影響を受けない（最判昭37.7.13)。したがって、取戻請求権の時効更新の効果は還付請求権に何ら影響を与えるものではない（昭35.8.26民甲2132号)。

(イ)　平成29年法改正により削除

(ウ)　正　　一括して弁済供託がされた供託金の一部（一括して弁済供託された家賃５か月分の供託金のうち３か月分）の取戻請求があったときは、残部についても債務の承認（民152Ⅰ）として時効が更新される（昭39.11.21民甲3752号)。一括して供託された供託金については、債権は複数であっても供託関係は１個であると解され、その一部の払渡請求に応じた場合には、当然に残額の債務の承認に当たることになるからである。

(エ)　誤　　弁済供託の被供託者から供託受諾書が提出されたのみでは、供託金還付請求権の消滅時効は更新されない（昭36.1.11民甲62号)。被供託者から供託受諾書の提出があったのみでは、供託所側の積極的意思表示がないので、供託所が被供託者に対してする債務の承認（民152Ⅰ）には当たらないし、また、供託受諾書の送付は払渡しの請求ではないので、被供託者から供託所に対する催告（民150）にも当たらないからである。

(オ)　誤　　債権者不確知（民494Ⅱ）又は受領不能（民494Ⅰ②）を原因とする弁済供託についての取戻請求権の消滅時効は、供託の基礎となった債務について消滅時効が完成するなど、供託者が供託による免責の効果を受ける必要が消滅した時を客観的起算点として進行する（平14.3.29民商802号)。

以上から、誤っているものは(エ)(オ)の２個であり、正解は(3)となる。

7b−4(17−9)　供託物払渡請求権の時効消滅

次の対話は、供託物払渡請求権の消滅時効に関する教授と学生との対話である。教授の質問に対する次の(ア)から(オ)までの学生の解答のうち、誤っているものの組合せは、後記(1)から(5)までのうちどれか。なお、消滅時効における主観的起算点については考慮しないものとする。(改)

教授：　受領拒絶を原因とする弁済供託の供託金取戻請求権は、どのような場合に消滅時効が進行しますか。

学生：(ア)　受領拒絶を原因とする弁済供託における供託金取戻請求権の消滅時効は、供託の基礎となった債務について紛争の解決などによってその不存在が確定した場合には、その時から進行します。

教授：　債権者不確知を原因とする弁済供託の供託金取戻請求権は、どのような場合に消滅時効が進行しますか。

学生：(イ)　債権者不確知を原因とする弁済供託における供託金取戻請求権の消滅時効は、供託の基礎となった債務自体に紛争が生じているわけではなく、供託した時から進行します。

教授：　債権者不確知を原因とする弁済供託の供託金還付請求権は、どのような場合に消滅時効が進行しますか。

学生：(ウ)　債権者不確知を原因とする弁済供託における供託金還付請求権の消滅時効は、還付を受ける権利を有する者が確定した時から進行します。

教授：　供託金取戻請求権の消滅時効の更新事由には、どのようなものがありますか。

学生：(エ)　供託官が取戻請求権者に対し供託に関する事項の証明書を交付することは、債務の承認として、供託金取戻請求権の消滅時効の更新事由となります。

教授：　供託官が取戻請求権者に対して行う債務の承認は、供託金還付請求権の消滅時効の更新事由となりますか。

学生：(オ)　供託官が取戻請求権者に対して行う債務の承認は、被供託者に対して供託受諾の効果を生じ、被供託者が有する供託金還付請求権の消滅時効の更新事由となります。

(1)　(ア)(エ)　　(2)　(ア)(オ)　　(3)　(イ)(ウ)　　(4)　(イ)(オ)　　(5)　(ウ)(エ)

学習記録	／	／	／	／	／	／	／	／	／

重要度　B	知識型	要 *Check!*		正解　(4)

(ア) 正　受領拒絶を原因とする弁済供託の供託金取戻請求権の消滅時効の客観的起算点は、供託の基礎となった債務について紛争の解決などによってその不存在が確定した時となる（最判昭45.7.15)。受領拒絶を原因とする弁済供託においては、紛争の解決をみるまでは、供託物払渡請求権の行使を当事者に期待することは事実上不可能だからである。

(イ) 誤　債権者不確知（民494Ⅱ）を原因とする弁済供託は、供託の時点では供託の基礎となった事実関係をめぐる紛争が存在することを前提としないものである。そのため、債権者不確知を原因とする弁済供託における供託金の取戻請求権の消滅時効の客観的起算点については、①供託書等の書類により、供託者が供託による免責の効果を受ける必要が消滅した時点が明らかな場合には当該時点、②①以外の場合には、供託書の「供託の原因」欄に記載された供託の基礎となった債務の弁済期（供託がこれに後れるときは供託時）から10年が経過した時点となる（平14.3.29民商802号)。

(ウ) 正　債権者不確知（民494Ⅱ）を原因とする弁済供託による供託金還付請求権の消滅時効は、払渡請求書の添付書類により、還付を受ける権利を有する者が確定した時を客観的起算点として進行する（昭45.9.25民四723号)。

(エ) 正　供託官が、供託当事者又はその承継人に対して供託に関する事項の証明書を交付した場合、債務の承認として払渡請求権の時効は更新される（昭10.7.8民事675号)。なお、供託物払渡請求権の消滅時効が完成した後に供託証明書を交付した場合は、時効利益の放棄に当たることになるため、供託官は、特段の事情がない限り、消滅時効完成後に利害関係人から供託証明書の交付申請があってもこれに応じるべきではない（昭45.8.29民甲3857号)。

(オ) 誤　供託金払渡請求権には、還付請求権と取戻請求権の２種類があるが、この２種類の権利はそれぞれ独立した権利であり、一方の請求権の処分や差押え等は、他方の請求権に何ら影響を及ぼさない（最判昭37.7.13)。供託官が供託事項に関する証明書を交付した場合や閲覧を許したことによる債務の承認についての時効更新の効果も例外ではなく、供託官の取戻請求権についての債務の承認は、取戻請求権について消滅時効の更新の効果が生ずるのみで、被供託者が有する供託金還付請求権について時効更新の効果は生じない。

以上から、誤っているものは(イ)(オ)であり、正解は(4)となる。

7b－5(23－10)　供託物払渡請求権の時効消滅

供託金払渡請求権の消滅時効に関する次の(ア)から(オ)までの記述のうち、誤っているものは、幾つあるか。なお、消滅時効における主観的起算点については考慮しないものとする。(改)

(ア) 供託官が弁済供託の被供託者に対して供託されていることの証明書を交付したときは、供託金還付請求権の時効は、更新される。

(イ) 債権者の所在不明による受領不能を原因とする弁済供託においては、供託金還付請求権又は供託金取戻請求権の消滅時効は、いずれも、供託の時から進行する。

(ウ) 平成29年法改正により削除

(エ) 債権者の受領拒否を原因とする弁済供託においては、供託金還付請求権の消滅時効は、供託の基礎となった事実関係をめぐる紛争が解決するなどにより、被供託者において供託金還付請求権の行使を現実に期待することができることとなった時から進行する。

(オ) 弁済供託の供託者の請求により当該弁済供託に関する書類の全部が閲覧に供された場合であっても、供託金取戻請求権の時効は、更新されない。

(1) 0個　(2) 1個　(3) 2個　(4) 3個　(5) 4個

学習記録	／	／	／	／	／	／	／	／	／

重要度　B	知識型	要 *Check!*

正解　(3)

(ア)　正　　供託につき利害の関係がある者は、供託に関する事項につき証明を請求することができる（供託規49Ⅰ）。そして、供託官が弁済供託の被供託者に対して、供託されていることの証明書を交付したときは、供託金還付請求権の時効は更新される（昭10.7.8民甲675号）。なぜなら、供託所（供託官）が供託について利害関係がある者に対して、供託に関する事項の証明書を交付したときは、これが民法152条1項の「債務の承認」に当たると解されるからである（同先例）。

(イ)　誤　　債権者の所在不明による受領不能（民494Ⅰ②）を原因とする弁済供託における供託物の払渡請求権の消滅時効は、還付請求権については、「供託の時」を客観的起算点として進行する（昭60.10.11民四6428号）。これに対して、取戻請求権については、供託の基礎となった債務について消滅時効が完成するなど、「供託者が免責の効果を受ける必要がなくなった時」を客観的起算点として進行する（最判平13.11.27、平14.3.29民商802号）。

(ウ)　平成29年法改正により削除

(エ)　正　　当事者間に紛争のある原因に基づく弁済供託における供託物の払渡請求権（取戻請求権及び還付請求権）の消滅時効の客観的起算点は、供託の基礎となった事実関係をめぐる紛争が解決する等により、「供託当事者において払渡請求権の行使が現実に期待することができることとなった時点」である（最大判昭45.7.15、昭45.9.25民甲4112号）。したがって、債権者の受領拒否を原因とする弁済供託の供託金還付請求権の消滅時効は、供託の基礎となった事実関係をめぐる紛争が解決する等により、供託当事者において払渡請求権の行使が現実に期待することができることとなった時点を客観的起算点として進行する。なお、当事者間に紛争のない原因に基づく弁済供託の払渡請求権の消滅時効の客観的起算点については、(イ)の解説参照。

(オ)　誤　　供託につき利害の関係がある者は、供託に関する書類の閲覧を請求することができる（供託規48Ⅰ）。そして、弁済供託の供託者の請求により当該弁済供託に関する書類の全部が閲覧に供された場合、供託金取戻請求権の時効は更新される（昭39.10.3民甲3198号）。なぜなら、供託所（供託官）が供託について利害関係がある者に対して、供託に関する書類を閲覧させたときは、これが民法152条1項の「債務の承認」に当たると解されるからである（同先例）。

以上から、誤っているものは(イ)(オ)の2個であり、正解は(3)となる。

7b−6(27−11)　供託物払渡請求権の時効消滅

供託金又は供託金利息の払渡請求権の消滅時効に関する次の(ア)から(オ)までの記述のうち、判例の趣旨に照らし誤っているものは、幾つあるか。なお、消滅時効における主観的起算点については考慮しないものとする。(改)

(ア)　供託官が弁済供託の被供託者に対して、当該弁済供託に関する事項の証明書を交付したときは、供託金還付請求権の消滅時効及び供託金取戻請求権の消滅時効は、いずれも更新される。

(イ)　債権者の受領拒絶を原因とする弁済供託における供託金還付請求権の消滅時効は、供託の基礎となった事実関係をめぐる紛争が解決するなどにより、被供託者において供託金還付請求権の行使を現実に期待することができることとなった時から進行する。

(ウ)　債権者の所在不明による受領不能を原因とする弁済供託における供託金還付請求権の消滅時効は、供託の時から進行する。

(エ)　債権者の所在不明による受領不能を原因とする弁済供託における供託金取戻請求権の消滅時効は、供託の基礎となった債務について消滅時効が完成するなど、供託者が供託による免責の効果を受ける必要が消滅した時から進行する。

(オ)　平成29年法改正により削除

(1)　0個　　(2)　1個　　(3)　2個　　(4)　3個　　(5)　4個

学習記録	／	／	／	／	／	／	／	／	／

重要度　B	知識型	要 *Check!*		正解　(2)

(ア)　誤　　供託官が供託に関する事項の証明書を交付するなど、供託物払渡請求権につき債務の承認がされると、供託物払渡請求権の消滅時効は更新される。しかし、供託物還付請求権及び供託物取戻請求権のうち、一方の供託物払渡請求権について時効の更新事由が生じても、他方の消滅時効は更新されない。なぜなら、供託物還付請求権及び供託物取戻請求権の両債権は、それぞれ独立した債権であるからである。本肢では、供託官が、弁済供託の被供託者に、当該弁済供託に関する事項の証明書を交付しているので、供託金還付請求権の消滅時効は更新されるが、供託金取戻請求権の消滅時効は更新されない。

(イ)　正　　債権者の受領拒絶を原因とする弁済供託の供託金還付請求権の消滅時効は、供託の基礎となる事実関係をめぐる紛争が解決するなどによって、被供託者において現実に供託金還付請求権の行使を期待することができることとなった時点を客観的起算点として進行する（昭 45.9.25 民甲 4112 号）。

(ウ)　正　　受領不能（民 494 I ②）を理由としてされた弁済供託の還付請求権の消滅時効の客観的起算点は、供託成立の日となる（昭 60.10.11 民四 6428 号）。

(エ)　正　　債権者の所在不明による受領不能（民 494 I ②）を原因とする弁済供託における供託物の取戻請求権の消滅時効の起算点は「供託の基礎となった債務について消滅時効が完成するなど、供託者が免責の効果を受ける必要がなくなった時」を客観的起算点として進行する（最判平 13.11.27、平 14.3.29 民商 802 号）。

(オ)　平成 29 年法改正により削除

以上から、誤っているものは(ア)の１個であり、正解は(2)となる。

7b－7(R6－11)　供託物払渡請求権の時効消滅

供託物払渡請求権の消滅時効に関する次の(ア)から(オ)までの記述のうち、正しいものの組合せは、後記(1)から(5)までのうち、どれか。

(ア)　受領拒絶を原因とする弁済供託における供託物還付請求権は、被供託者に供託の通知が到達した時から10年間行使しない場合には、時効によって消滅する。

(イ)　弁済供託の被供託者から供託所に対し、供託を受諾する旨を記載した書面が提出された場合であっても、供託物還付請求権の消滅時効の更新の効力を生じない。

(ウ)　供託物取戻請求権の消滅時効の更新の効力が生じた場合には、同一の供託に係る供託物還付請求権の消滅時効は、その時から新たに進行する。

(エ)　家賃の５か月分につき一括してされた弁済供託の１か月分の供託金について取戻請求があり、これが払い渡された場合には、他の４か月分の供託金取戻請求権の消滅時効は、その時から新たに進行する。

(オ)　供託者の請求により当該供託に関する書類の全部が閲覧に供された場合であっても、供託物取戻請求権の消滅時効の更新の効力を生じない。

(1)　(ア)(イ)　　(2)　(ア)(ウ)　　(3)　(イ)(エ)　　(4)　(ウ)(オ)　　(5)　(エ)(オ)

学習記録	／	／	／	／	／	／	／	／	／

重要度 B	知識型	要 *Check!*	正解 (3)

(ア) 誤　債権者の受領拒絶を原因とする弁済供託の供託金還付請求権の消滅時効は、被供託者において現実に供託金還付請求権の行使を期待することができることとなった時点を客観的起算点として進行する（昭 45.9.25 民甲 4112 号）。

(イ) 正　弁済供託について、被供託者から供託受諾書が提出されたのみでは、供託金還付請求権の消滅時効は更新されない（昭 36.1.11 民甲 62 号）。

(ウ) 誤　供託物還付請求権及び供託物取戻請求権のうち、一方の供託物払渡請求権について時効の更新事由が生じても、他方の消滅時効は更新されない（民 152 Ⅰ）。

(エ) 正　一括して弁済供託された供託金の一部につき取戻請求があり、払渡しがあったときは、残部についても債務の承認があったものとして消滅時効が更新される（昭 39.11.21 民甲 3752 号）。

(オ) 誤　弁済供託において、供託所が供託者の請求に基づき供託関係書類の閲覧をさせたときは、供託金取戻請求権の消滅時効が更新される（昭 39.10.3 民甲 3198 号）。

以上から、正しいものは(イ)(エ)であり、正解は(3)となる。

司法書士法

第１編　司法書士となるための要件
第２編　司法書士の業務
第３編　司法書士法人
第４編　司法書士会・日本司法書士会連合会・公共嘱託登記司法書士協会
第５編　懲戒・罰則・その他
第６編　総合問題

1c－1(R2－8)　その他

司法書士に関する次の(ア)から(オ)までの記述のうち、正しいものの組合せは、後記(1)から(5)までのうち、どれか。

(ア)　司法書士の登録を受けている者は、兼業している土地家屋調査士の業務を懲戒処分により禁止された場合であっても、引き続き司法書士の業務を行うことができる。

(イ)　司法書士試験に合格した者が未成年である場合であっても、成年に達する前に司法書士の登録を受け、業務を行うことができる。

(ウ)　司法書士の登録を受けている者は、破産手続開始の決定を受けた場合であっても、引き続き司法書士の業務を行うことができる。

(エ)　司法書士の登録を受けている者は、所属する司法書士会を退会し、他の司法書士会に入会していない場合には、引き続き司法書士の業務を行うことはできない。

(オ)　司法書士の登録を受けている者は、執行猶予付きの禁錮以上の刑の判決の言渡しを受け、これが確定した場合には、引き続き司法書士の業務を行うことはできない。

(1)　(ア)(イ)　　(2)　(ア)(ウ)　　(3)　(イ)(エ)　　(4)　(ウ)(オ)　　(5)　(エ)(オ)

学習記録	／	／	／	／	／	／	／	／	／

重要度 A	知識型		正解 (5)

(ア) 誤　懲戒処分により、公認会計士の登録を抹消され、若しくは土地家屋調査士、弁理士、税理士若しくは行政書士の業務を禁止され、又は税理士であった者であって税理士業務の禁止の懲戒処分を受けるべきであってことについて決定を受け、これらの処分の日から３年を経過しない者は、司法書士となる資格を有しない（5⑥）。そして、司法書士が欠格事由に該当するに至ったときは、日本司法書士会連合会は、当該司法書士の登録を取り消さなければならない（15Ⅰ④）。

(イ) 誤　未成年者は、司法書士となる資格を有しない（5②）。

(ウ) 誤　破産手続開始の決定を受けて復権を得ない者は、司法書士となる資格を有しない（5③）。そして、司法書士が欠格事由に該当するに至ったときは、日本司法書士会連合会は、当該司法書士の登録を取り消さなければならない（15Ⅰ④）。

(エ) 正　司法書士会に入会していない者は、司法書士業務を行うことができない（3Ⅱ③・73Ⅰ）。

(オ) 正　禁錮以上の刑に処せられ、その執行を終わり、又は執行を受けることがなくなってから３年を経過しない者は、司法書士となる資格を有しない（5①）。この点、禁錮以上の刑の執行猶予の判決を受けた者は、判決の確定によりその刑に処せられたことになり、かつ、刑の執行が未確定であり、執行を受けることがなくなったとはいえないから、5条1号に該当する。そして、司法書士が欠格事由に該当するに至ったときは、日本司法書士会連合会は、当該司法書士の登録を取り消さなければならない（15Ⅰ④）。

以上から、正しいものは(エ)(オ)であり、正解は(5)となる。

2−1(15−8)　司法書士の業務

司法書士が業務を行い得ない事件に関する次の記述中の(ア)から(カ)までに入る適切な語句を後記ａからｊまでの語句から選んだ場合の組合せとして正しいものは、後記(1)から(5)までのうちどれか。(改)

「司法書士法第22条は、司法書士が業務を行うことができない事件について定めている。まず、同条第1項は、弁護士法第25条第4号と同様に、(ア) を対象として、公務員として職務上取り扱った事件について業務を行うことを (イ) 禁止する旨を規定している。これは、国や行政庁の利益、司法書士の品位・信用を確保することを目的としており、この規定に違反した場合には、(ウ) の対象となる。次に、同条第2項は、(ア) を対象として、(エ) を行うことができない事件を規定しており、具体的には、(オ) に提出する書類を作成する業務を行った事件や、司法書士法人の使用人である場合において当該司法書士法人が (カ) を受任している事件については、その相手方からの依頼を受けて (オ) に提出する書類を作成する業務を行ってはならない旨を規定している。」

a　すべての司法書士
b　簡裁訴訟代理等関係業務を行う司法書士
c　部分的に
d　全面的に
e　懲戒処分
f　処罰
g　裁判書類作成関係業務
h　簡裁訴訟代理等関係業務
i　法務局又は地方法務局
j　裁判所又は検察庁

	(ア)	(イ)	(ウ)	(エ)	(オ)	(カ)
(1)	a	c	e	g	i	g
(2)	b	d	f	h	j	h
(3)	a	d	e	g	j	h
(4)	b	c	f	g	i	g
(5)	a	d	e	h	j	g

学習記録	／	／	／	／	／	／	／	／	／

重要度 A | 知識型 | 要 *Check!* 　　**正解 (3)**

(ア) a　すべての司法書士　　22条1項及び2項は全ての司法書士に対する規定である。なお、22条3項及び4項は3条2項に規定する業務（簡裁訴訟代理等関係業務）を行うことができる司法書士に対する規定である。

(イ) d　全面的に　　22条1項が全ての司法書士に行ってはならないとしている「業務」に制限はなく、公務員として職務上取り扱った事件については、3条1項各号に規定する業務全てが禁止される。

(ウ) e　懲戒処分　　22条1項違反は、懲戒事由となる（47）が、罰則については規定されていない。

(エ) g　裁判書類作成関係業務　　全ての司法書士が行うことができる業務には、登記又は供託に関する手続について代理すること（3Ⅰ①)、法務局又は地方法務局に提出する書類を作成すること（3Ⅰ②)、法務局又は地方法務局の長に対する登記又は供託に関する審査請求の手続について代理すること（3Ⅰ③)、裁判所又は検察庁に提出する書類を作成すること（3Ⅰ④)、1号から4号までの事務について相談に応ずること（3Ⅰ⑤）が規定されている。この中で、22条2項が、全ての司法書士が行うことができない事件があるとして制限した業務は、裁判所又は検察庁に提出する書類を作成すること及びその相談に応ずる業務、いわゆる裁判書類作成関係業務についてである。

(オ) j　裁判所又は検察庁　　(エ)の解説参照。

(カ) h　簡裁訴訟代理等関係業務　　22条2項3号は、司法書士が司法書士法人の使用人である場合に、当該司法書士法人が相手方から簡裁訴訟代理等関係業務に関するものとして受任している事件について、個人として同一の事件について裁判書類作成関係業務を行うことを禁止している。その趣旨は、司法書士法人と司法書士法人に現に雇われている使用人（司法書士）とが対立関係に立つことを避けるためである。

以上から、空欄に適切な語句を補充して文章を完成させると、「司法書士法第22条は、司法書士が業務を行うことができない事件について定めている。まず、同条第1項は、弁護士法第25条第4号と同様に、((ア)a　すべての司法書士）を対象として、公務員として職務上取り扱った事件について業務を行うことを（(イ)d　全面的に）禁止する旨を規定している。これは、国や行政庁の利益、司法書士の品位・信用を確保することを目的としており、この規定に違反した場合には、((ウ)e　懲戒処分）の対象となる。次に、同条第2

項は、((ア) a　すべての司法書士）を対象として、((エ) g　裁判書類作成関係業務）を行うことができない事件を規定しており、具体的には、((オ) j　裁判所又は検察庁）に提出する書類を作成する業務を行った事件や、司法書士法人の使用人である場合において当該司法書士法人が（(カ) h　簡裁訴訟代理等関係業務）を受任している事件については、その相手方からの依頼を受けて((オ) j　裁判所又は検察庁）に提出する書類を作成する業務を行ってはならない旨を規定している。」となり、正解は(3)となる。

MEMO

2－2(21－8)　司法書士の業務

司法書士又は司法書士法人の業務に関する次の(ア)から(オ)までの記述のうち、正しいものの組合せは、後記(1)から(5)までのうちどれか。

(ア)　司法書士は、司法書士法第３条第２項に規定する司法書士でなくても、民事に関する紛争（簡易裁判所における民事訴訟法の規定による訴訟手続の対象となるものに限る。）であって紛争の目的の価額が140万円を超えないものについて、相談に応ずることを業とすることができる。

(イ)　司法書士は、正当な事由がある場合であっても、業務（ただし、簡裁訴訟代理等関係業務に関するものを除く。）に関する依頼を拒むことができない。

(ウ)　司法書士Ａは、Ｂの依頼を受けてＣを相手方とする訴えの訴状を作成した。この場合、Ａは、Ｂの同意があれば、Ｃの依頼を受けて、当該訴状を作成した事件についての裁判書類作成関係業務を行うことができる。

(エ)　司法書士法人の社員は、他の社員全員の承諾がある場合であっても、自己若しくは第三者のためにその司法書士法人の業務の範囲に属する業務を行い、又は他の司法書士法人の社員となってはならない。

(オ)　司法書士法人Ａの使用人である司法書士Ｂが、Ｃの依頼を受けてＤを相手方とする簡裁訴訟代理等関係業務に関する事件を受任している。この場合、Ａは、Ｄの依頼を受けて、当該事件についての裁判書類作成関係業務を行ってはならない。

（参考）
司法書士法
（業務）
第３条（略）
２　前項第６号から第８号までに規定する業務（以下「簡裁訴訟代理等関係業務」という。）は、次のいずれにも該当する司法書士に限り、行うことができる。
一～三　（略）
３～８　（略）

(1)　(ア)(イ)　(2)　(ア)(ウ)　(3)　(イ)(エ)　(4)　(ウ)(オ)　(5)　(エ)(オ)

学習記録	／	／	／	／	／	／	／	／	／

重要度 A	知識型	要 *Check!*	正解 (5)

(ア) 誤　簡易裁判所における請求額が140万円を超えない民事紛争について相談に応ずることができる司法書士は、3条2項に規定された要件を満たした者に限られる（3Ⅱ・Ⅰ⑦)。簡裁訴訟代理等関係業務を行うのに必要な能力を担保するためである。

(イ) 誤　司法書士は、正当な事由がある場合でなければ、依頼（簡裁訴訟代理等関係業務に関するものを除く。）を拒むことができない（21)。なお、簡裁訴訟代理等関係業務に関する依頼については、依頼人との間に高度な信頼関係を必要とすることから、司法書士は、正当な事由がなくても依頼を拒むことができる。

(ウ) 誤　司法書士は、相手方の依頼を受けて裁判書類等の作成業務を行った事件について、裁判書類作成関係業務を行ってはならない（22Ⅱ①)。依頼者又は相手方の信頼を裏切り､司法書士の品位信用を害するからである。これは、相手方の同意があっても同様である（22Ⅲ参照)。

(エ) 正　司法書士法人の社員は他の社員全員の承諾があっても競業は禁止される（42)。このようなことを認めると、恒常的な利益相反状況と精力の分散を招き、業務の質の低下を招くおそれがあり、依頼者に無用の不安を与えることにもなりかねないからである。

(オ) 正　司法書士法人の使用人が相手方から簡裁訴訟代理等関係業務に関するものとして受任している事件について、司法書士法人は裁判書類作成関係業務を行うことはできない（41Ⅰ②)。法人と現に雇用されている使用人とが対立関係に立つことを避けるための規定である。

以上から、正しいものは(エ)(オ)であり、正解は(5)となる。

2-3(24-8)　司法書士の業務

司法書士の業務のうち、裁判所に提出する書類を作成する事務を行う業務（以下「裁判書類作成業務」という。）に関する次の(ア)から(オ)までの記述のうち、誤っているものの組合せは、後記(1)から(5)までのうちどれか。

(ア)　司法書士は、裁判書類作成業務の受任を特定の者から依頼されたもののみに限定することはできない。

(イ)　社員が３人ある司法書士法人において、社員であるＡのみが社員となる前に個人の司法書士としてＸの依頼を受けて裁判書類作成業務を受任していた場合には、当該司法書士法人が当該裁判書類作成業務に係る事件のＸの相手方であるＹから受任した当該事件に関する裁判書類作成業務について、社員であるＡが担当することはできない。

(ウ)　司法書士法人がＸの依頼を受けて受任した裁判書類作成業務について、当該司法書士法人の使用人として自らこれに関与した司法書士は、Ｘが同意した場合には、当該裁判書類作成業務に係る事件のＸの相手方であるＹから、個人の司法書士として当該事件に関する裁判書類作成業務を受任することができる。

(エ)　司法書士は、最高裁判所が上告裁判所となるときであっても、その上告状を作成する事務を行う業務を受任することができる。

(オ)　複数の従たる事務所を有する司法書士法人は、ある従たる事務所においてＸの依頼を受けて裁判書類作成業務を受任していた場合にあっても、他の従たる事務所においてであれば、当該裁判書類作成業務に係る事件のＸの相手方であるＹから、当該事件に関する裁判書類作成業務を受任することができる。

(1)　(ア)(イ)　　(2)　(ア)(ウ)　　(3)　(イ)(エ)　　(4)　(ウ)(オ)　　(5)　(エ)(オ)

学習記録	／	／	／	／	／	／	／	／	／

重要度 A	知識型	要 *Check!*	正解 (4)

(ア) 正　司法書士は、簡裁訴訟代理等関係業務（3Ⅰ⑥～⑧）に関するものを除き、正当な事由がある場合でなければ、依頼を拒むことができない（21）。したがって、裁判書類作成業務（3Ⅰ④）の受任を特定の者から依頼されたもののみに限定することはできない。

(イ) 正　司法書士は、裁判書類作成業務を受任した事件について、その相手方の依頼を受けて、裁判書類作成関係業務を行ってはならない（22Ⅱ①）。そして当該規定は、司法書士が個人として業務を行うことができない事件に関して、司法書士法人の担当者として関与することも制限していると解される。したがって、司法書士法人の社員となる前に、個人の司法書士として裁判書類作成業務を受任した事件に関して、当該司法書士法人が、その事件の相手方から当該事件に関する裁判書類作成業務を受任した場合（41Ⅰ③参照）、当該司法書士は、その事件に関する裁判書類作成業務を担当することができない。

(ウ) 誤　司法書士は、司法書士法人の使用人として自ら関与した裁判書類作成業務に関しては、依頼者の同意の有無にかかわらず、個人の司法書士として当該事件に関する相手方の裁判書類作成関係業務を受任することはできない（22Ⅱ②）。なお、当該事件以外の事件に関しては、依頼者の同意があれば、業務を行うことができる場合がある（22Ⅲ柱書但書・22Ⅲ⑥）。

(エ) 正　司法書士は、他人の依頼を受けて、裁判所に提出する書類を作成する業務を受任することができるが（3Ⅰ④）、ここでいう裁判所には、最高裁判所も含まれる。したがって、司法書士は、最高裁判所が上告裁判所になるときであっても、その上告状を作成する業務を受任することができる。

(オ) 誤　司法書士法人は、裁判書類作成業務を受任した事件について、その相手方の依頼を受けて、裁判書類作成関係業務を行ってはならない（41Ⅰ①）。したがって、ある従たる事務所で、裁判書類作成業務を受任した場合、他の従たる事務所で、当該事件の相手方の依頼を受けて、裁判書類作成業務を行うことはできない。

以上から、誤っているものは(ウ)(オ)であり、正解は(4)となる。

2−4(25−8)　司法書士の業務

司法書士の義務に関する次の(ア)から(オ)までの記述のうち、正しいものの組合せは、後記(1)から(5)までのうち、どれか。(改)

(ア)　司法書士は、業務の依頼をしようとする者から求めがあったときは、報酬の基準を示さなければならないが、その求めがなかったときは、当該基準を示すことを要しない。

(イ)　司法書士は、補助者を置いたときは、遅滞なく、その旨を所属の司法書士会に届け出なければならない。

(ウ)　司法書士は、法務局又は地方法務局の長に対する登記に関する審査請求の手続について代理することの依頼については、正当な事由がある場合でなくても、拒むことができる。

(エ)　刑事訴訟における証人として証言する場合には、司法書士であった者は、業務上取り扱った事件について知ることのできた秘密を他に漏らすことが許されるが、司法書士は、当該秘密を他に漏らすことは許されない。

(オ)　司法書士は、事件簿を調製し、かつ、その閉鎖後７年間保存しなければならない。

(1)　(ア)(イ)　　(2)　(ア)(ウ)　　(3)　(イ)(オ)　　(4)　(ウ)(エ)　　(5)　(エ)(オ)

学習記録	／	／	／	／	／	／	／	／	／

重要度 A **知識型** **要 *Check!*** **正解 (3)**

(ア) 誤　司法書士は、3条1項各号に掲げる事務を受任しようとする場合には、あらかじめ、依頼をしようとする者に対し、報酬額の算定の方法その他の報酬の基準を示さなければならない（司書施規22）。この点に関し、その求めがなかったときは基準を示さなくてよいという規定はない。

(イ) 正　司法書士は、その業務の補助をさせるため補助者を置くことができる（司書施規25Ⅰ）。そして、司法書士は、補助者を置いたときは、遅滞なく、その旨を所属の司法書士会に届け出なければならない（司書施規25Ⅱ）。

(ウ) 誤　司法書士は、登記手続の代理業務や裁判書類の作成業務などの3条1項1号から5号までに規定する業務については、正当な事由がある場合でなければ依頼を拒むことができない（21）。そのため、法務局又は地方法務局の長に対する登記に関する審査請求の手続について代理すること（3Ⅰ③）の依頼については、正当な事由がなければ拒むことができない。

(エ) 誤　司法書士又は司法書士であった者は、正当な事由がある場合でなければ、業務上取り扱った事件について知ることのできた秘密を他に漏らしてはならない（24）。この点、「正当な事由がある場合」とは、刑事訴訟における証人として証言する場合などをいう。そして、「正当な事由がある場合」には、司法書士又は司法書士であった者を問わず、秘密を他に漏らすことも許容される。

(オ) 正　司法書士は、日本司法書士会連合会の定める様式により事件簿を調製し、その閉鎖後7年間保存しなければならない（司書施規30Ⅰ・Ⅱ）。

以上から、正しいものは(イ)(オ)であり、正解は(3)となる。

2-5(26-8)　司法書士の業務

司法書士又は司法書士法人の業務に関する次の(ア)から(オ)までの記述のうち、判例の趣旨に照らし正しいものの組合せは、後記(1)から(5)までのうち、どれか。

(ア)　司法書士は、長期の疾病などやむを得ない事由により自ら業務を行い得ない場合には、一定の期間を定めて、補助者に全ての業務を取り扱わせることができる。

(イ)　司法書士法人は、定款で定めるところにより、当事者その他関係人の依頼を受けて後見人に就任し、被後見人の法律行為について代理する業務を行うことができる。

(ウ)　司法書士は、日本司法書士会連合会にあらかじめ届け出ることにより、二以上の事務所を設けることができる。

(エ)　司法書士法人は、その主たる事務所に社員を常駐させなければならないが、その従たる事務所には社員を常駐させる必要はない。

(オ)　司法書士は、登記権利者及び登記義務者の双方から登記申請の代理の依頼を受けて当該申請に必要な書類を受領した場合において、当該申請をする前に登記義務者から当該書類の返還を求められたときは、登記権利者に対する関係では、登記権利者の同意がある等特段の事情のない限り、その返還を拒むべき義務を負う。

(1)　(ア)(ウ)　　(2)　(ア)(エ)　　(3)　(イ)(ウ)　　(4)　(イ)(オ)　　(5)　(エ)(オ)

学習記録	／	／	／	／	／	／	／	／	／

重要度 A | **知識型** | **要 *Check!*** | **正解 (4)**

(ア) 誤　司法書士は、他人をしてその業務を取り扱わせてはならない（司書施規24）。この点、「他人」には補助者も含まれるため、たとえ疾病・傷害等のやむを得ない事情により司法書士自らが業務を行い得ない場合でも、補助者に全面的に業務を取り扱わせることは許されない。

(イ) 正　司法書士法人は、３条１項１号から５号までに規定する業務を行うほか、定款で定めるところにより、当事者その他関係人の依頼又は官公署の委嘱により、後見人、保佐人、補助人、監督委員その他これらに類する地位に就き、他人の法律行為について、代理、同意若しくは取消しを行う業務又はこれらの業務を行う者を監督する業務を行うことができる（29 I、司書施規31 ②）。

(ウ) 誤　司法書士は、法務省令で定める基準に従い、事務所を設けなければならず（20）、二以上の事務所を設けることができない（司書施規19）。

(エ) 誤　司法書士法人は、その事務所に、当該事務所の所在地を管轄する法務局又は地方法務局の管轄区域内に設立された司法書士会の会員である社員を常駐させなければならない（39）が、このことは主たる事務所と従たる事務所とで変わりはない。

(オ) 正　司法書士が登記義務者から交付を受けた登記手続に必要な書類は、登記義務者からその返還を求められても、登記権利者の同意等特段の事情のない限り、これを拒むべき義務を負う（最判昭53.7.10）。

以上から、正しいものは(イ)(オ)であり、正解は(4)となる。

2−6(27−8)　司法書士の業務

司法書士又は司法書士法人の業務に関する次の(ア)から(オ)までの記述のうち、正しいものの組合せは、後記(1)から(5)までのうち、どれか。

(ア)　司法書士法人が簡裁訴訟代理等関係業務を行うためには、その使用人のうちに司法書士法第３条第２項に規定する司法書士があれば足り、その社員のうちに同項に規定する司法書士があることを要しない。

(イ)　司法書士は、登記手続についての代理の依頼を拒んだ場合においては、速やかにその旨を依頼者に通知すれば足り、依頼者の請求があるときであっても、その理由書を交付することを要しない。

(ウ)　司法書士は、公務員として職務上取り扱った事件及び仲裁手続により仲裁人として取り扱った事件については、その業務を行ってはならない。

(エ)　司法書士法人の社員は、他の社員全員の承諾がある場合には、自己又は第三者のためにその司法書士法人の業務の範囲に属する業務を行うことができる。

(オ)　司法書士は、司法書士会に入会したときは、当該司法書士会の会則の定めるところにより、事務所に司法書士の事務所である旨の表示をしなければならない。

（参考）
司法書士法
第３条（略）
２　前項第６号から第８号までに規定する業務（以下「簡裁訴訟代理等関係業務」という。）は、次のいずれにも該当する司法書士に限り、行うことができる。
一　簡裁訴訟代理等関係業務について法務省令で定める法人が実施する研修であつて法務大臣が指定するものの課程を修了した者であること。
二　前号に規定する者の申請に基づき法務大臣が簡裁訴訟代理等関係業務を行うのに必要な能力を有すると認定した者であること。
三　司法書士会の会員であること。
３～８（略）

(1)　(ア)(エ)　(2)　(ア)(オ)　(3)　(イ)(ウ)　(4)　(イ)(エ)　(5)　(ウ)(オ)

学習記録	／	／	／	／	／	／	／	／	／

重要度 A	知識型	要 *Check!*		正解 (5)

(ア) 誤　簡裁訴訟代理等関係業務は、社員のうちに簡裁訴訟代理等関係業務を行うのに必要な能力を有する旨の法務大臣の認定を受けた司法書士がある司法書士法人（司法書士会の会員であるものに限る。）に限り、行うことができる（29Ⅱ）。したがって、当該認定を受けた司法書士を使用人としている場合でも、社員のうちに認定を受けた司法書士がいなければ、簡裁訴訟代理等関係業務を行うことはできない。

(イ) 誤　司法書士は、依頼（簡裁訴訟代理等関係業務に関するものを除く。）を拒んだ場合において、依頼者の請求があるときは、その理由書を交付しなければならない（司書施規 27Ⅰ）。なお、簡裁訴訟代理等関係業務について事件の依頼を承諾しないときは、速やかに、その旨を依頼者に通知しなければならない（司書施規 27Ⅱ）。

(ウ) 正　司法書士は、公務員として職務上取り扱った事件及び仲裁手続により仲裁人として取り扱った事件については、その業務を行ってはならない（22Ⅰ）。

(エ) 誤　司法書士法人の社員は、自己若しくは第三者のためにその司法書士法人の業務の範囲に属する業務を行うことはできない（42Ⅰ）。そして、これは他の社員全員の承諾がある場合においても、同様である。

(オ) 正　司法書士は司法書士会に入会したときは、その司法書士会の会則の定めるところにより、事務所に司法書士の事務所である旨の表示をしなければならない（司書施規 20Ⅰ）。

以上から、正しいものは(ウ)(オ)であり、正解は(5)となる。

2−7(29−8)　司法書士の業務

司法書士の義務に関する次の(ア)から(オ)までの記述のうち、正しいものの組合せは、後記(1)から(5)までのうち、どれか。(改)

(ア)　司法書士は、依頼者から報酬を受けたときは、領収証を作成して依頼者に交付しなければならないが、その領収証には、受領した報酬額の総額を記載すれば足りる。

(イ)　司法書士は、刑事訴訟における証人として証言する場合には、業務上取り扱った事件について知ることのできた秘密であっても、証言することができる。

(ウ)　司法書士は、その業務の補助をさせるため補助者を置くことができるが、補助者を置いたときは、遅滞なく、その旨を当該司法書士の事務所の所在地を管轄する法務局又は地方法務局の長に届け出なければならない。

(エ)　司法書士は、登記に関する手続の代理の依頼を受けた場合において、正当な事由がなくても、依頼者に対して理由書を交付すれば、当該依頼を拒むことができる。

(オ)　司法書士は、日本司法書士会連合会の定める様式により事件簿を調製しなければならず、その事件簿は、その閉鎖後７年間保存しなければならない。

(1)　(ア)(イ)　　(2)　(ア)(ウ)　　(3)　(イ)(オ)　　(4)　(ウ)(エ)　　(5)　(エ)(オ)

学習記録	／	／	／	／	／	／	／	／	／

重要度　A	知識型	要 *Check!*		正解　(3)

㋐　誤　　司法書士は、依頼者から報酬を受けたときは、領収証正副２通を作成し、正本は、これに記名し、職印を押して依頼者に交付し、副本は、作成の日から３年間保存しなければならない（司書施規 29 Ⅰ）。そして、当該領収証には、受領した報酬額の内訳を詳細に記載しなければならない（司書施規 29 Ⅲ）。

㋑　正　　司法書士又は司法書士であった者は、正当な事由がある場合でなければ、業務上取り扱った事件について知ることのできた秘密を他に漏らしてはならない（24）。この点、「正当な事由がある場合」には、刑事訴訟における証人として証言する場合や依頼者の承諾がある場合などが含まれる。したがって、司法書士は、刑事訴訟における証人として証言する場合、業務上取り扱った事件について知ることのできた秘密を証言することが許される。

㋒　誤　　司法書士は、その業務の補助をさせるため補助者を置くことができる（司書施規 25 Ⅰ）。そして、司法書士は、補助者を置いたとき、又は、補助者を置かなくなったときは、遅滞なく、その旨を所属の司法書士会に届け出なければならない（司書施規 25 Ⅱ）。

㋓　誤　　司法書士は、簡裁訴訟代理等関係業務に関するものを除き、正当な事由がある場合でなければ依頼を拒むことができない（21）。なお、簡裁訴訟代理等関係業務は、その業務の性質上、独立性の高い職務として、依頼者と司法書士との間に継続的で強い信頼関係が必要となるため、依頼に応ずる義務が課されていない（21 括弧書）。

㋔　正　　司法書士は、日本司法書士会連合会の定める様式により事件簿を調製し、その閉鎖後７年間保存しなければならない（司書施規 30 Ⅰ・Ⅱ）。

以上から、正しいものは㋑㋔であり、正解は(3)となる。

2−8(R3−8)　司法書士の業務

司法書士又は司法書士法人の業務に関する次の(ア)から(オ)までの記述のうち、誤っているものの組合せは、後記(1)から(5)までのうち、どれか。

(ア)　司法書士は、公務員として職務上取り扱った事件について、その業務を行うことができない。

(イ)　簡裁訴訟代理等関係業務を行うのに必要な能力を有する旨の法務大臣の認定を受けた司法書士である社員がいない司法書士法人であっても、当該認定を受けた司法書士である使用人がいれば、当該司法書士である使用人が簡裁訴訟代理等関係業務を行うことができる。

(ウ)　司法書士は、司法書士会に入会したときは、当該司法書士会の会則の定めるところにより、事務所に司法書士の事務所である旨を表示しなければならない。

(エ)　複数の事務所を有する司法書士法人は、その従たる事務所においてＡの依頼を受けて裁判所に提出する書類を作成する業務を行った場合には、その主たる事務所において当該業務に係る事件の相手方であるＢから、当該事件に関して裁判所に提出する書類を作成する業務を受任することができない。

(オ)　司法書士は、日本司法書士会連合会にあらかじめ届け出ることにより、二以上の事務所を設けることができる。

(1)　(ア)(イ)　　(2)　(ア)(エ)　　(3)　(イ)(オ)　　(4)　(ウ)(エ)　　(5)　(ウ)(オ)

学習記録	／	／	／	／	／	／	／	／	／

重要度 A | **知識型** | **要 *Check!*** | **正解 (3)**

(ア) 正　司法書士は、公務員として職務上取り扱った事件及び仲裁手続により仲裁人として取り扱った事件については、その業務を行ってはならない（22 I）。

(イ) 誤　簡裁訴訟代理等関係業務は、社員のうちに簡裁訴訟代理等関係業務を行うのに必要な能力を有する旨の法務大臣の認定を受けた司法書士がある司法書士法人（司法書士会の会員である者に限る。）に限り、行うことができる（29 II）。

(ウ) 正　司法書士は、司法書士会に入会したときは、その司法書士会の会則の定めるところにより、事務所に司法書士の事務所である旨の表示をしなければならない（司書施規 20 I）。

(エ) 正　司法書士法人が前件で相手方の依頼を受けて裁判書類作成業務を行った場合に、同一の事件について、後件として裁判書類作成関係業務を行うことが制限されている（41 I ①）。これは、司法書士法人が一方当事者の依頼を受けて裁判書類作成業務を行った事件について、相手方当事者の依頼を受けて裁判書類作成関係業務を行うことは、司法書士個人と同様、相手方の利益を害し、司法書士法人の品位・信用を害することになるからである。

(オ) 誤　司法書士は、二以上の事務所を設けることができない（司書施規 19)。なぜなら、司法書士が複数の事務所を設置すれば、司法書士の常駐しない事務所が非司法書士の活動の温床になるおそれがあり、また、司法書士に対する所属司法書士会による指導権を確保できなくなる可能性があるからである。

以上から、誤っているものは(イ)(オ)であり、正解は(3)となる。

3−1(16−8)　司法書士法人

　次の対話は、司法書士法人の社員に関する教授と学生との間の対話である。教授の質問に対する次の(ア)から(オ)までの学生の解答のうち、正しいものの組合せは、後記(1)から(5)までのうちどれか。(改)

教授：　司法書士法人の社員の業務執行権限について、司法書士法は、どのように規定していますか。

学生：(ア)　原則として、社員である司法書士は、すべて業務執行権限等を有するものと規定しています。ただし、例外として、簡裁訴訟代理等関係業務を行うことも目的とする司法書士法人の場合には、一部の社員のみがこの業務を執行する権限を有することがある旨を規定しています。

教授：　司法書士法人の社員については、どのような資格が要求されていますか。

学生：(イ)　原則として、司法書士でなければなりません。ただし、例外として、司法書士の登録を取り消された者は、司法書士でなくなりますが、当然に司法書士法人を脱退することにはなりません。

教授：　司法書士法人の債務については、社員は、どのような責任を負うことになりますか。

学生：(ウ)　原則として、司法書士法人の債務について責任を負いません。ただし、例外として、司法書士法人の財産をもってその債務を完済することができないときや、司法書士法人の財産に対する強制執行が功を奏しなかったときは、連帯して弁済する責任を負うことになります。

教授：　司法書士法人が登記申請業務を行った場合において、当該業務を行った社員である司法書士が過失により依頼者に損害を与えたときは、司法書士法人は、債務不履行責任を負いますか。

学生：(エ)　原則として、債務不履行責任を負うことになります。ただし、例外として、当該業務を行った社員である司法書士の選任及び監督に関して司法書士法人に過失のなかったことを証明した場合には、責任を免れることになります。

教授：　司法書士法人の社員の競業については、どのような規制が設けられていますか。

学生：(オ)　原則として、自己若しくは第三者のために当該司法書士法人の業務の範囲に属する業務を行い、又は他の司法書士法人の社員となることはできません。ただし、例外として、当該司法書士法人の総社員の同意があったときは、このような義務を免れることになります。

(1)　(ア)(イ)　　(2)　(ア)(ウ)　　(3)　(イ)(エ)　　(4)　(ウ)(オ)　　(5)　(エ)(オ)

学習記録	／	／	／	／	／	／	／	／	／

重要度 A | **知識型** | **要 *Check!*** | **正解 (2)**

㋐ 正　司法書士法人の社員は、すべて業務を執行する権利を有し、義務を負う（36Ⅰ）。ただし、簡裁訴訟代理等関係業務を行うことを目的とする司法書士法人における簡裁訴訟代理等関係業務については、３条２項に規定する司法書士である社員のみが業務を執行する権利を有し、義務を負う（36Ⅱ）。

㋑ 誤　司法書士法人の社員は、司法書士でなければならない（28Ⅰ）。したがって、司法書士の登録の取消し（15Ⅰ・16Ⅰ）は、当然に司法書士法人の社員の法定脱退事由となる（43①）。

㋒ 正　司法書士法人の財産をもってその債務を完済することができないときは、各社員は、連帯して、その弁済の責任を負う（38Ⅰ）。また、司法書士法人の財産に対する強制執行がその功を奏しなかったときも、同様である（38Ⅱ）。この38条は、社員の司法書士法人の債務についていわゆる補充責任を規定したものである。

㋓ 誤　司法書士法人は依頼者に対し委任契約の受任者の地位に立ち、登記申請業務を行った社員である司法書士は履行補助者にすぎない。したがって、当該社員が過失により依頼者に損害を与えたときは、司法書士法人は債務不履行責任を負う。なお、簡裁訴訟代理等関係業務について、司法書士法人が負う責任は過失責任となる（30Ⅱ）。

㋔ 誤　司法書士法人の社員は、自己若しくは第三者のためにその司法書士法人の業務の範囲に属する業務を行い、又は他の司法書士法人の社員となってはならない（42）。このことは、他の社員全員の承諾がある場合においても同様である。

以上から、正しいものは㋐㋒であり、正解は⑵となる。

3-2(17-8)　司法書士法人

司法書士又は司法書士法人の業務に関する次の(ア)から(オ)までの記述のうち、誤っているものの組合せは、後記(1)から(5)までのうちどれか。(改)

(ア)　簡裁訴訟代理等関係業務を行うのに必要な能力を有する旨の法務大臣の認定を受けた司法書士である社員がいない司法書士法人であっても、当該認定を受けた司法書士である使用人がいれば、簡裁訴訟代理等関係業務を行うことができる。

(イ)　司法書士法人は、定款で定めるところにより、当事者その他関係人の依頼により、後見人に就職し、他人の法律行為について代理する業務を行うことができる。

(ウ)　簡裁訴訟代理等関係業務を行うのに必要な能力を有する旨の法務大臣の認定を受けていない者であっても、民事に関する紛争について依頼者からの相談に応じることを業とすることができる。

(エ)　司法書士は、登記手続の代理業務や裁判書類の作成業務について、病気や事故のため業務を遂行することができないときは、業務の依頼に応じないことができる。

(オ)　供託者を代理して債権者不確知を理由とする弁済供託の手続をしていたとしても、当該供託の被供託者から供託物払渡請求権の確認訴訟に係る裁判書類の作成について依頼を受けることができる。

(1)　(ア)(ウ)　　(2)　(ア)(エ)　　(3)　(イ)(エ)　　(4)　(イ)(オ)　　(5)　(ウ)(オ)

学習記録	／	／	／	／	／	／	／	／	／

司法書士法人

重要度 A | **知識型** | **要 *Check!*** | **正解 (1)**

(ア) 誤　簡裁訴訟代理等関係業務は、社員のうちに簡裁訴訟代理等関係業務を行うのに必要な能力を有する旨の法務大臣の認定を受けた司法書士がある司法書士法人（司法書士会の会員である者に限る。）に限り、行うことができる（29Ⅱ）。したがって、当該認定を受けた司法書士が使用人としている場合でも、社員のうちに認定を受けた司法書士がいなければ、簡裁訴訟代理等関係業務を行うことはできない。

(イ) 正　司法書士法人は、定款で定めるところにより、当事者その他の関係人の依頼により、後見人、保佐人、補助人、監督委員その他これらに類する地位に就き、他人の法律行為について、代理、同意若しくは取消しを行う業務をすることができる（29Ⅰ①、司書施規31②）。

(ウ) 誤　民事に関する紛争（簡易裁判所における民事訴訟法の規定による訴訟手続の対象となるものに限る。）について、相談に応ずることは簡裁訴訟代理等関係業務に含まれる（3Ⅰ⑦）。そのため、簡裁訴訟代理等関係業務を行うのに必要な能力を有する旨の法務大臣の認定を受けていない者は、民事に関する紛争について依頼者からの相談に応ずることはできない（3Ⅱ）。

(エ) 正　司法書士は、簡裁訴訟代理等関係業務に関するものを除いて、正当な事由がある場合でなければ依頼を拒むことができない（21）。「正当な事由」には病気や事故、事務の繁忙、22条で定める業務を行い得ない事件に当たる場合等が挙げられ、これらを理由に依頼を拒んだ場合に、依頼者からの請求があるときは、その理由書を交付して、依頼に応じないことができる（司書施規27Ⅰ）。

(オ) 正　供託に関する手続について代理する業務は、22条2項による規制対象とされていない。供託に関する手続の代理は、相手方当事者がいない単独申請のものであるからである。したがって、司法書士又は司法書士法人は、供託者を代理して弁済供託の手続をしていたとしても、当該供託の被供託者から供託物払渡請求権の確認訴訟に係る裁判書類の作成についても依頼を受けることができる。

以上から、誤っているものは(ア)(ウ)であり、正解は(1)となる。

3−3(18−8)　司法書士法人

Ａは、ＡがＢに対して有する100万円の貸金返還請求権を訴訟物として、Ｂに対し、訴え（以下「本件訴え」という。）を提起したいと考えている。この場合に関する次の(ア)から(オ)までの記述のうち、正しいものの組合せは、後記(1)から(5)までのうちどれか。なお、Ｃは、簡裁訴訟代理等関係業務を行うことを目的とする旨の定款の定めがある司法書士法人とする。

(ア)　Ｃは、Ａから本件訴えに係る訴状の作成業務を受任し、Ｃの使用人である司法書士Ｄは、この業務に関与した。この場合、Ｄは、Ｃを離職した後であれば、個人としてＢの依頼を受け、本件訴えに係る訴訟においてＢが提出すべき答弁書を作成することができる。

(イ)　Ｃは、Ａから本件訴えに係る訴訟における訴訟代理業務を受任したが、Ｃの使用人である司法書士Ｄは、この業務に関与しなかった。この場合、Ｄは、Ａの同意があれば、AC間で当該訴訟代理業務についての委任関係が継続していても、個人としてＢの依頼を受け、本件訴えに係る訴訟においてＢが提出すべき答弁書を作成することができる。

(ウ)　Ｃは、Ａから本件訴えに係る訴状の作成業務を受任し、この業務を行った。本件訴えに係る訴訟において、Ｂが、Ａに対し、貸金返還債務の存在を認め、これを分割して支払うことを約するとともに、当該貸金返還債務を被担保債務としてＢの所有する土地に抵当権を設定する旨の和解が成立した。この場合、Ｃは、Ａ及びＢを代理して、当該抵当権の設定の登記を申請することができる。

(エ)　Ｃは、Ａから本件訴えの提起について相談を受け、Ａとの間で、本件訴えの提起に向け、Ａから本件訴えに係る紛争の背景事情等を詳しく聞き、Ａに法的な助言をするなどして、協議を重ねた。この場合、Ｃは、Ａから当該訴訟における訴訟代理業務を受任しなかったとしても、Ｂの依頼を受け、当該訴訟においてＢが提出すべき答弁書を作成することはできない。

(オ)　Ｃは、Ａから本件訴えに係る訴訟における訴訟代理業務を受任した。この場合、Ｃは、Ａの同意があっても、Ｂの依頼を受け、本件訴えに係る訴訟以外の訴訟においてＢが提出すべき訴状を作成することはできない。

(1)　(ア)(エ)　(2)　(ア)(オ)　(3)　(イ)(ウ)　(4)　(イ)(オ)　(5)　(ウ)(エ)

学習記録	／	／	／	／	／	／	／	／	／

重要度 A | **知識型** | **要 *Check!*** | **正解 (5)**

⑺ 誤　司法書士法人の使用人である司法書士は、当該法人に在職中に自ら関与した裁判書類作成業務に関し、当該法人を離職後も、同一事件につき、相手方の依頼を受けて裁判書類を作成することはできない（22Ⅱ②）。

⑴ 誤　司法書士法人の使用人である司法書士は、当該司法書士法人が相手方から簡裁訴訟代理等関係業務に関するものとして受任している事件について、相手方の依頼を受けて裁判書類を作成することはできない（22Ⅱ③）。したがって、Aから本件訴えの訴訟代理業務を受任したC法人の使用人である司法書士Dがこの業務に関与していなくても、また、Aの同意があったとしても、司法書士Dは、個人として相手方Bの依頼を受け、本件訴えに係る訴訟においてBが提出すべき答弁書を作成することができない。

⑼ 正　裁判書類作成業務の依頼を受けた司法書士法人は、当該訴訟が和解により終了した場合、その和解内容を実現するために必要な登記申請を、依頼人及びその相手方から受任することができる。登記申請は新たな利害対立を作出するものではないからである。

⑴ 正　簡裁訴訟代理等関係業務を行うことを目的とする司法書士法人は、簡裁訴訟代理等関係業務に関するものとして、相手方の協議を受けて賛助し、又はその依頼を承諾した事件、若しくは相手方の協議を受けた事件で、その協議の程度及び方法が信頼関係に基づくと認められるものについては、裁判書類作成関係業務を行ってはならない（41Ⅱ①・②）。そして、「協議を受けて」とは、具体的事件の内容について、法律的な解釈や解決を求める相談を受けることをいい、「賛助し」とは、協議を受けた具体的事件について、相談者が希望する一定の結論又は利益を擁護するための具体的な見解を示したり、法律的手段を教示し、又は助言することをいう。Aから本件訴えの提起について相談を受け、訴えに係る紛争の背景事情等を詳しく聞き、Aに法的な助言をするなどして協議を重ねたC法人は、「協議を受けて賛助し」（41 Ⅱ①）又は「協議の程度及び方法が信頼関係に基づくものと認められる」（41 Ⅱ②）に該当するものと考えられるため、Aから当該訴訟における訴訟代理業務を受任しなかったとしても、相手方Bの依頼を受け、当該訴訟においてBが提出すべき答弁書を作成することができない。

⑷ 誤　司法書士法人は、受任している事件の依頼者が「同意した場合を除き」、簡裁訴訟代理等関係業務に関するものとして受任している事件の相手方からの依頼による他の事件について、裁判書類を作成することはできない（41 Ⅱ③）。

以上から、正しいものは⑼⑴であり、正解は⑸となる。

3-4(22-8)　司法書士法人

司法書士法人の社員に関する次の(ア)から(オ)までの記述のうち、正しいものの組合せは、後記(1)から(5)までのうちどれか。

(ア)　司法書士法人が業務の一部の停止の処分を受けた場合には、その処分を受けた日以前30日以内に当該司法書士法人の社員であった者は、当該業務の一部の停止の期間を経過しない限り、他の司法書士法人の社員となることができない。

(イ)　司法書士法人の社員は、簡裁訴訟代理等関係業務に関して依頼者に対して負担することとなった債務以外の司法書士法人の債務について、司法書士法人の財産をもって完済することができないときは、連帯して、その弁済の責任を負う。

(ウ)　司法書士法人の社員は、司法書士の登録が取り消された場合及び司法書士法に定められている社員の欠格事由に該当することとなった場合を除いて、その意思に反して当該司法書士法人を脱退することはない。

(エ)　司法書士法人は、従たる事務所を新たに設ける場合において、当該事務所の周辺における司法書士の分布状況その他の事情に照らして相当と認められるときは、当該事務所の所在する地域の司法書士会の許可を得た上で、社員が常駐しない従たる事務所を設けることができる。

(オ)　司法書士法人は、定款の定めをもってしても、一部の社員について、出資のみを行い、業務執行権を有しないものとすることはできない。

(1)　(ア)(イ)　　(2)　(ア)(エ)　　(3)　(イ)(オ)　　(4)　(ウ)(エ)　　(5)　(ウ)(オ)

学習記録	／	／	／	／	／	／	／	／	／

重要度　A	知識型	要 *Check!*

正解　(3)

(ア)　誤　　司法書士法人が解散又は業務の全部の停止の処分を受けた場合において、その処分を受けた日以前30日以内にその社員であった者でその処分を受けた日から３年（業務の全部の停止の処分を受けた場合にあっては、当該業務の全部の停止の期間）を経過しないものは司法書士法人の社員となることができない（28Ⅱ②）。しかし、司法書士法人が業務の一部の停止の処分を受けた場合には、当該司法書士法人の社員であった者は、社員の欠格事由には該当しないため、他の司法書士法人の社員となることができる。

(イ)　正　　司法書士法人の社員は、簡裁訴訟代理等関係業務に関して依頼者に対して負担することとなった債務以外の司法書士法人の債務について、司法書士法人の財産をもって完済することができない場合は、連帯して弁済の責任を負う（38Ⅰ）。なお、簡裁訴訟代理等関係業務に関して依頼者に対して負担することとなった司法書士法人の債務について、司法書士法人の財産をもって完済することができない場合は、３条２項の司法書士である社員（特定社員）のみが連帯して弁済の責任を負う。

(ウ)　誤　　司法書士法人の社員は、①司法書士の登録が取り消された場合（43①)、②定款に定める理由が発生した場合（43②)、③総社員の同意がある場合（43③)、④欠格事由に該当することとなった場合（43④)、⑤除名された場合（43⑤)、に司法書士法人を脱退する。したがって、司法書士法人の社員は、司法書士の登録が取り消された場合及び司法書士法に定められている欠格事由に該当することとなった場合を除いて、その意思に反して当該司法書士法人を脱退することはないとはいえない。

(エ)　誤　　司法書士法人は、その事務所に、当該事務所の所在地を管轄する法務局又は地方法務局の管轄区域内に設立された司法書士会の会員である社員を常駐させなければならない（39)。

(オ)　正　　司法書士法人の社員は、すべて業務を執行する権利を有し、義務を負う（36Ⅰ）。

以上から、正しいものは(イ)(オ)であり、正解は(3)となる。

3-5(23-8)　司法書士法人

司法書士又は司法書士法人の業務に関する次の(ア)から(オ)までの記述のうち、正しいものの組合せは、後記(1)から(5)までのうちどれか。

(ア)　定款又は総社員の同意によって、社員のうち特に司法書士法人を代表すべきものを定めていない場合には、当該司法書士法人の社員が各自司法書士法人を代表するが、簡裁訴訟代理等関係業務を行うことを目的とする司法書士法人における簡裁訴訟代理等関係業務については、司法書士法第３条第２項に規定する司法書士である社員以外の社員は、司法書士法人を代表することができない。

(イ)　司法書士法人は、その主たる事務所の所在地において設立の登記をすることによって成立するが、司法書士会の会員となるには、主たる事務所の所在地の司法書士会を経由して日本司法書士会連合会の司法書士法人名簿に登録の申請をしなければならない。

(ウ)　司法書士法人の使用人である司法書士は、当該司法書士法人の業務に従事していた期間内に、当該司法書士法人がＡの依頼を受けてＢに対する売買代金請求事件の訴状を作成する業務を行った事件であって、自らこれに関与したものについては、当該業務の終了後又は当該法人を脱退した後であっても、個人としてＢの依頼を受けて当該事件の答弁書を作成する業務を行うことはできない。

(エ)　簡裁訴訟代理等関係業務を行うことを目的とする司法書士法人にあっては、司法書士法第３条第２項に規定する司法書士である社員が常駐していない事務所においても、司法書士法第３条第２項に規定する司法書士である使用人を常駐させれば、簡裁訴訟代理等関係業務を取り扱うことができる。

(オ)　司法書士法人の社員は、司法書士会の会則を遵守しなければならず、会則に違反する行為をしたことを理由として懲戒処分を受けることがあるが、司法書士法人は、司法書士会の会則を遵守する義務はなく、会則に違反する行為をしたことを理由として懲戒処分を受けることはない。

(参考)
　司法書士法
　　(業務)
　　第３条（略）
　　２　前項第６号から第８号までに規定する業務（以下「簡裁訴訟代理等関係業務」という。）は、次のいずれにも該当する司法書士に限り、行うことができる。
　　　一～三　(略)
　　３～８　(略)

(1)　(ア)(イ)　　(2)　(ア)(ウ)　　(3)　(イ)(オ)　　(4)　(ウ)(エ)　　(5)　(エ)(オ)

学習記録	／	／	／	／	／	／	／	／	／

司法書士法人

重要度 A | **知識型** | **要 *Check!*** | **正解 (2)**

(ア) 正　定款又は総社員の同意によって、社員のうち特に司法書士法人を代表すべきものを定めている場合を除いて、司法書士法人の社員は、各自司法書士法人を代表する（37Ⅰ）。しかし、簡裁訴訟代理等関係業務を行うことを目的とする司法書士法人における簡裁訴訟代理等関係業務については、３条２項に規定する司法書士である社員のみが、各自司法書士法人を代表する（37Ⅱ・３Ⅱ）。

(イ) 誤　司法書士法人は、その主たる事務所の所在地において設立の登記をすることによって成立する（33）。そして、司法書士法人は、成立すると、その主たる事務所の所在地を管轄する法務局又は地方法務局の管轄区域内に設立された司法書士会の会員となるため、司法書士会を経由して日本司法書士会連合会の司法書士法人名簿に登録の申請することを要しない。なお、司法書士法人は、成立の日から２週間以内に、登記事項証明書及び定款の写しを添えて、その旨を、その主たる事務所の所在地を管轄する法務局又は地方法務局の管轄区域内に設立された司法書士会及び日本司法書士会連合会に届け出なければならない（34）。

(ウ) 正　司法書士法人の使用人である司法書士は、当該司法書士法人の社員又は使用人である司法書士としてその業務に従事していた期間内に、当該司法書士法人が相手方の依頼を受けて裁判書類作成業務（訴状作成、答弁書作成等）を行った事件について、自らこれに関与したものについては、当該業務の終了後又は当該法人を脱退した後であっても、個人としてその相手方の依頼を受けて裁判書類作成関係業務を行うことはできない（22Ⅱ②）。

(エ) 誤　司法書士法人は、その事務所に、当該事務所の所在地を管轄する法務局又は地方法務局の管轄区域内に設立された司法書士会の会員である社員を常駐させなければならない（39）。また、簡裁訴訟代理等関係業務を行うことを目的とする司法書士法人は、３条２項に規定する司法書士である社員が常駐していない事務所においては、簡裁訴訟代理等関係業務を取り扱うことはできない（40）。したがって、３条２項に規定する司法書士である使用人を常駐させたとしても、簡裁訴訟代理等関係業務を取り扱うことはできない。

(オ) 誤　司法書士法人の社員は司法書士でなければならないところ（28Ⅰ）、司法書士は、その所属する司法書士会及び日本司法書士会連合会の会則を守らなければならず（23）、会則に違反する行為をしたことを理由として懲戒処分を受けることがある（47）。そして、司法書士法人についても、23条の規定は準用されている（46Ⅰ）。そのため、司法書士法人は、司法書士会の会則を遵守する義務があるので、会則に違反する行為をしたことを理由として懲戒処分を受けることがある（46Ⅰ・23・48Ⅰ）。

以上から、正しいものは(ア)(ウ)であり、正解は(2)となる。

3−6(28−8)　司法書士法人

　司法書士法人Ｘ及びその社員Ｙに関する次の(ア)から(オ)までの記述のうち、正しいものの組合せは、後記(1)から(5)までのうち、どれか。
　なお、Ｘの主たる事務所の所在地は、Ａ地方法務局の管轄区域内にあるものとする。(改)

(ア)　Ｘは、その成立の時に、Ａ地方法務局の管轄区域内に設立された司法書士会の会員となる。

(イ)　Ｘは、その名称を変更したときは、変更の日から二週間以内に、その旨をＡ地方法務局の長に届け出なければならない。

(ウ)　Ｘが簡裁訴訟代理等関係業務を行うことを目的とする場合には、Ｙは、自らが法務大臣から簡裁訴訟代理等関係業務を行うのに必要な能力を有するとの認定を受けていないときであっても、総社員全員の同意によって、Ｘが行う簡裁訴訟代理等関係業務について、Ｘを代表することができる。

(エ)　Ｘが司法書士法に違反した場合であっても、法務大臣は、Ｘに対し、解散の処分をすることはできない。

(オ)　Ｘが業務の全部の停止の処分を受けた場合において、当該処分の日にＹがＸの社員であったときは、Ｙは、Ｘの業務の全部の停止の期間を経過した後でなければ、他の司法書士法人の社員となることができない。

(1)　(ア)(イ)　　(2)　(ア)(オ)　　(3)　(イ)(エ)　　(4)　(ウ)(エ)　　(5)　(ウ)(オ)

学習記録	／	／	／	／	／	／	／	／	／

司法書士法人

重要度 A	知識型	要 *Check!*	正解 (2)

(ア) 正　司法書士法人は、その成立の時に、主たる事務所の所在地の司法書士会の会員となる（58Ⅰ）。すなわち、司法書士法人は、自然人である司法書士とは異なり、司法書士会に入会するための手続は要しない。なぜなら、司法書士法人は、司法書士会の会員である司法書士のみが社員となって設立する法人（26・28Ⅰ・Ⅱ③）であり、社員である個々の司法書士が司法書士登録の際に入会の審査等を経ているため、司法書士法人について改めて入会の審査等を経る必要がないからである。

(イ) 誤　司法書士法人は、定款を変更したときは、変更の日から２週間以内に、変更に係る事項を、主たる事務所の所在地の司法書士会及び日本司法書士会連合会に届け出なければならない（35Ⅱ）。そして、司法書士法人の名称は、定款の絶対的記載事項である（32Ⅲ②）。したがって、司法書士法人Xは、その名称を変更したときは、変更の日から２週間以内に、その旨を、主たる事務所の所在地の司法書士会及び日本司法書士会連合会に届け出なければならない。

(ウ) 誤　簡裁訴訟代理等関係業務を行うことを目的とする司法書士法人における簡裁訴訟代理等関係業務については、３条２項に規定する司法書士である社員（特定社員）のみが、各自司法書士法人を代表する（37Ⅱ本文）。ただし、当該特定社員の全員の同意によって、当該特定社員のうち特に簡裁訴訟代理等関係業務について司法書士法人を代表すべきものを定めることを妨げない（37Ⅱ但書）。この点、法務大臣から簡裁訴訟代理等関係業務を行うのに必要な能力を有するとの認定を受けていない者は、特定社員に当たらない（３Ⅱ）。

(エ) 誤　司法書士法人が司法書士法又は司法書士法に基づく命令に違反したときは、法務大臣は、当該司法書士法人に対し、解散の処分をすることができる（48Ⅰ③）。

(オ) 正　司法書士法人が業務の全部の停止の処分を受けた場合において、その処分を受けた日以前30日内にその社員であった者で、当該業務の全部の停止の期間を経過しないものは、他の司法書士法人の社員となることができない（28Ⅱ②）。これは、業務の全部の停止の懲戒処分を受けた司法書士法人の社員が新たに他の司法書士法人を設立することによって、法人に対する懲戒処分を行った趣旨が失われることを防ぐために設けられた欠格事由である。

以上から、正しいものは(ア)(オ)であり、正解は(2)となる。

3−7(30−8)　司法書士法人

司法書士又は司法書士法人（社員のうちに、簡裁訴訟代理等関係業務を行うことができる司法書士はいないものとする。）の業務に関する次の(ア)から(オ)までの記述のうち、正しいものの組合せは、後記(1)から(5)までのうち、どれか。

(ア)　司法書士法人の社員は、他の社員全員の承諾があれば、自己又は第三者のためにその司法書士法人の業務の範囲に属する業務を行うことができる。

(イ)　司法書士Ａは、司法書士法人Ｂの社員である期間内に、ＢがＣから依頼を受けた相手方をＤとする売買代金支払請求事件の訴状を作成する業務に自らが関与していたときは、Ｂを脱退した後であっても、当該事件についてＤから依頼を受けて答弁書を作成することはできない。

(ウ)　司法書士法人は、定款で定めるところにより、当該法人が行う業務についての執行権を有する者を当該法人の社員のうちの一部の者のみに限定することができる。

(エ)　司法書士法人Ａの社員である司法書士Ｂが、Ａが受任した登記手続の代理業務を遂行するに当たり司法書士法に違反する行為を行った場合には、当該行為を行ったＢが懲戒処分を受けることはあるが、Ａが重ねて懲戒処分を受けることはない。

(オ)　司法書士法人は、定款で定めるところにより、当事者その他関係人の依頼により、管財人、管理人その他これらに類する地位に就き、他人の財産の管理又は処分を行う業務をすることができる。

(1)　(ア)(ウ)　(2)　(ア)(オ)　(3)　(イ)(エ)　(4)　(イ)(オ)　(5)　(ウ)(エ)

司法書士法人

学習記録	／	／	／	／	／	／	／	／	／

重要度　A	知識型	要 *Check!*	正解　(4)

(ア) 誤　　司法書士法人の社員は、自己若しくは第三者のためにその司法書士法人の業務の範囲に属する業務を行うことはできない（42Ⅰ）。そして、これは他の社員全員の承諾がある場合においても、同様である。

(イ) 正　　司法書士は、司法書士法人の社員又は使用人である司法書士としてその業務に従事していた期間内に、当該司法書士法人が相手方の依頼を受けて裁判書類作成業務を行った事件で、自らこれに関与したものについては、裁判書類作成関係業務を行ってはならない（22Ⅱ②）。

(ウ) 誤　　司法書士法人の社員は、すべて業務を執行する権利を有し、義務を負う（36Ⅰ）。この点、司法書士法人の社員のうち、出資のみを行い業務執行を行わない社員を認めることはできない。

(エ) 誤　　司法書士法は、社員である司法書士に対する懲戒処分とは別に、司法書士法人に対する懲戒処分制度を設けている（47・48）。これは、司法書士法人は、依頼者との契約の主体となり、社会的・経済的な実体を有するものであることから、司法書士法人の違法な行為を実効的に防止するため、司法書士法人に対する懲戒制度を定めるものである。したがって、司法書士法人の社員である司法書士が懲戒処分を受けた場合においても、重ねて司法書士法人が懲戒処分を受けることもある。

(オ) 正　　司法書士法人は、定款で定めるところにより、当事者その他関係人の依頼により、管財人、管理人その他これらに類する地位に就き、他人の財産の管理又は処分を行う業務をすることができる（29Ⅰ①、司書施規31①）。

以上から、正しいものは(イ)(オ)であり、正解は(4)となる。

3−8(R4−8)　司法書士法人

司法書士又は司法書士法人に関する次の(ア)から(オ)までの記述のうち、誤っているものの組合せは、後記(1)から(5)までのうち、どれか。

(ア)　司法書士は、他の法務局又は地方法務局の管轄区域内に事務所を移転しようとする場合には、現に所属する司法書士会を経由して、日本司法書士会連合会に対し、所属する司法書士会の変更の登録の申請をしなければならない。

(イ)　司法書士法に基づく業務の停止の処分を受けた司法書士は、当該業務の停止の期間が経過した日から３年を経過するまでの間、司法書士法人の社員となることができない。

(ウ)　司法書士となる資格を有する者が、司法書士名簿への登録の申請をした場合に、その申請の日から３か月を経過しても当該申請に対して何らの処分がされないときは、当該登録を拒否されたものとして、法務大臣に対して審査請求をすることができる。

(エ)　司法書士法人は、定款に別段の定めがない場合には、総社員の同意がなければ定款の変更をすることができない。

(オ)　司法書士法人は、その事務所に、当該事務所の所在地を管轄する法務局又は地方法務局の管轄区域内に設立された司法書士会の会員である社員を常駐させなければならない。

(1)　(ア)(イ)　　(2)　(ア)(オ)　　(3)　(イ)(エ)　　(4)　(ウ)(エ)　　(5)　(ウ)(オ)

学習記録	／	／	／	／	／	／	／	／	／

重要度 A	知識型	要 *Check!*	正解 (1)

(ア) 誤　司法書士は、他の法務局又は地方法務局の管轄区域内に事務所を移転しようとするときは、その管轄区域内に設立された司法書士会を経由して、日本司法書士会連合会に、所属する司法書士会の変更の登録の申請をしなければならない（13Ⅰ）。なお、司法書士は、当該変更の登録の申請をするときは、現に所属する司法書士会にその旨を届け出なければならない（13Ⅱ）。

(イ) 誤　司法書士が司法書士法又は司法書士法に基づく命令に違反したときは、法務大臣は、当該司法書士に対し、２年以内の業務の停止の処分をすることができる（47②）。そして、当該業務の停止の処分を受け、当該業務の停止の期間を経過しない者は、司法書士法人の社員となることができない（28Ⅱ①）。これは、業務の停止の懲戒処分を受けている司法書士が、司法書士法人における事件処理の担当者として、直接司法書士の業務を行うべきではなく、また、法人の社員の立場として、司法書士法人の業務執行に関与するべきではないからである。

(ウ) 正　司法書士名簿の登録を受けようとする者は、その事務所を設けようとする地を管轄する法務局又は地方法務局の管轄区域内に設立された司法書士会を経由して、日本司法書士会連合会に登録申請書を提出しなければならない（９Ⅰ）。そして、当該登録の申請をした者は、その申請の日から３か月を経過しても当該申請に対して何らの処分がされないときは、当該登録を拒否されたものとして、法務大臣に対して審査請求をすることができる（12Ⅱ）。

(エ) 正　司法書士法人は、定款に別段の定めがある場合を除き、総社員の同意によって、定款の変更をすることができる（35Ⅰ）。

(オ) 正　司法書士法人の事務所（主たる事務所及び従たる事務所）には、当該事務所の所在地を管轄する法務局又は地方法務局の管轄区域内に設立された司法書士会の会員である社員を常駐させなければならない(39)。なぜなら、事務所に司法書士である社員が常駐していないと、社員による従業者に対する指揮監督が十分にできないため、その事務所が非司法書士の活動の温床になるおそれがあるからである。

以上から、誤っているものは(ア)(イ)であり、正解は(1)となる。

3−9(R6−8)　司法書士法人

司法書士又は司法書士法人に関する次の(ア)から(オ)までの記述のうち、誤っているものの組合せは、後記(1)から(5)までのうち、どれか。

(ア)　司法書士は、日本司法書士会連合会が備える名簿に登録を受けることにより、二以上の事務所を設けることができる。

(イ)　司法書士は、正当な事由がある場合でなければ、簡易裁判所に提出する書類を作成する業務の依頼を拒むことができない。

(ウ)　司法書士法人は、従たる事務所に社員を常駐させることを要しない。

(エ)　司法書士法人の社員は、第三者のためにその司法書士法人の業務の範囲に属する業務を行ってはならない。

(オ)　司法書士法人は、その主たる事務所の所在地において設立の登記をすることによって、当該所在地の司法書士会の会員となる。

(1)　(ア)(ウ)　　(2)　(ア)(オ)　　(3)　(イ)(ウ)　　(4)　(イ)(エ)　　(5)　(エ)(オ)

学習記録	／	／	／	／	／	／	／	／	／

重要度 A	知識型	要 *Check!*		正解 (1)

(ア) 誤　司法書士は、二以上の事務所を設けることができない（司書施規19）。

(イ) 正　裁判所に提出する書類を作成する業務は、簡裁訴訟代理等関係業務に当たらないため（3Ⅱ・Ⅰ④・⑥〜⑧参照）、司法書士は、正当な事由がある場合でなければ依頼を拒むことができない（21）。

(ウ) 誤　司法書士法人の事務所（主たる事務所及び従たる事務所）には、当該事務所の所在地を管轄する法務局又は地方法務局の管轄区域内に設立された司法書士会の会員である社員を常駐させなければならない（39参照）。

(エ) 正　司法書士法人の社員は、自己又は第三者のためにその司法書士法人の業務の範囲に属する業務を行ってはならない（42Ⅰ）。

(オ) 正　司法書士法人は、その主たる事務所の所在地において設立の登記をすることによって成立し（33）、その成立の時に、主たる事務所の所在地の司法書士会の会員となる（58Ⅰ）。

以上から、誤っているものは(ア)(ウ)であり、正解は(1)となる。

4−1(20−8)　司法書士会・日本司法書士会連合会・公共嘱託登記司法書士協会

司法書士名簿の登録及び司法書士会への入退会に関する次の(ア)から(オ)までの記述のうち、正しいものの組合せは、後記(1)から(5)までのうちどれか。

(ア)　司法書士となる資格を有する者は、事務所を設けようとする地を管轄する法務局又は地方法務局の管轄区域内に設立された司法書士会を経由して日本司法書士会連合会に対して司法書士名簿への登録の申請をすれば、その登録が完了した時に、当然に、経由した司法書士会に入会したものとみなされる。

(イ)　司法書士は、事務所の移転に伴い所属する司法書士会を変更する場合には、新たに所属する司法書士会を経由して、日本司法書士会連合会に対して変更の登録の申請をすれば足り、現に所属する司法書士会に対して、変更の登録の申請をする旨を併せて届け出る必要はない。

(ウ)　司法書士法人は、その成立の時に、当然に、主たる事務所の所在地を管轄する法務局又は地方法務局の管轄区域内に設立された司法書士会の会員となる。

(エ)　司法書士は、司法書士法人の社員となっている間は、司法書士会を退会しなければならない。

(オ)　司法書士名簿への登録が拒否された場合には、日本司法書士会連合会から申請者に対して登録が拒否された旨及びその理由が通知され、司法書士名簿への登録が行われた場合には、日本司法書士会連合会から申請者に対して登録が行われた旨が通知される。

(1)　(ア)(イ)　　(2)　(ア)(エ)　　(3)　(イ)(オ)　　(4)　(ウ)(エ)　　(5)　(ウ)(オ)

司法書士会等

学習記録	／	／	／	／	／	／	／	／	／

重要度　C	知識型			正解　(5)

(ア)　誤　　司法書士となる資格を有する者が、事務所を設けようとする地を管轄する法務局又は地方法務局の管轄区域内に設立された司法書士会を経由して日本司法書士会連合会に対して司法書士名簿への登録申請をする場合、同時に司法書士会に対して入会の手続をとる必要がある（9Ⅰ・57Ⅰ）。したがって、司法書士会連合会に司法書士名簿への登録の申請をすれば、その登録が完了した時に、当然に経由した司法書士会に入会したものとみなされるわけではない。

(イ)　誤　　司法書士は、他の法務局又は地方法務局の管轄区域内に事務所を移転しようとするときは、その移転先の管轄区域内に設立された司法書士会を経由して、日本司法書士会連合会に、所属する司法書士会の変更の登録を申請しなければならない（13Ⅰ）。そして、前記の変更の登録の申請をした司法書士は、当該申請に基づく変更の登録の時に、従前所属していた司法書士会を退会する（57Ⅲ）ため、現に所属する司法書士会に対しては退会する旨を届け出なければならない（13Ⅱ）。

(ウ)　正　　司法書士法人は、主たる事務所の所在地において設立の登記をした時に、当然に、主たる事務所の所在地の司法書士会の会員となる（58Ⅰ・33）。そして、この場合、主たる事務所の所在地の司法書士会に入会する手続を要しない。なぜなら、社員である司法書士が司法書士の登録の時に入会の審査等を経ているため、司法書士法人について、改めて入会の審査等を経る必要がないからである。

(エ)　誤　　司法書士会の会員でない者は、司法書士法人の社員の欠格事由とされている（28Ⅱ③）ため、司法書士は、司法書士法人の社員となっている間も、司法書士会の会員でなければならないことになる。したがって、司法書士会を退会しなければならないとする点で、本肢は誤りである。

(オ)　正　　日本司法書士会連合会は、登録の申請を受けた場合において、登録をしたときはその旨を、登録を拒否したときはその旨及びその理由を申請者に書面により通知しなければならない（11・9Ⅰ）。

以上から、正しいものは(ウ)(オ)であり、正解は(5)となる。

4−2(31−8)　司法書士会・日本司法書士会連合会・公共嘱託登記司法書士協会

司法書士会に関する次の(ア)から(オ)までの記述のうち、正しいものの組合せは、後記(1)から(5)までのうち、どれか。

(ア)　司法書士会は、会員の品位を保持し、その業務の改善進歩を図るため、会員の指導及び連絡に関する事務を行い、並びに司法書士の登録に関する事務を行うことを目的とする。

(イ)　司法書士会は、所属の会員の業務に関する紛議について、当該会員又は当事者その他関係人の請求がある場合には、その紛議に係る調停をすることができる。

(ウ)　司法書士会は、所属の会員から補助者を置いた旨の届出がされた場合には、その旨を日本司法書士会連合会に通知しなければならない。

(エ)　司法書士会は、所属の会員が社員である公共嘱託登記司法書士協会の業務の適正な実施を確保する必要があると認めるときは、当該業務及び当該公共嘱託登記司法書士協会の財産の状況を検査することができる。

(オ)　司法書士会は、所属の会員が、司法書士法又は司法書士法に基づく命令に違反すると思料するときは、その旨を、その司法書士会の事務所の所在地を管轄する法務局又は地方法務局の長に報告しなければならない。

(1)　(ア)(イ)　　(2)　(ア)(エ)　　(3)　(イ)(オ)　　(4)　(ウ)(エ)　　(5)　(ウ)(オ)

学習記録	／	／	／	／	／	／	／	／	／

重要度　C	知識型	

正解　(3)

(ア)　誤　　司法書士会は、会員の品位を保持し、その業務の改善進歩を図るため、会員の指導及び連絡に関する事務を行うことを目的とする（52Ⅱ）。なお、日本司法書士会連合会は、司法書士会の会員の品位を保持し、その業務の改善進歩を図るため、司法書士会及びその会員の指導及び連絡に関する事務を行い、並びに司法書士の登録に関する事務を行うことを目的とする（62Ⅱ）。

(イ)　正　　司法書士会は、所属の会員の業務に関する紛議につき、当該会員又は当事者その他関係人の請求により調停をすることができる（59）。これは、司法書士又は司法書士法人の業務につき依頼者などとの間で紛議が生じた場合に、司法書士又は司法書士法人の業務について専門的な知識を有し、中立的な立場にある司法書士会が調停を行うことで、このような紛議を簡易・迅速に解決し、司法書士制度に対する国民の信頼の確保を図ったものである。

(ウ)　誤　　司法書士は、補助者を置いたときは、遅滞なく、その旨を所属の司法書士会に届け出なければならない（司書施規25Ⅱ）。そして、司法書士会は、その届出があったときは、その旨をその司法書士会の事務所の所在地を管轄する法務局又は地方法務局の長に通知しなければならない（司書施規25Ⅲ）。

(エ)　誤　　公共嘱託登記司法書士協会（以下「協会」という。）の主たる事務所の所在地を管轄する法務局又は地方法務局の長は、協会の業務の適正な実施を確保するため必要があると認めるときは、いつでも、当該業務及び協会の財産の状況を検査し、又は協会に対し、当該業務に関し監督上必要な命令をすることができる（69の2Ⅱ）。

(オ)　正　　60条では、司法書士会は、所属の会員が、司法書士法又は司法書士法に基づく命令に違反すると思料するときは、その旨を、法務大臣に報告しなければならないと定められているが、法務大臣の当該報告の受理権限は、法務局又は地方法務局の長に委任することとされている（司書施規37の7④）。したがって、司法書士会は、当該報告をその司法書士会の事務所の所在地を管轄する法務局又は地方法務局の長に対してしなければならない。

以上から、正しいものは(イ)(オ)であり、正解は(3)となる。

5−1(19−8)　懲戒・罰則・その他

司法書士又は司法書士法人に対する懲戒に関する次の(ア)から(オ)までの記述のうち、誤っているものの組合せは、後記(1)から(5)までのうちどれか（改)。

(ア)　司法書士法第２条は、「司法書士は、常に品位を保持し、業務に関する法令及び実務に精通して、公正かつ誠実にその業務を行わなければならない。」と司法書士の職責について定めているが、これは訓示規定であるので、同条違反を理由に懲戒処分を受けることはない。

(イ)　司法書士又は司法書士法人が司法書士会又は日本司法書士会連合会の会則に違反する行為を行った場合には、これらの会則の遵守義務を定めた司法書士法違反を理由に懲戒処分を受けることがある。

(ウ)　法務大臣は、司法書士法人に対する懲戒処分として、当該司法書士法人の解散を命ずる処分をすることができる。

(エ)　司法書士法人の社員である司法書士が当該司法書士法人の業務について司法書士法に違反する行為を行った場合には、当該行為について、当該司法書士法人が懲戒処分を受けることはあるが、当該行為を行った当該司法書士法人の社員である司法書士が重ねて懲戒処分を受けることはない。

(オ)　司法書士又は司法書士法人の懲戒処分については、法務大臣によって、その旨が官報をもって公告される。

(1)　(ア)(ウ)　　(2)　(ア)(エ)　　(3)　(イ)(エ)　　(4)　(イ)(オ)　　(5)　(ウ)(オ)

学習記録	／	／	／	／	／	／	／	／	／

重要度　C	知識型			正解　(2)

(ア) 誤　　司法書士が司法書士法又は司法書士法に基づく命令に違反したときは、法務大臣は、当該司法書士に対し、懲戒の処分をすることができる（47)。そして、司法書士が２条に違反して、その品位を害し、又は公正かつ誠実に業務を行わない場合には、２条違反を理由として懲戒事由となる。

(イ) 正　　司法書士は、その所属する司法書士会及び日本司法書士会連合会の会則を守らなければならない（23)。そして、23条は司法書士法人に準用されている（46Ⅰ)。したがって、司法書士又は司法書士法人が、司法書士会又は日本司法書士会連合会の会則違反の行為を行った場合には、23条違反を理由として懲戒事由となる（47・48)。

(ウ) 正　　司法書士法人が司法書士法又は司法書士法に基づく命令に違反したときは、法務大臣は、当該司法書士法人に対し、戒告、２年以内の業務の全部又は一部の停止、解散の処分をすることができる（48Ⅰ)。

(エ) 誤　　司法書士法は、社員である司法書士に対する懲戒処分とは別に、司法書士法人に対する懲戒処分制度を設けている（47・48)。このため、司法書士法人の社員である司法書士が当該司法書士法人の業務について司法書士法に違反する行為を行った場合には、当該行為について、当該司法書士法人が懲戒処分を受けるときでも、当該行為を行った当該司法書士が重ねて懲戒処分を受けることもある。

(オ) 正　　法務大臣は、司法書士又は司法書士法人の懲戒処分を行ったときは、遅滞なく、その旨を官報をもって公告しなければならない（51)。

以上から、誤っているものは(ア)(エ)であり、正解は(2)となる。

5−2(R5−8)　懲戒・罰則・その他

司法書士又は司法書士法人に対する懲戒に関する次の(ア)から(オ)までの記述のうち、誤っているものの組合せは、後記(1)から(5)までのうち、どれか。

(ア)　何人も、司法書士又は司法書士法人に司法書士法又は同法に基づく命令に違反する事実があると思料するときは、法務大臣に対し、当該事実を通知し、適当な措置をとることを求めることができる。

(イ)　法務大臣は、司法書士法人に対する懲戒処分として、当該司法書士法人の取り扱う業務のうちの一部に限って業務を停止する処分をすることはできない。

(ウ)　司法書士法人の社員である司法書士が当該司法書士法人の業務について司法書士法又は同法に基づく命令に違反する行為を行った場合には、当該行為について、当該司法書士法人が懲戒処分を受けることはあるが、当該行為を行った当該司法書士法人の社員である司法書士が重ねて懲戒処分を受けることはない。

(エ)　法務大臣は、司法書士に対し、戒告の処分をしようとする場合には、当該司法書士の聴聞を行わなければならない。

(オ)　司法書士又は司法書士法人がその所属する司法書士会又は日本司法書士会連合会の会則に違反する行為を行った場合には、これらの会則の遵守義務を定めた司法書士法違反を理由に懲戒処分を受けることがある。

(1)　(ア)(イ)　　(2)　(ア)(エ)　　(3)　(イ)(ウ)　　(4)　(ウ)(オ)　　(5)　(エ)(オ)

学習記録	／	／	／	／	／	／	／	／	／

重要度　C	知識型	

正解　(3)

(ア)　正　　何人も、司法書士又は司法書士法人にこの法律又はこの法律に基づく命令に違反する事実があると思料するときは、法務大臣に対し、当該事実を通知し、適当な措置をとることを求めることができる（49Ⅰ）。これは、懲戒処分に関する情報をよく知り得る立場にある国民に懲戒処分の申出を認めることにより、懲戒権がより適正に行使できるようにする趣旨である。

(イ)　誤　　司法書士法人がこの法律又はこの法律に基づく命令に違反したときは、法務大臣は、当該司法書士法人に対し、２年以内の業務の全部又は一部の停止の処分をすることができる（48Ⅰ②）。したがって、処分をすることはできないとする点で、本肢は誤っている。

(ウ)　誤　　司法書士法は、社員である司法書士に対する懲戒処分（47）とは別に、司法書士法人に対する懲戒処分制度を設けている（48）。したがって、重ねて懲戒処分を受けることはないとする点で、本肢は誤っている。

(エ)　正　　法務大臣は、司法書士法47条１号に掲げる戒告の処分をするときは、行政手続法13条１項の規定による意見陳述のための手続の区分にかかわらず、聴聞を行わなければならない（49Ⅲ）。なぜなら、戒告の懲戒処分であっても、その処分内容が公告され（51）、司法書士又は司法書士法人としての経歴に残ること等からすれば、司法書士等に対して与える事実上の不利益は大きく、その手続保障を図る必要があるからである。

(オ)　正　　司法書士法は、司法書士会及び日本司法書士会連合会の会則の遵守義務についても規定している（23）ことから、司法書士会及び日本司法書士会連合会の会則に違反したことも、懲戒事由となる（47参照）。

以上から、誤っているものは(イ)(ウ)であり、正解は(3)となる。

《主要参考文献一覧》

共　通

＊「ジュリスト」（有斐閣）
＊「判例時報」（判例時報社）
＊「重要判例解説」（有斐閣）
＊「[法律時報別冊] 私法判例リマークス」（日本評論社）

供託法

＊法務省民事局第四課　監修「実務供託法入門」（きんざい）
＊法務省民事局第四課職員　編「新版供託事務先例解説」（社団法人商事法務研究会）
＊法務省民事局第四課　編「供託法供託規則逐条解説」（テイハン）
＊遠藤浩＝柳田幸三　編「供託先例判例百選〔第2版〕」（有斐閣）
＊法務省民事局第四課職員　編「供託関係先例要旨集」（テイハン）
＊石坂次男＝高橋巌 補訂「詳解供託制度（改訂二版）」（日本加除出版）
＊立花宣男 監修＝福岡法務局ブロック管内供託実務研究会　編「実務解説　供託の知識167問」（日本加除出版）
＊水田耕一　著「新供託読本（第7新版）」（社団法人商事法務研究会）
＊「登記研究」（テイハン）

司法書士法

＊小林昭彦＝河合芳光＝村松秀樹　著「注釈　司法書士法〔第4版〕」（テイハン）

令和７年版　司法書士　合格ゾーン　択一式過去問題集
⑩供託法・司法書士法

1989年10月15日　第１版　第１刷発行
2024年12月５日　第29版　第１刷発行
編著者●株式会社　東京リーガルマインド
LEC総合研究所　司法書士試験部

発行所●株式会社　東京リーガルマインド
〒164-0001　東京都中野区中野4-11-10
アーバンネット中野ビル
LECコールセンター　0570-064-464
受付時間　平日9：30～19：30/土・日・祝10：00～18：00
※このナビダイヤルは通話料お客様ご負担となります。
書店様専用受注センター　TEL 048-999-7581 / FAX 048-999-7591
受付時間　平日9：00～17：00/土・日・祝休み
www.lec-jp.com/

印刷・製本●株式会社サンヨー

ISBN978-4-8449-6334-9

司法書士講座のご案内

新15ヵ月合格コース

短期合格のノウハウが詰まったカリキュラム

LECが初めて司法書士試験の学習を始める方に自信をもってお勧めする講座が新15ヵ月合格コースです。司法書士受験指導40年以上の積み重ねたノウハウと、試験傾向の徹底的な分析により、これだけ受講すれば合格できるカリキュラムとなっております。司法書士試験対策は、毎年一発・短期合格を輩出してきたLECにお任せください。

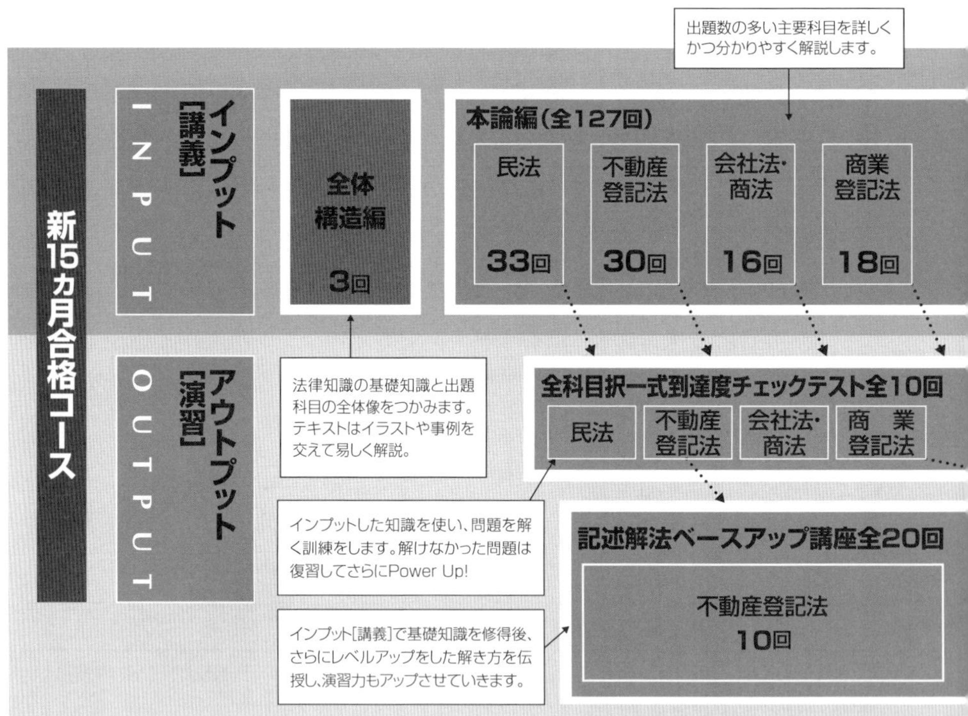

インプットとアウトプットのリンクにより短期合格を可能に！

合格に必要な力は、適切な情報収集（インプット）→知識定着（復習）→実践による知識の確立（アウトプット）という３つの段階を経て身に付くものです。新15ヵ月合格コースではインプット講座に対応したアウトプットを提供し、これにより短期合格が確実なものとなります。

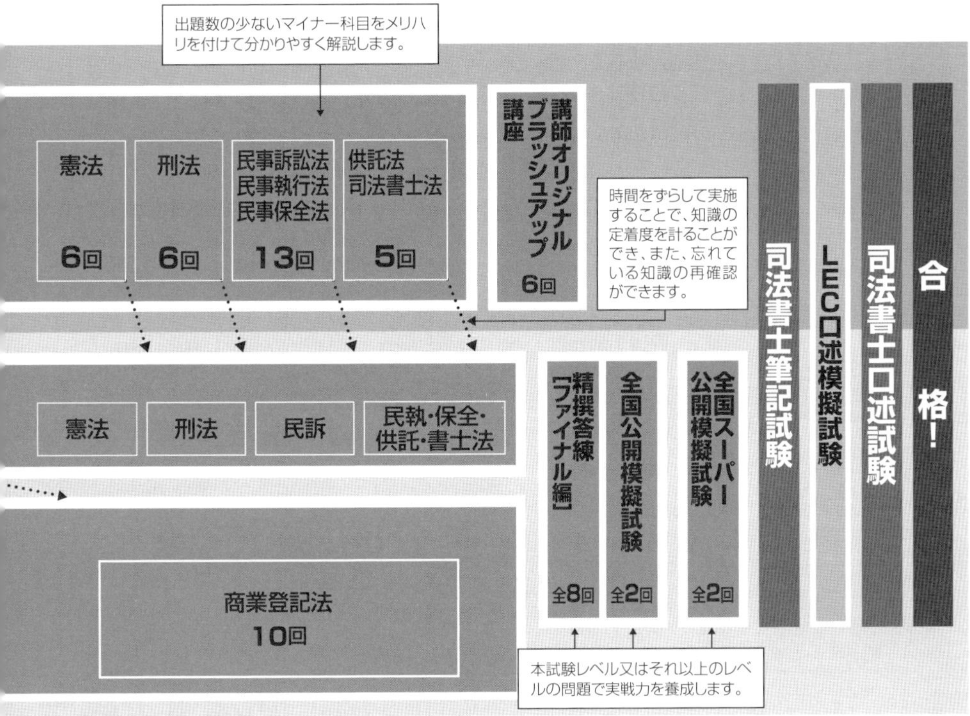

司法書士講座のご案内

スマホで司法書士 S式合格講座

スキマ時間を有効活用！1回15分で続けやすい講座

講義の視聴が**スマホ完結！**

1回15分のユニット制だから**スキマ時間**にいつでもどこでも**手軽に学習可能**です。忙しい方でも続けやすいカリキュラムとなっています。

本講座は、LECが40年以上の司法書士受験指導の中で積み重ねた学習方法、短期合格を果たすためのノウハウを凝縮し、本試験で必ず出題されると言ってもいい重要なポイントに絞って講義をしていきます。

※過去問対策、問題演習対策を独学で行うのが不安な方には、それらの対策ができる講座・コースもご用意しています。

通信専用

初学者向け通信講座

こんな希望をお持ちの方におすすめ
〇これから初めて法律を学習していきたい
〇通勤・通学、家事の合間のスキマ時間を有効活用したい
〇いつでもどこでも手軽に講義を受講したい
〇司法書士試験で重要なポイントに絞って学習したい
〇独学での学習に限界を感じている

過去問対策

過去問
演習講座
15分
×60ユニット

択一式対策

一問一答
オンライン
問題集

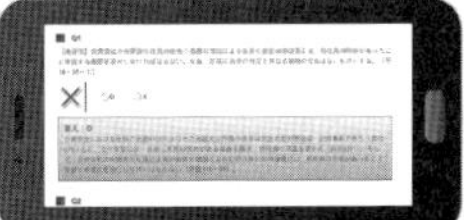

全国スーパー公開模擬試験
全2回

※本カリキュラムは、2024年8月1日現在のものであり、講座の内容・回数等が変更になる場合があります。予めご了承ください。

詳しくはこちら⇒ www.lec-jp.com/shoshi/

■お電話での講座に関するお問い合わせ 平日：9:30～19：30 土日祝：10:00～18:00
※このナビダイヤルは通話料お客様ご負担になります。※固定電話・携帯電話共通（一部のPHS・IP電話からのご利用可能）。

LECコールセンター 0570-064-464

OUTPUT 合格ゾーンシリーズ

合格ゾーン過去問題集

択一式：全10巻
記述式：全2巻

直近の本試験問題を含む過去の司法書士試験問題を体系別に収録した、LEC定番の過去問題集

合格ゾーン過去問題集

単年度版

本試験の傾向と対策を年度別に徹底解説。受験者動向を分析した各種データも掲載

合格ゾーンポケット判 択一過去問肢集

全8巻

厳選された過去問の肢を体系別に分類。持ち運びに便利なB6判過去問肢集

合格ゾーン 当たる！直前予想模試

問題・答案用紙ともに取り外しができるLECの予想模試をついに書籍化
LEC門外不出の問題ストックから、予想問題を厳選

※本内容は2024年８月１日現在のものであり、変更になる場合があります。予めご了承ください。

書籍訂正情報のご案内

平素は、LECの講座・書籍をご利用いただき、ありがとうございます。

LECでは、司法書士受験生の皆様に正確な情報をご提供するため、書籍の制作に際しては、慎重なチェックを重ね誤りのないものを制作するよう努めております。しかし、法改正や本試験の出題傾向などの最新情報を、一刻も早く受験生に提供することが求められる受験教材の性格上、残念ながら現時点では、一部の書籍について、若干の誤りや誤字などが生じております。

ご利用の皆様には、ご迷惑をお掛けしますことを深くお詫び申し上げます。

書籍発行後に判明いたしました訂正情報については、以下のウェブサイトの「書籍　訂正情報」に順次掲載させていただきます。

書籍に関する訂正情報につきましては、お手数ですが、こちらにてご確認いただければばと存じます。

書籍訂正情報 ウェブサイト

https://www.lec-jp.com/shoshi/book/emend.shtml

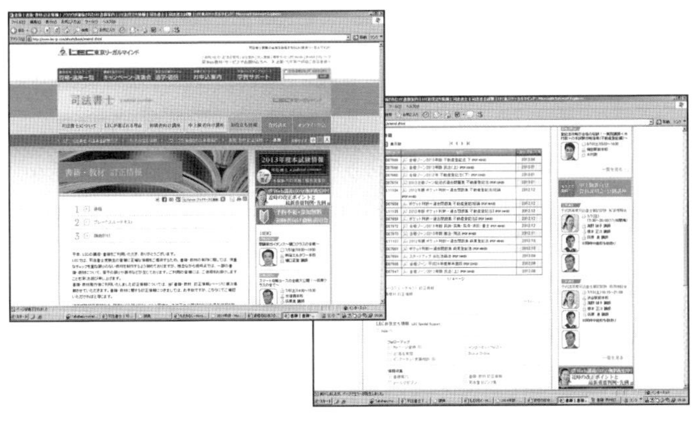

スマートフォン・タブレットから簡単アクセス！ ▷▷

自慢のメールマガジン配信中！（登録無料）

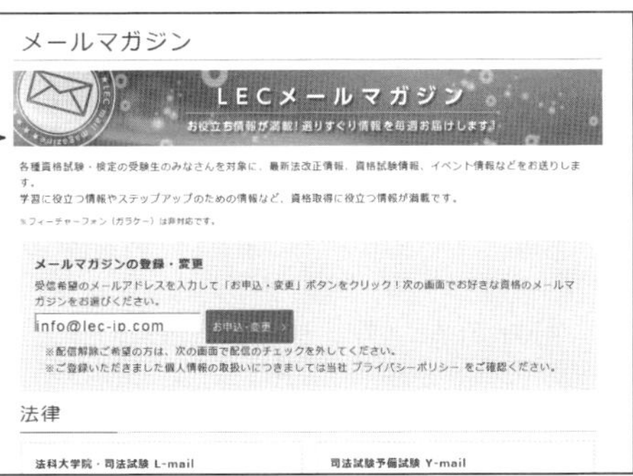

LEC講師陣が毎週配信！　最新情報やワンポイントアドバイス，改正ポイントなど合格に必要な知識をメールにて毎週配信。

www.lec-jp.com/mailmaga/

LEC オンラインショップ

充実のラインナップ！　LECの書籍・問題集や講座などのご注文がいつでも可能です。また，割引クーポンや各種お支払い方法をご用意しております。

online.lec-jp.com/

LEC 電子書籍シリーズ

LECの書籍が電子書籍に！　お使いのスマートフォンやタブレットで，いつでもどこでも学習できます。

※動作環境・機能につきましては，各電子書籍ストアにてご確認ください。

www.lec-jp.com/ebook/

LEC書籍・問題集・レジュメの紹介サイト **LEC書籍部** www.lec-jp.com/system/book/

- LECが出版している書籍・問題集・レジュメをご紹介
- 当サイトから書籍などの直接購入が可能（*）
- 書籍の内容を確認できる「チラ読み」サービス
- 発行後に判明した誤字等の訂正情報を公開

*商品をご購入いただく際は，事前に会員登録（無料）が必要です。
*購入金額の合計・発送する地域によって，別途送料がかかる場合がございます。

※資格試験によっては実施していないサービスがありますので，ご了承ください。

LEC本校

北海道・東北

札　幌本校　☎011(210)5002
〒060-0004 北海道札幌市中央区北4条西5-1　アスティ45ビル

仙　台本校　☎022(380)7001
〒980-0022 宮城県仙台市青葉区五橋1-1-10　第二河北ビル

関東

渋谷駅前本校　☎03(3464)5001
〒150-0043 東京都渋谷区道玄坂2-6-17　渋東シネタワー

池　袋本校　☎03(3984)5001
〒171-0022 東京都豊島区南池袋1-25-11　第15野萩ビル

水道橋本校　☎03(3265)5001
〒101-0061 東京都千代田区神田三崎町2-2-15　Daiwa三崎町ビル

新宿エルタワー本校　☎03(5325)6001
〒163-1518 東京都新宿区西新宿1-6-1　新宿エルタワー

早稲田本校　☎03(5155)5501
〒162-0045 東京都新宿区馬場下町62　三朝庵ビル

中　野本校　☎03(5913)6005
〒164-0001 東京都中野区中野4-11-10　アーバンネット中野ビル

立　川本校　☎042(524)5001
〒190-0012 東京都立川市曙町1-14-13　立川MKビル

町　田本校　☎042(709)0581
〒194-0013 東京都町田市原町田4-5-8　MIキューブ町田イースト

横　浜本校　☎045(311)5001
〒220-0004 神奈川県横浜市西区北幸2-4-3　北幸GM21ビル

千　葉本校　☎043(222)5009
〒260-0015 千葉県千葉市中央区富士見2-3-1　塚本大千葉ビル

大　宮本校　☎048(740)5501
〒330-0802 埼玉県さいたま市大宮区宮町1-24　大宮GSビル

東海

名古屋駅前本校　☎052(586)5001
〒450-0002 愛知県名古屋市中村区名駅4-6-23　第三堀内ビル

静　岡本校　☎054(255)5001
〒420-0857 静岡県静岡市葵区御幸町3-21　ペガサート

北陸

富　山本校　☎076(443)5810
〒930-0002 富山県富山市新富町2-4-25　カーニープレイス富山

関西

梅田駅前本校　☎06(6374)5001
〒530-0013 大阪府大阪市北区茶屋町1-27　ABC-MART梅田ビル

難波駅前本校　☎06(6646)6911
〒556−0017 大阪府大阪市浪速区湊町1-4-1
大阪シティエアターミナルビル

京都駅前本校　☎075(353)9531
〒600-8216 京都府京都市下京区東洞院通七条下ル2丁目
東塩小路町680-2　木村食品ビル

四条烏丸本校　☎075(353)2531
〒600-8413　京都府京都市下京区烏丸通仏光寺下ル
大政所町680-1　第八長谷ビル

神　戸本校　☎078(325)0511
〒650-0021 兵庫県神戸市中央区三宮町1-1-2　三宮セントラルビル

中国・四国

岡　山本校　☎086(227)5001
〒700-0901 岡山県岡山市北区本町10-22　本町ビル

広　島本校　☎082(511)7001
〒730-0011 広島県広島市中区基町11-13　合人社広島紙屋町アネクス

山　口本校　☎083(921)8911
〒753-0814 山口県山口市吉敷下東 3-4-7　リアライズⅢ

高　松本校　☎087(851)3411
〒760-0023 香川県高松市寿町2-4-20　高松センタービル

松　山本校　☎089(961)1333
〒790-0003 愛媛県松山市三番町7-13-13　ミツネビルディング

九州・沖縄

福　岡本校　☎092(715)5001
〒810-0001 福岡県福岡市中央区天神4-4-11
天神ショッパーズ福岡

那　覇本校　☎098(867)5001
〒902-0067 沖縄県那覇市安里2-9-10　丸姫産業第2ビル

EYE関西

EYE 大阪本校　☎06(7222)3655
〒530-0013　大阪府大阪市北区茶屋町1-27　ABC-MART梅田ビル

EYE 京都本校　☎075(353)2531
〒600-8413　京都府京都市下京区烏丸通仏光寺下ル
大政所町680-1　第八長谷ビル

LEC提携校

＊提携校はLECとは別の経営母体が運営をしております。
＊提携校は実施講座およびサービスにおいてLECと異なる部分がございます。

北海道・東北

八戸中央校【提携校】 ☎0178(47)5011
〒031-0035 青森県八戸市寺横町13 第1朋友ビル
新教育センター内

弘前校【提携校】 ☎0172(55)8831
〒036-8093 青森県弘前市城東中央1-5-2
まなびの森 弘前城東予備校内

秋田校【提携校】 ☎018(863)9341
〒010-0964 秋田県秋田市八橋鯲沼町1-60
株式会社アキタシステムマネジメント内

関東

水戸校【提携校】 ☎029(297)6611
〒310-0912 茨城県水戸市見川2-3079-5

所沢校【提携校】 ☎050(6865)6996
〒359-0037 埼玉県所沢市くすのき台3-18-4 所沢K・Sビル
合同会社LPエデュケーション内

日本橋校【提携校】 ☎03(6661)1188
〒103-0025 東京都中央区日本橋茅場町2-5-6 日本橋大江戸ビル
株式会社大江戸コンサルタント内

北陸

新潟校【提携校】 ☎025(240)7781
〒950-0901 新潟県新潟市中央区弁天3-2-20 弁天501ビル
株式会社大江戸コンサルタント内

金沢校【提携校】 ☎076(237)3925
〒920-8217 石川県金沢市近岡町845-1
株式会社アイ・アイ・ピー金沢内

福井南校【提携校】 ☎0776(35)8230
〒918-8114 福井県福井市羽水2-701
株式会社ヒューマン・デザイン内

中国・四国

松江殿町校【提携校】 ☎0852(31)1661
〒690-0887 島根県松江市殿町517 アルファステイツ殿町
山路イングリッシュスクール内

岩国駅前校【提携校】 ☎0827(23)7424
〒740-0018 山口県岩国市麻里布町1-3-3 岡村ビル 英光学院内

新居浜駅前校【提携校】 ☎0897(32)5356
〒792-0812 愛媛県新居浜市坂井町2-3-8
パルティフジ新居浜駅前店内

九州・沖縄

佐世保駅前校【提携校】 ☎0956(22)8623
〒857-0862 長崎県佐世保市白南風町5-15 智翔館内

日野校【提携校】 ☎0956(48)2239
〒858-0925 長崎県佐世保市椎木町336-1 智翔館日野校内

長崎駅前校【提携校】 ☎095(895)5917
〒850-0057 長崎県長崎市大黒町10-10 KoKoRoビル
minatoコワーキングスペース内

高原校【提携校】 ☎098(989)8009
〒904-2163 沖縄県沖縄市大里2-24-1
有限会社スキップヒューマンワーク内

※上記は2024年10月1日現在のものです。

書籍の訂正情報について

このたびは，弊社発行書籍をご購入いただき，誠にありがとうございます。
万が一誤りの箇所がございましたら，以下の方法にてご確認ください。

1 訂正情報の確認方法

書籍発行後に判明した訂正情報を順次掲載しております。
下記Webサイトよりご確認ください。

www.lec-jp.com/system/correct/

2 ご連絡方法

上記Webサイトに訂正情報の掲載がない場合は，下記Webサイトの
入力フォームよりご連絡ください。

lec.jp/system/soudan/web.html

フォームのご入力にあたりましては，「Web教材・サービスのご利用について」の
最下部の「ご質問内容」に下記事項をご記載ください。

- 対象書籍名（○○年版，第○版の記載がある書籍は併せてご記載ください）
- ご指摘箇所（具体的にページ数と内容の記載をお願いいたします）

ご連絡期限は，次の改訂版の発行日までとさせていただきます。
また，改訂版を発行しない書籍は，販売終了日までとさせていただきます。

※上記「2ご連絡方法」のフォームをご利用になれない場合は，①書籍名，②発行年月日，③ご指摘箇所，を記載の上，郵送にて下記送付先にご送付ください。確認した上で，内容理解の妨げとなる誤りについては，訂正情報として掲載させていただきます。なお，郵送でご連絡いただいた場合は個別に返信しておりません。

送付先：〒164-0001 東京都中野区中野4-11-10 アーバンネット中野ビル
株式会社東京リーガルマインド 出版部 訂正情報係

- 誤りの箇所のご連絡以外の書籍の内容に関する質問は受け付けておりません。
  また，書籍の内容に関する解説，受験指導等は一切行っておりませんので，あらかじめご了承ください。
- お電話でのお問合せは受け付けておりません。